PIERRE MARTIN

Madame le Commissaire

und die tote Nonne

EIN PROVENCE-KRIMI

Von Pierre Martin sind bereits erschienen:
Madame le Commissaire und der verschwundene Engländer
Madame le Commissaire und die späte Rache
Madame le Commissaire und der Tod des Polizeichefs
Madame le Commissaire und das geheimnisvolle Bild

Über den Autor:
Hinter dem Pseudonym Pierre Martin verbirgt sich ein Autor, der sich mit Romanen, die in Frankreich und in Italien spielen, einen Namen gemacht hat. Für seine Hauptfigur Madame le Commissaire hat er sich eine neue Identität zugelegt.

Besuchen Sie uns im Internet:
www.knaur.de

Originalausgabe April 2018
Knaur Taschenbuch
© 2018 Knaur Verlag
Ein Imprint der Verlagsgruppe
Droemer Knaur GmbH & Co. KG, München
Alle Rechte vorbehalten. Das Werk darf – auch teilweise –
nur mit Genehmigung des Verlags wiedergegeben werden.
Redaktion: Dr. Gisela Menza
Covergestaltung: ZERO Werbeagentur, München
Coverabbildung: Arcangel Images/Roberto Pastrovicchio;
Arcangel Images/Beatrice Preve; FinePic/shutterstock
Satz: Adobe InDesign im Verlag
Druck und Bindung: CPI books GmbH, Leck
ISBN 978-3-426-52197-7

2 4 5 3 1

1

Es hörte sich einfach an und war doch so schwer: *Vivre le moment présent!* Nicht an die Vergangenheit denken, auch nicht an die Zukunft, sich vielmehr ganz auf den Augenblick besinnen. Isabelle, die mit geschlossenen Augen im Schatten einer Pinie saß, lächelte leise vor sich hin. Das Hier und Jetzt zu genießen war eine hohe Kunst, die sie erst üben musste. In ihrem früheren Beruf war sie darauf trainiert gewesen, der Gegenwart immer einen entscheidenden Schritt voraus zu sein. Die permanente Anspannung hatte sie geprägt. Im Augenblick zu leben, sich gar an ihm zu erfreuen, das hatte sie nie gelernt, weder im Beruf noch privat.

Aber sie machte Fortschritte. *Vivre le moment présent!* Sie fuhr sich mit der Zunge über die Lippen und glaubte das Salz des nahen Meeres zu schmecken. Es roch nach Eukalyptus und Pinniennadeln. War das der Duft von Zedernholz? Sie hörte das Gelächter von Kindern, sogar das Gezwitscher eines Vogels.

Isabelle zwang sich, die Augen geschlossen zu halten. Ihr altes Leben war vorbei, es drohte keine Gefahr, von nirgendwo, von niemandem.

O ja, sie hatte viel dazugelernt, seit sie in der Provence lebte. Vor allem hatte sie vieles verlernt, was fast noch wichtiger war. Zum Beispiel fortwährend ihre Umgebung zu observieren oder …

»Hallo, Isabelle, aufwachen!«

Sie öffnete die Augen und blinzelte. Vor ihr stand ihre Freundin Jacqueline. Sie hatte sie nicht kommen hören. Das wäre ihr früher nicht passiert. Auch das war ein gutes Zeichen.

Jacqueline hielt zwei Weingläser in den Händen. »Rosé, schön kühl.« Sie setzte sich zu Isabelle an einen kleinen Gartentisch und hob ihr Glas. »Ich gratuliere.«

»Gratulieren? Wozu?«

»Zu deiner Entscheidung, Paris *adieu* zu sagen, um fortan im Süden zu leben. Ich verstehe dich mit jeder Minute besser.«

Isabelle schmunzelte. »*Oui, c'est pas mal.* Man kann sich daran gewöhnen.«

»Du hast es verdient, nach allem, was geschehen ist.«

»Wenn du meinst. *Santé!*«

Ihr schoss durch den Kopf, dass sie nie und nimmer ihren alten Job aufgegeben hätte, wäre nicht am Arc de Triomphe eine Bombe explodiert. Sie wäre bei diesem Attentat fast ums Leben gekommen. Unter dem Tisch ballte sie eine Hand zur Faust. Verdammt, jetzt dachte sie doch an die Vergangenheit. *Vivre le moment présent!* Warum war das so schwer?

»Lieb, dass du mit mir hergefahren bist«, sagte Jacqueline. »Ich weiß, dass du es eigentlich gar nicht so mit Pflanzen hast.«

Nun, da hatte sie recht. Aber auch auf diesem Gebiet machte sie Fortschritte. Außerdem war Jacqueline nur für wenige Tage zu Besuch, da wollte sie ihr jeden Wunsch erfüllen.

»Kein Problem, es gefällt mir hier.«

Das war nicht gelogen. Es gefiel ihr wirklich hier, zu ihrer eigenen Überraschung.

Sie saßen auf der Terrasse des *Café La Ferme*, einem ehemaligen Gärtnerhaus inmitten der *Domaine du Rayol*. Die botanischen Gärten gingen auf eine private Gründung Anfang des 20. Jahrhunderts zurück. In Canadel-sur-Mer direkt am Meer gelegen, waren sie später in Vergessenheit geraten und der Verwahrlosung anheimgefallen. Heute standen sie unter Naturschutz und boten auf über zwanzig Hektar eine unvergleichliche Vielfalt mediterraner Pflanzen aus aller Welt. Es gab verschiedene Gebäude, die nicht im besten Zustand waren, aber gerade deshalb einen morbiden Charme ausstrahlten, darunter das einfache Gärtner-Café *La Ferme*, vor dem sie gerade saßen. Gleich dahinter wuchsen Agaven, Yuccas und riesige Säulenkakteen. Jacqueline, die ein Faible für exotische Gewächse hatte, schien im Glück. Schon auf ihrem bisherigen Rundgang hatte sie fortwährend fotografiert. So würde es gleich weitergehen, auch mit ihren botanischen Erläuterungen, die Isabelle geduldig ertrug. Manche waren sogar interessant.

In den botanischen Gärten von Rayol vergaß man schnell die Nähe zu den schicken und mondänen Plätzen der Côte d'Azur. Man glaubte sich in einer anderen, entschleunigten Welt. Das war ausgesprochen wohltuend – aber wie sich gleich zeigen sollte, eine Illusion, denn plötzlich war eine Sirene zu hören. Dann hetzten Sanitäter mit Notfallkoffern vorbei. Wenig später folgten Polizisten in Uniform. Einige kamen wieder zurück, weil sie sich im Gewirr der Pfade verlaufen hatten, und schlugen einen neuen Weg ein.

»Da ist was passiert«, stellte Jacqueline fest.

Wohl wahr. Aber das war kein Grund, nicht in aller Ruhe den Rosé auszutrinken. Bald saßen sie alleine im *Café La Ferme*. Alle anderen Gäste waren von Neugier getrieben aufgestanden, um den Sanitätern und Polizisten zu folgen.

»Komm, wir gehen in die andere Richtung«, schlug Isabelle vor, »da haben wir den Park für uns alleine.«

»Gute Idee. Irgendwo da vorne muss der frühere Obstgarten sein.«

Zwanzig Minuten später näherten sie sich dem Steilufer, wo es mit der beschaulichen Ruhe vorbei war. Es schien, als ob sich alle Besucher der Rayol-Gärten hier versammelt hätten. Jacqueline ließ sich von der Neugier anstecken und drängelte nach vorne. Sie gab Isabelle ein Zeichen, ihr zu folgen, was diese nur widerstrebend tat, denn sie hasste Menschenansammlungen. Unter einer weit ausladenden Aleppokiefer befand sich ein Zaun. Von dort konnte man hinunter auf die Klippen blicken. Wenn man sich weit vorbeugte, sah man nicht nur die Polizisten und Sanitäter, sondern …

Jacqueline hielt sich erschrocken eine Hand vor den Mund. Isabelle war weniger zart besaitet. Sie fand sogar, dass das dargebotene Bild eine gewisse ästhetische Qualität hatte. Auf den rötlichen Felsen, an denen das Meer anbrandete, lag wie hingebettet eine regungslose Frau – in der Ordenstracht einer Nonne. Wie auf einem Gemälde. Nur tragisch, dass sie ganz offensichtlich tot war.

Jacqueline gab Isabelle einen Stoß. »Komm, das schauen wir uns genauer an.«

Isabelle zögerte. »Warum?«

»Eine Leiche, das fällt doch in deinen Zuständigkeitsbereich.«

»Nein, ganz sicher nicht.«

»Sei kein Frosch. Da liegt eine tote Nonne, da können wir doch nicht einfach weitergehen und uns exotische Pflanzen anschauen.«

Genau das sollten sie tun, dachte Isabelle. Sie sah Jacqueline zweifelnd an. Aber wenn es ihr Wunsch war, warum nicht?

»Wie du meinst. Dann komm mal mit.«

Links neben dem Zaun war eine Lücke. Isabelle zwängte sich durch. Jacqueline folgte ihr. Sie hielten sich an Macchia-Büschen fest und kletterten nach unten.

Aufgeregt stellte sich ihnen ein junger Polizist in den Weg.

»Das ist polizeiliches Sperrgebiet«, blaffte er sie an. »Schaulustige haben hier nichts zu suchen. Machen Sie sofort, dass Sie wegkommen!«

Isabelle zeigte ihm wortlos ihren Dienstausweis.

Der Polizist riss die Augen auf. »*Oh, pardon,* Madame le Commissaire«, stammelte er, »ich konnte ja nicht ahnen, äh, bitte entschuldigen Sie.«

»Kein Problem, Sie machen nur Ihren Job. Ich kann Gaffer selber nicht ausstehen. Was ist passiert?«

Er deutete über die Schulter. »Eine tote Nonne.«

Nun, das war unschwer zu erkennen, auch ohne seine Hilfe.

»Wie ist sie zu Tode gekommen?«

»Vermutlich ausgerutscht und unglücklich gestürzt. Jede Hilfe kam zu spät. Mehr weiß ich nicht, die Ermittlungen leitet Sergent Poullin. Er steht da unten.«

»Ich sehe ihn, bitte lassen Sie mich vorbei.«

»Selbstverständlich, Madame le Commissaire. Bitte vergeben Sie mir meine Ungeschicklichkeit.« Er hüstelte verlegen und deutete auf Jacqueline. »Aber Ihre Begleitung darf nicht mit, das verstehen Sie sicher.«

Isabelle konnte nicht anders, sie musste lächeln. »Lieber Kollege«, sagte sie, »Sie sollten denselben Fehler nie zweimal machen.«

Schon hielt ihm Jacqueline ihren Ausweis der *Police nationale* unter die Nase. Der war von Maurice Balancourt persönlich ausgestellt und trug die Unterschrift des Innenministers. Der junge Polizist bekam ein rotes Gesicht und kam ins Straucheln. Isabelle hielt ihn fest. »Vorsicht, ein Opfer reicht für heute.«

Sergent Poullin kannte Isabelle und begrüßte sie freundlich, wenn auch sichtlich irritiert. Mit ihrem Auftauchen hatte er nicht gerechnet. Ob man sie benachrichtigt habe, wollte er wissen. Um sich dann gleich selbst die Antwort zu geben, dass das wohl kaum sein könne. Erstens nicht in der Kürze der Zeit, und zweitens handle es sich hier um keinen Kriminalfall, sondern um einen stinknormalen, wenn auch äußerst unglücklichen Unfall.

Isabelle antwortete, dass sie privat hier sei, um sich die Gärten von Rayol anzusehen, zusammen mit einer Kollegin aus Paris. Sergent Poullin zündete sich erleichtert eine Zigarette an.

Sie konnte sich denken, was in seinem Kopf vorging. Das Auftauchen einer Kommissarin, die für ihre unkonventionelle Art bekannt war und dafür, dass sie ihre Anweisungen von höchster Stelle in Paris erhielt, verhieß nichts Gutes. So etwas konnte einem den schönsten Tag vermiesen.

Poullin deutete mit der Zigarette nach oben, wo einige niedrige Büsche über den steilen Felsabbruch rankten. »Dort hat sich die Ordensschwester zu weit vorgewagt, dann hat sie den Halt verloren und ist in die Tiefe gestürzt.«

Jacqueline flüsterte: »*Quelle tragédie!*«

Er runzelte die Stirn. »Nonnen mögen sich für Engel halten, können aber nicht fliegen.«

Isabelle fand das nicht witzig, verkniff sich aber eine Bemerkung.

»Warum hat sie sich dieser Gefahr ausgesetzt?«, fragte Jacqueline. »Die Nonne muss ja zunächst durch die Lücke neben dem Zaun gestiegen sein.«

»Ja, genau das hat sie getan. Zeugen haben sie dabei beobachtet und sich sehr gewundert.« Poullin blickte erneut nach oben. »Ich muss schon sagen, um dort rumzuturnen, braucht es viel Gottvertrauen.«

Jacqueline nickte. »Bleibt die Frage nach ihrem Beweggrund.«

Isabelle musste lächeln. Ihre Freundin war ganz schön hartnäckig.

»Ganz einfach, dort oben wachsen seltene Heilkräuter. Die Nonne hat sie gesammelt.« Er deutete auf ein Leinensäckchen, das neben der Toten lag. »Ein Gärtner des Parks hat sich den Inhalt gerade angeschaut. Die Nonne hat die Pflanzen mitsamt den Wurzeln ausgegraben. Das ist natürlich verboten.« Er räusperte sich und grinste schief. »Kleine Sünden straft der liebe Gott sofort.«

Isabelle ging zur toten Nonne, blieb vor ihr stehen und betrachtete sie. Die Frau lag auf dem Rücken. Ihre Kopfbedeckung war verrutscht, man sah ihre kurz geschnittenen brünetten Haare. Sie war noch jung und hatte ein hübsches Gesicht. Irgendwas störte Isabelle bei ihrem Anblick, aber sie konnte nicht sagen, was es war. Der blutverschmierte Mund war es nicht. Jedenfalls nicht allein.

Hatte sie erwartet, dass eine Ordensschwester, die ihr Leben Gott geweiht hat, im Tod selig lächelte und die Hände zum Gebet gefaltet hielt? Nein, natürlich nicht. Was war es dann?

»Das ist nicht exakt die Position, in der man sie gefunden hat, richtig?«

Sergent Poullin schüttelte den Kopf. »Nein, natürlich nicht. Die Sanitäter haben versucht, sie wiederzubeleben. Aber nur kurz, dann haben sie es aufgegeben.«

»Konnten Sie ihre Identität feststellen?«, fragte Isabelle.

»Noch nicht, sie hat keine Ausweispapiere bei sich.« Poullin zuckte mit den Schultern. »Wird aber nicht schwierig sein. Ist nur eine Frage der Zeit, bis eine Vermisstenmeldung eintrudelt. Außerdem war vorhin ein Presseheini da, der hat Fotos gemacht. Morgen steht's in der Zeitung. Spätestens dann wird sich jemand melden.«

»Gibt bestimmt eine schöne Überschrift«, stellte Jacqueline fest.

Sie hatte wohl recht, dachte Isabelle. Schön im Sinne von geschmacklos.

»Ich frage mich, wie die Nonne zur *Domaine* gekommen ist«, überlegte sie laut.

»Keine Ahnung«, antwortete Poullin. »In Canadel-sur-Mer gibt's eine Bushaltestelle.«

»Wer hat die Nonne entdeckt?«

»Ein älteres Ehepaar aus Belgien beim Fotografieren.« Poullin zog an seiner Zigarette und sah sie mit zusammengekniffenen Augen an. »Warum stellen Sie all diese Fragen?«

Ja, warum fragte sie? Es gab keinen Grund. Sie folgte nur der üblichen Routine, für die es hier zugegebenermaßen keinen Anlass gab. Die Nonne hatte Heilkräuter gesammelt, die oben am Klippenrand wuchsen. Sie war dabei beobachtet worden. Sie trug Sandalen mit glatten Sohlen. Ein tragisches Unglück, der Sergent hatte recht.

Sie rang sich ein Lächeln ab. »Berufsbedingte Neugier, die lässt sich nicht so einfach abstellen.«

Er schnippte die Zigarette in Richtung Meer. »Kann ich verstehen.« Wieder kniff er die Augen zusammen. »Und Sie sind ganz sicher nur zufällig hier?«

»Ja, und wir sind auch schon wieder weg. Wir wollen Sie nicht länger bei Ihrer Arbeit stören.«

»Sie stören nicht. Ich warte auf den Arzt, der muss überflüssigerweise ihren Tod feststellen. Dann kommt die Nonne in die Blechkiste und kann weg.«

Blechkiste? Ging's noch geschmackloser? Isabelle mochte diese zynische Sprache nicht. Aber unter Polizisten war sie weit verbreitet, wohl aus Selbstschutz, um keine Emotionen an sich ranzulassen. Deshalb auch der makabre Humor. Wie war das doch gleich? Nonnen mögen sich für Engel halten, können aber nicht fliegen. Isabelle warf einen letzten Blick auf den Leichnam. Nein, fliegen konnte sie nicht, aber die Nonne hatte zumindest ein Antlitz wie ein Engel – wäre da nicht der blutverschmierte Mund.

2

Auf der Rückfahrt nach Fragolin, die sie von der Küste ins gebirgige Hinterland des *Massif des Maures* führte, hatten sie reichlich Zeit zu plaudern. Genau genommen war es vor allem Jacqueline, die fortwährend redete, während sich Isabelle zurückhielt und weitgehend aufs Zuhören beschränkte. Entspannt steuerte sie ihren privaten Renault über die enge Landstraße. Sie war sie schon so oft gefahren, dass sie jede Kurve auswendig kannte. Nur selten kam ein Auto entgegen, dann wurde es eng. Wer nicht aufpasste, geriet mit den Außenrädern in den Straßengraben. Das war nicht nur eine Frage des Augenmaßes, sondern auch der Nerven. Ihr war das noch nie passiert. Es stimmte eben nicht immer, dass der Klügere nachgab. Zumindest auf diesen Straßen war man da schnell der Dümmere.

»Mir hat der junge Polizist leidgetan«, sagte Jacqueline. »Fast hatte ich ein schlechtes Gewissen, als ich ihm meinen Dienstausweis unter die Nase gehalten habe.«

Isabelle lächelte, schaltete herunter und nahm die nächste Kurve.

»Warum? War doch lustig.«

»Er hat geglaubt, ich sei jemand ganz Wichtiges, dabei bin ich nur …«

»Du kennst doch Miss Moneypenny aus den James-Bond-Filmen«, fiel ihr Isabelle ins Wort. »Sie hütet beim britischen Geheimdienst MI6 das Vorzimmer von M. Du bist so was Ähnliches, nur dass dein Boss, der auch der meine ist, Maurice Balancourt heißt. Viel wichtiger geht's doch nicht.«

»Stimmt schon, aber nicht, was meine Person betrifft. Apropos Maurice, ihm geht's besser.«

»Nach seiner Gallenblasenoperation? Freut mich. Darf er schon wieder rauchen?«

»Noch nicht. Er muss für die nächsten Tage auf seine geliebten Zigarren verzichten.« Jacqueline zog eine Grimasse. »Aber das hält er nicht durch.«

»Kein Problem, er wird sich einfach über das Verbot hinwegsetzen.«

»Hoffentlich, denn ohne seine Zigarren ist er unausstehlich. Wie auch immer, morgen muss ich zurück. Der Alte kann jeden Tag wieder im Büro auftauchen. Schade, ich würde gerne noch bleiben.«

»Musst halt wiederkommen, bist immer herzlich eingeladen.«

»Das mach ich, versprochen.«

»Heute Abend feiern wir in Jacques' Bistro deinen Abschied. Clodine kommt auch.«

»Und der Bürgermeister?«

Isabelle lächelte. »Thierry? Ja, ich denke, auch er wird sich die Ehre geben, ganz sicher sogar.«

Isabelle überholte einige Radfahrer, die sich den Berg hinaufquälten.

Sie merkte, dass Jacqueline sie von der Seite ansah.

»Na, wie kommt er damit klar?«, fragte ihre Freundin.

Sie wusste genau, worauf Jacqueline anspielte, stellte sich aber ahnungslos. »Womit?«

»Mit eurem Arrangement. Schließlich warst du noch vor zwei Wochen mit Rouven in der Karibik auf Saint-Barthélemy. Weiß Thierry davon?«

»Natürlich, aber wir reden nicht darüber. Jetzt bin ich ja wieder hier.«

Jacqueline lachte. »Du bist schon eine coole Socke. Hast zwei Männer gleichzeitig.«

»Nicht gleichzeitig, abwechselnd.«

»Ich hätte nicht gedacht, dass das funktioniert.«

Isabelle warf ihr einen Blick zu und lächelte vieldeutig. »Ich auch nicht.«

Weitere Kommentare verkniff sie sich. Das Arrangement war ja tatsächlich sehr speziell – und der Ausgang blieb ungewiss. In Fragolin hatte sie eine Beziehung mit Thierry Blès, dem Bürgermeister. Und zwischendurch gönnte sie sich Auszeiten mit Rouven Mardrinac, einem milliardenschweren Bonvivant und Kunstsammler. Thierry und Rouven kannten sich und wussten voneinander. Rouven war ein entspannter Typ, der nahm das locker. Thierry dagegen war von Natur aus eifersüchtig und musste über seinen Schatten springen, um ihre kleinen Fluchten zu akzeptieren. Sie hatte erfahren, dass er heimlich in Therapie ging. Das war kein gutes Zeichen. Und sie selbst? Was war mit ihr? Eine Therapie brauchte sie nicht. Aber war sie wirklich glücklich?

»Mir geht immer wieder die tote Nonne durch den Kopf«, riss Jacqueline sie aus ihren Gedanken.

Isabelle war für den Themenwechsel dankbar.

»Ja, geht mir ähnlich.«

»Ein tragisches Unglück. Hast du ihr hübsches Gesicht gesehen?«

Isabelle nickte. Aber warum sollten junge Nonnen hässlich sein? Und machte das einen Unterschied?

»Weshalb war ihr Mund blutverschmiert?«, fragte Jacqueline.

»Vielleicht war sie nach ihrem Sturz noch kurz am Leben und hat Blut gespuckt. Dann kamen die Sanitäter und haben versucht, sie zu beatmen.«

»Ja, so wird es gewesen sein.«

Eine halbe Stunde später setzte Isabelle ihre Freundin in der *Auberge des Maures* ab. Jacqueline wollte sich vor dem Abendessen noch etwas ausruhen und frisch machen. Isabelle beschloss, kurz im Kommissariat vorbeizuschauen, wo ihr Assistent die Stellung hielt. Er hätte genauso gut freinehmen können, schließlich hatten sie aktuell keinen Fall zu bearbeiten. Aber Sous-Brigadier Jacobert Apollinaire Eustache war sehr gewissenhaft und der Meinung, dass auch das Nichtstun durch geregelte Arbeitszeiten eine sinnvolle Struktur bekam.

Auf dem Weg zum *Hôtel de ville*, wo ihr Kommissariat untergebracht war, kam sie beim Laden *Aux saveurs de Provence* vorbei. Clodine bediente gerade Kunden und winkte ihr fröhlich zu. Das Geschäft mit den provenzalischen Seifen, den Düften und Kräutern schien zu laufen. Schmunzelnd sah sie auf ein Gestell mit Fotos von Henri Matisse und einer Tänzerin, die ihm Modell stand. Aber das war eine andere Geschichte.

Beim Öffnen der Bürotür überlegte sie, in welcher Verfassung und vor allem in welcher Körperhaltung sie Apollinaire antreffen würde. Kopfstand mit runtergerutschten Hosenbeinen und freiem Blick auf seine verschiedenfarbigen Socken? Ausgestrecktes Liegen auf seinem Schreibtisch zur Entlastung der Bandscheiben? Oder meditative Zwiesprache mit dem Kaktus auf der Fensterbank?

Nichts dergleichen. Er war immer wieder für Überraschungen gut. Diesmal im umgekehrten Sinne. Apollinaire saß wachen Zustandes und relativ geordnet an seinem Schreibtisch. Geordnet? Nun, die unfrisierten Haare standen ihm zu Berge. Auf der einen Seite war der Hemdsärmel hochgekrempelt, auf der anderen nicht. Er legte die Schere weg, mit der er gerade an der Tastatur seines Computers zugange war.

»*Bonjour*, Madame, ich habe mit Ihrem werten Erscheinen heute nicht mehr gerechnet. Wie war's in der *Domaine du Rayol?*«

Sie warf einen Blick zur Fensterbank. »Ich habe eine schlechte Nachricht für Sie. Unser Kaktus ist ein rechter Kümmerling. In der *Domaine* gibt's Exponate, die sind über zwei Meter hoch.«

Apollinaire schüttelte protestierend den Kopf. »Was unseren *Pilosocereus chrysostele* betrifft, sind Minderwertigkeitskomplexe völlig fehl am Platz. Erstens liegt das bonsaihafte Erscheinungsbild an seiner speziellen Gattung, zweitens wird er noch wachsen, was zugegebenermaßen einige Zeit in Anspruch nimmt, und drittens ...« Er sah sich suchend um. »Drittens hätten wir in unserem Büro definitiv keinen Platz für ein riesenhaftes Kakteengewächs der Art *Carnegiea gigantea*.«

Dass er die lateinischen Namen parat hatte, wunderte sie nicht. Auch nicht die Ernsthaftigkeit, mit der er ihre Anmerkung beantwortete. Oder umspielte da doch ein leichtes Zucken seine Mundwinkel?

»Was ist mit Ihrer Tastatur?«

»Funktionsausfälle im Bereich häufig genutzter Buchstaben.« Er winkte ab. »Lässt sich gewiss beheben.« Das Zucken um die Mundwinkel wich einem breiten Grinsen. »Oder ich schleiche mich morgen früh ins Büro des Bürgermeisters und tausche die Tastaturen aus. Er hat dasselbe Modell.«

Sie sah ihn mit gespieltem Entsetzen an. »Das würden Sie tun?«

»Nein, natürlich nicht. Und wenn ja, würde ich es Ihnen nicht verraten.«

Isabelle sah auf ihren aufgeräumten Schreibtisch und warf einen Blick in die Ablage. Ihre Mailbox hatte sie schon von unterwegs gecheckt.

»Von der Tastatur abgesehen gibt's nichts Neues, richtig?«

»Vor dem *Café des Arts* wurde letzte Nacht ein Bistrostuhl geklaut. Aber um dieses Kapitalverbrechen kümmert sich die Gendarmerie. Sonst ruht alles in Frieden. Zumindest hier in Fragolin.«

Die Ereignislosigkeit war in ihrem verschlafenen Ort der Normalzustand. Weshalb ihr Kommissariat auch andere Aufgabenbereiche hatte – die weder definiert waren noch jemand von außen verstehen konnte. Entweder bestimmte sie ihre Zuständigkeit nämlich selbst, oder sie bekam aus Paris eine *mission spéciale,* einen Spezialauftrag von Maurice Balancourt. Doch der war gerade mit seiner nicht mehr vorhandenen Gallenblase beschäftigt.

»Na wunderbar. Dann kann ich ja wieder gehen.« Sie schnippte mit den Fingern. »Da fällt mir noch was ein. Sie könnten mal recherchieren, ob irgendwo eine junge Nonne vermisst wird.«

Er sah sie verwirrt an. »Eine Nonne? Warum, haben Sie eine gefunden?«

»Ich nicht, aber in der *Domaine du Rayol* wurde heute Nachmittag die Leiche einer Nonne entdeckt. Wir sind zufällig dazugestoßen.«

Apollinaire bekreuzigte sich. »*Oh mon Dieu!* Wenn sie jung war, wird sie nicht an Altersschwäche gestorben sein. Was ist passiert?«

»Wie es aussieht, ist sie beim Kräutersuchen ausgerutscht und abgestürzt. Ein tragisches Unglück.«

»Kräutersuchen, ausgerutscht, abgestürzt«, wiederholte Apollinaire, seiner Angewohnheit folgend. »Feststellen, ob und wo vermisst.«

Isabelle nickte. »Die Nonne hatte keine Ausweispapiere bei sich. Der Fall wird von Sergent Poullin bearbeitet.«

»Poullin? Ich kenne ihn aus Toulon, er betrügt seine Frau.«

»Was hier nichts zur Sache tut.«

»Da haben Sie recht. Darf ich mir vorübergehend Ihre Tastatur ausleihen?«

»Natürlich, aber bitte wieder zurückgeben. Hat übrigens keine Eile, geht uns auch nichts an. Doch Poullin macht einen trägen Eindruck, der rührt wahrscheinlich keinen Finger.«

»Davon können Sie ausgehen. Poullin ist eine Schnarchnase.«

»So, ich bin dann weg. Später treffe ich mich mit Jacqueline im Bistro. Ist ja ihr letzter Abend. Sie können auch gerne kommen.«

»Sehr freundlich, vielen Dank, aber Shayana wartet auf mich. Sie macht ihr berühmtes Couscous nach dem alten tunesischen Rezept ihrer Familie. Leider ohne Kamelfleisch, das bringt unsere *Boucherie* einfach nicht her.«

3

Am nächsten Tag war Isabelle schon früh wach. Sie öffnete die Fenster und sah in den blauen Himmel, wo vereinzelt kleine Wolken wie Wattebäusche in Richtung Meer segelten. Sie atmete die klare Luft ein und dachte an Paris, wo man das besser nicht tat. Jedenfalls nicht dort, wo sie früher gelebt hatte. Da staute sich schon frühmorgens der Verkehr, während es hier in Fragolin zu dieser Stunde keinem einfiel, mit dem Auto durch die Gassen zu fahren. Warum auch? Man konnte alles bequem zu Fuß erreichen. Außerdem waren die Bewohner keine Frühaufsteher. Isabelle lächelte. Auch in dieser Beziehung hatte sie sich bereits angepasst. Sie könnte jetzt einige Kniebeugen und Liegestützen machen – oder sich wieder hinlegen und noch eine Runde schlafen. Später frische Croissants holen und die regionale Tageszeitung *Var-Matin*. Keine Eile, nur keinen Stress. Alternativ käme eine Jogging-Runde auf ihrer Lieblingsstrecke in Betracht, die durch den Kastanienwald zu einer einsam gelegenen *Chartreuse* führte. Unwillkürlich dachte sie an die tote Nonne. Ob sie von dort stammte? Ihr fiel ein, dass das Kloster im 12. Jahrhundert von Kartäusern gegründet worden war. Heute lebten dort Mönche einer katholischen Ordensgemeinschaft. Das stand auf einer Tafel am Weg. Also kam es nicht infrage. Wäre auch ein allzu großer Zufall gewesen.

Isabelle beschloss, auf die üblichen Morgenrituale zu verzichten. Jacqueline erwartete sie in der *Auberge des Maures* zum Frühstück. Später würde sie ihre Freundin nach Marseille fahren. Von dort ging es mit dem Hochgeschwindigkeitszug TGV zurück nach Paris – für Jacqueline, nicht für sie. Isabelle lächelte. Was für ein Glück!

»Hast du schon gelesen?« Jacqueline deutete auf die Tageszeitung neben ihrem Orangensaft. »Unsere Nonne hat es auf die Titelseite geschafft.«

Isabelle sah sie missbilligend an. »Auf dieses Privileg hätte sie gerne verzichtet.«

»Entschuldige, so habe ich das nicht gemeint.«

»Steht im Artikel etwas über ihre Identität?«

»Nein, die sei unbekannt. Hier heißt es, dass die Polizei um Hinweise bittet. Die Überschrift ist übrigens nicht so schlimm, wie wir befürchtet haben.«

Isabelle nahm die Zeitung. »Tragischer Unfall: Nonne zu Tode gestürzt«. Das war in seiner schlichten Sachlichkeit tatsächlich akzeptabel.

»Sergent Poullin hat recht«, sagte Jacqueline. »Ganz sicher wird sie irgendwo vermisst. Wahrscheinlich bekommt er gerade die ersten Anrufe.«

»So wird es wohl sein«, bestätigte Isabelle. Und nach einer kurzen Pause: »Oder auch nicht.«

»Wie kommst du darauf?«

Isabelle zuckte mit den Schultern. »Keine Ahnung, nur so ein Bauchgefühl.«

»Bitte halte mich auf dem Laufenden. Die Zeitungen in Paris werden kaum darüber berichten.«

»Mach ich«, versprach Isabelle. Sie sah auf die Uhr. »Hast du schon gepackt? In einer halben Stunde müssen wir los.«

»Klar. Meine Reisetasche steht an der Rezeption.« Jacqueline legte den Kopf zur Seite und sah sie neugierig an. »Darf ich dich was fragen?«

»Nur zu!«

»Wo hast du heute Nacht geschlafen?«

Isabelle musste lächeln. Ihre Freundin war ganz schön wissbegierig. »Zu Hause, wo sonst?«, antwortete sie. »Und wenn du es ganz genau wissen willst: alleine, nur mit meinem Kopfkissen.«

Einige Stunden später befand sich Isabelle auf dem Rückweg von Marseille. Jacqueline hatte ihren Zug erreicht und war wahrscheinlich schon halb in Paris, während sie selbst bei Toulon viel Zeit in einem Stau verloren hatte. Das machte aber nichts, sie hatte keine Termine. Sie hatte ihre Badesachen dabei, um in ihrer Lieblingsbucht zu schwimmen, entschied sich dann aber spontan anders. In Canadel-sur-Mer nahm sie die Abzweigung, die zu den Gärten der *Domaine du Rayol* führte, parkte und rief Apollinaire an. Von ihm erfuhr sie, dass es keine Neuigkeiten gab, weder bezüglich des geklauten Gartenstuhls vor dem *Café des Arts* noch hinsichtlich der Identität der Nonne. Er habe gerade mit einem Kollegen in Toulon telefoniert. Überraschenderweise seien bis jetzt keine Hinweise eingegangen.

Isabelle hätte nicht erklären können, was sie mit ihrem erneuten Besuch der botanischen Gärten bezweckte. Aber sie musste sich nicht rechtfertigen, denn niemand interessierte, was sie tat.

Sie schlenderte am *Café La Ferme* vorbei, dann in Richtung Meer zur Unglücksstelle. Im Unterschied zu gestern war sie alleine. Am Zaun unter der Aleppokiefer blieb sie eine Weile stehen. Sie blickte hinunter auf die Klippen, wo nichts mehr auf das Ereignis hindeutete. Dann stieg sie durch die Lücke und ging nach vorne, dorthin, wo die Nonne den Halt verloren haben musste. Tatsächlich wuchsen hier viele Kräuter, die sie nicht näher identifizieren konnte. Offenbar befanden sich Heilpflanzen darunter. In ihren Augen hätte es sich durchweg auch um Unkraut handeln können. Dass es gefährlich war, sich auf dieses Terrain zu begeben, war offensichtlich. Auch der Nonne musste klar gewesen sein, dass es nur wenige Meter weiter steil nach unten ging. Isabelle zog die Schuhe aus und näherte sich vorsichtig dem Abgrund. Dabei stellte sie fest, dass hier keine Kräuter mehr wuchsen, nur noch gelbgrüne Grasbüschel und vom Wind zerzauste Büsche, denen bestimmt keine heilende Wirkung innewohnte. Dazwischen braune Erdstellen und lose Steine. Warum sollte die Nonne das Risiko eingegangen sein, sich so weit vorzuwagen? Das machte keinen Sinn. Ein Suizid kam nicht in Betracht – da hätte sie zuvor keine Kräuter gesammelt. Isabelle trat vorsichtig den Rückzug an. Sie rupfte einige Blätter von den niedrig gewachsenen Pflanzen. Vielleicht konnte ein Experte herausfinden, ob es sich tatsächlich um Heilkräuter handelte. Plötzlich stockte sie. Fast hätte sie übersehen, dass vor ihr ein Schäufelchen zwischen den Pflanzen lag, spitz zulaufend, offenbar scharfkantig und mit Holzstiel. Natürlich, die Nonne brauchte zum Ausgraben eine kleine Schaufel. Aber wenn das ihre war, widersprach es jeder Logik, dass sie einige Meter vom Klippenrand entfernt lag. Dann hätte sich die Nonne ohne ihre Schaufel so weit nach vorne gewagt, hätte also gar keine Pflanzen mehr ausgraben können – abgesehen davon, dass da auch keine mehr wuchsen. Isabelle nahm das Schäufelchen mit zwei Fingern an der Spitze und wickelte es in ihr Taschentuch, stand auf und sah sich um. Weit und breit war niemand zu sehen. Das war natürlich nicht immer so, kam aber offenbar vor. Sie erinnerte sich an Poullin, der von Zeugen gesprochen hatte, die die Ordensschwester durch die Lücke neben dem Zaun hatten klettern sehen. Doch anscheinend waren sie dann weitergegangen.

Isabelle kletterte barfuß hinunter ans Meer zum Felsen, wo die Leiche der Nonne gelegen hatte. Heute versperrte kein eifriger Polizist den Weg, und es gab auch keinen gelangweilten Sergent, der Zigaretten rauchend dummes Zeug redete. Die Felsen waren nass und glitschig. Hätte gestern nicht zufällig ein belgisches Ehepaar ihren Leichnam entdeckt, wäre er wohl von der Flut und der Brandung erfasst und hinaus aufs Meer gespült worden. Isabelle stand eine Weile da und sah gedankenverloren über die Wellen zum Horizont, im Ohr das Meeresrauschen, auf den Lippen den salzigen Geschmack der See. Was hatte sie sich gestern vorgenommen? *Vivre le moment présent!* Den Augenblick genießen. Das wäre wieder so ein Moment, ganz ohne Zweifel, wäre da nicht die tote Nonne, die ihre Gedanken beschäftigte.

Isabelle machte sich auf den Rückweg. Sie kletterte nach oben, setzte sich auf einen Stein und zog sich die Schuhe an. Mittlerweile hatten sich doch einige Besucher eingefunden. Sie nahmen von ihr keine Notiz und erfreuten sich am Ausblick. Taten sie das wirklich? Jeder hatte ein Smartphone vor der Nase und machte Fotos. Isabelle fand das schrecklich. Die Welt nur noch durch die Optik und auf dem Display einer Kamera zu sehen erschien ihr abartig und irgendwie pervers. Auf diese Weise verlernten die Menschen das Sehen. *Vivre le moment présent!* Den Augenblick genießen? Mit einem Plastikteil vor den Augen war das unmöglich.

Sie wendete den Besuchern den Rücken zu und lief durch die Rayol-Gärten zum einstmals prachtvollen, jetzt dringend sanierungsbedürftigen *Hôtel de la Mer,* wo die Rezeption untergebracht war. Dort zeigte sie ihren Ausweis und fragte, ob man sich an die Nonne erinnere, die gestern tot aufgefunden worden sei. Auch wollte sie wissen, ob sie beim Lösen der Eintrittskarte alleine oder in Begleitung gewesen sei.

Die Kassiererin wusste sofort Bescheid. Natürlich könne sie sich an die Ordensschwester erinnern. Sie sei schon früher einige Male hier gewesen. Die Nonne sei definitiv alleine gekommen, sagte sie. Übrigens habe sie keinen Eintritt bezahlen müssen, das sei doch selbstverständlich.

Isabelle fragte, ob die Nonne von der Sprache her Französin gewesen sei.

Bien sûr, bekam sie bestätigt. Aber sonst wisse sie leider nichts von ihr. Sie habe ein sanftes Lächeln gehabt und ein freundliches Wesen. Ganz so, wie man sich eine Frau vorstellte, die ihr Leben Gott geweiht habe. *Oh mon Dieu, et maintenant elle est morte!* Was für ein Unglück!

Ob nachts ein verlassenes Auto auf dem Parkplatz gestanden habe, fragte Isabelle.

Die Kassiererin schüttelte verneinend den Kopf. Als sie heute Morgen zur Arbeit gekommen sei, sei der Besucherparkplatz leer gewesen. Die Gärtner würden woanders parken.

Isabelle bedankte sich für die Auskünfte und ging zu ihrem Renault. Dort verstaute sie das gefundene Schäufelchen und die abgerissenen Blätter in ihrer Badetasche. Dann nahm sie ihr Handy und rief Apollinaire an.

In Lyon werde eine Nonne vermisst, berichtete er, aber schon seit einem halben Jahr. Außerdem sei sie fast hundert Jahre alt, komme also nicht in Betracht.

»Ich habe eine Bitte«, sagte sie. »Rufen Sie Sergent Poullin an, richten Sie ihm schöne Grüße von mir aus und teilen Sie ihm meinen dringenden Wunsch mit, dass die tote Nonne einer sorgfältigen Leichenschau unterzogen wird. Außerdem brauche ich ihre Fingerabdrücke.«

»Meine Fingerabdrücke? Warum denn das?«, fragte Apollinaire verwirrt.

»Nicht Ihre, mein lieber Apollinaire, sondern jene der toten Nonne.«

»Ach so, natürlich«, stammelte er. »Wie konnte ich nur. Ich rekapituliere, Leichenschau und Fingerabdrücke, und zwar von der Nonne.«

»Korrekt.«

»Er wird fragen, warum.«

»Sie haben recht, das wird er. Und weil ich keine Lust habe, diese Frage zu beantworten, rufe ich ihn nicht selber an. Sagen Sie einfach, dass Sie das auch nicht wüssten. Aber ich sei eine unangenehme Chefin und würde Ihnen den Kopf abreißen, wenn der Auftrag nicht erledigt würde.«

»Unangenehme Chefin, Kopf abreißen? Aber Madame, das ist gelogen.«

Isabelle lächelte. »Seien Sie sich da nicht so sicher.«

4

Am späten Nachmittag gab es in Fragolin einen kleinen Empfang. Thierry Blès, der Bürgermeister, hatte im Rathaus zu einem Gläschen Champagner geladen und zu Canapés. Isabelle hatte es nicht weit, sie musste von ihrem Kommissariat nur die Treppe ins nächste Stockwerk gehen. Thierry freute sich über ihr Kommen und umarmte sie herzlich. Er hatte keine Skrupel, dies in aller Öffentlichkeit zu tun. Alle wussten, dass sie eine Beziehung hatten. Oder wie nannte man das? Waren sie ein Paar? Sie lebten nicht zusammen. Aber war das ein Kriterium? Konnte man nicht auch mit getrennten Wohnungen oder Häusern ein Paar sein? Isabelle fand es müßig, darüber nachzudenken. Es war, wie es war. Dass sich alles noch viel komplizierter darstellte, weil sie nebenher eine Liaison mit Rouven Mardrinac hatte, ging keinen etwas an. Nur Thierry Blès wusste davon, würde aber einen Teufel tun und mit Dritten darüber sprechen. Selbst ihr gegenüber vermied er es, Rouven zu erwähnen. Er tat sein Möglichstes, den Mann aus seinem Bewusstsein zu verdrängen. Aber sie spürte, dass es ihm nicht wirklich gelang. Nach ihrer Überzeugung war das auch der falsche Ansatz. Verdrängen war das Gegenteil von akzeptieren.

Nicht einmal Clodine wusste, dass Rouven Mardrinac in ihrem Leben noch eine Rolle spielte. Ihre Freundin glaubte, dass er für sie vorbei und vergessen war. Und die Tage und Wochen, in denen sie abtauchte, um mit ihm zusammen zu sein? Dafür hatte sie eine Erklärung. Im Ort war bekannt, dass sie früher bei der *Police nationale* in Paris irgendwelche geheimen Operationen geleitet hatte. Sie hatte durchsickern lassen, dass sie zwischendurch wieder ihrer alten Tätigkeit nachging. In Wahrheit war sie mit Rouven zusammen, in fernen Gefilden wie auf Saint-Barthélemy. Ach so, natürlich wusste Apollinaire davon, aber der konnte so verschlossen sein wie eine Auster.

Isabelle spürte, wie sie angerempelt wurde.

»He, woran denkst du?«, fragte Clodine, die auch zum Empfang eingeladen war.

Isabelle lächelte verlegen. »Entschuldigung, ich war geistig gerade etwas abwesend.«

»Das habe ich gemerkt.«

Clodine reichte ihr ein Champagnerglas. Isabelle sah, dass Thierry derweil mit Capitaine Briand sprach, dem Leiter der örtlichen Gendarmerie. Apollinaire plauderte mit Sergent Albertin, der ebenfalls der Gendarmerie angehörte und in Fragolin gerne rumspazierte wie der Dorfsheriff. Allerdings fehlte ihm kontinuierlich der Durchblick. Traditionell waren sich die *Police nationale* und die Gendarmerie nicht besonders grün. Aber hier in Fragolin hatte man sich arrangiert, was schon deshalb gut funktionierte, weil sie ein Kommissariat für besondere Aufgaben leitete. Polizeiliche Tätigkeiten in Fragolin gehörten nicht dazu. Das übliche Kompetenzgerangel blieb also aus.

Thierry klopfte gegen sein Glas und bat um Ruhe.

»*Mesdames et Messieurs*, ich darf mich herzlich für Ihr Kommen bedanken. Ich freue mich, mit Ihnen auf die verbesserte Sicherheit in Fragolin anstoßen zu dürfen. Mein Dank gilt allen Bürgern und Institutionen, die es mit ihren Spenden ermöglicht haben, ein modernes Videoüberwachungssystem aufzubauen, das wir heute in Betrieb nehmen. Unser Ort ist seit jeher ein friedvolles Fleckchen Erde. Aber die Zeiten ändern sich und mit ihnen die Herausforderungen, denen wir uns stellen müssen. Die Zahl der Besucher wächst beständig. Das ist eine erfreuliche Tatsache …«

»*Le vieux Georges* würde das anders sehen«, warf ein Gast lachend dazwischen. »Der wollte Fragolin zur besucherfreien Zone erklären.«

»Georges ist tot, Gott hab ihn selig«, sagte ein anderer.

»Seit er nicht mehr lebt, ist der Pastisausschank im *Café des Arts* dramatisch zurückgegangen.«

»Da braucht es viele Touristen, um Georges auszugleichen.«

»Die trinken keinen Pastis, die Weicheier.«

Thierry klopfte erneut gegen sein Glas.

»Georges ist unser Ehrenbürger, wir halten sein Andenken hoch. Aber auch er könnte sich nicht gegen die Zeit stellen. Ein gemäßigter Tourismus ist für Fragolin wichtig.«

»Stimmt«, flüsterte Clodine, »sonst könnte ich meinen Laden zusperren. Von den Einheimischen kauft keiner meine Lavendelseifen.«

»Um also auf den Anlass unseres Zusammentreffens zurückzukommen«, fuhr Thierry fort. »Wir stoßen heute auf die Inbetriebnahme unseres modernen Videoüberwachungssystems an. *Santé!*«

Die Gäste erhoben ihre Gläser. Isabelle entdeckte nicht in allen Gesichtern uneingeschränkte Freude.

»Ich weiß, es gibt Kritiker«, sagte Thierry. »Sie fürchten um ihre Privatsphäre, aber ich darf Ihnen versichern, dass es für diese Sorgen keinen Anlass gibt. Die Kameras konzentrieren sich auf die Besucherparkplätze und auf wenige neuralgische Punkte wie unseren Marktplatz und die Bankfilialen mit ihren drei Geldautomaten. Natürlich wird auch unser kleines Matisse-Museum überwacht. Die Videoaufzeichnungen sind temporär und werden nach einer Woche automatisch gelöscht. Für die Einhaltung der Datensicherheit steht unsere Gendarmerie gerade, die die Anlage betreibt.«

»Also kann ich weiter unbeobachtet in den Fluss pinkeln.« Das war Jean-Pierre.

Isabelle schmunzelte. Thierry hatte sich den Rahmen feierlicher vorgestellt. Dabei sollte er seine Bürger doch kennen.

»Pass nur auf, dass du beim Pinkeln nicht reinfällst. Das sieht dann auch keiner.«

»Könnte man im Video erkennen, wer meinen Bistrostuhl geklaut hat?«, fragte der Besitzer des *Café des Arts*.

»Wahrscheinlich schon«, antwortete Capitaine Briand. »Leider wird die Anlage erst in dieser Minute freigeschaltet. Bisher lief sie nur im Probebetrieb ohne Aufzeichnung.«

»Lassen Sie uns hoffen, dass wir in Fragolin nie schlimmere Delikte als einen geklauten Bistrostuhl haben«, fuhr Thierry fort. »Wir leben in Zeiten neuer Bedrohungen. In Nizza wird das Überwachungssystem seit dem Attentat von 2016 kontinuierlich ausgebaut. Gleiches gilt für Cannes. In Monaco sorgt bereits an jeder Straßenecke eine Kamera für Sicherheit und Ordnung. Wir können uns dieser Entwicklung nicht verschließen. Wir können nicht so tun, als ob wir auf einem fernen Planeten leben würden.«

»Das nicht, aber Fragolin ist nicht Nizza.«

Jean-Pierre bekreuzigte sich. »*Dieu m'en garde!* Gott bewahre!«

Dann stimmten alle gemeinsam ein altes Volkslied an, in dem die Schönheiten Fragolins gepriesen wurden und das friedliche Leben im *arrière-pays* des *Massif des Maures*. Auch Isabelle sang mit. Den Text im provenzalischen Dialekt der Region kannte sie noch aus ihrer Kindheit.

Stunden später saß sie mit Thierry auf der Terrasse seines Hauses. Den Grill hatte er bereits angeworfen. Marinierte Lammkoteletts lagen bereit, Zweige von Rosmarin und Thymian. Schon jetzt duftete es vielversprechend, auch aus dem offenen Fenster der Küche, wo im Ofen das Kartoffelgratin seiner Vollendung entgegenbrutzelte. Thierry war ein großartiger Koch, gleichzeitig entspannt und frei von jeder Eitelkeit. Es gab Männer, die musste man loben, wenn sie in der Küche oder am Grill vermeintlich Großartiges vollbrachten. Thierry genügte es völlig, wenn es einem schmeckte – und der Rotwein keinen Kork hatte.

Trotz der Zwischenrufe zeigte sich Thierry zufrieden mit dem feierlichen Start des Videoüberwachungssystems. Diskussionsbedarf habe es ohnehin nicht mehr gegeben, immerhin sei dem Projekt ein einstimmiger Beschluss des Gemeinderats vorangegangen. Aber er schätze es immer, wenn sich die Bürger lebhaft zu Wort melden würden. Fragolin mache zwar gelegentlich den Eindruck eines verschlafenen Nestes, in Wirklichkeit sei der Ort aber voller Charakter und Leidenschaft.

Voller Charakter? Isabelle musste lächeln. Vor allem voller Charakterköpfe. Selbst nach dem Tod des alten Georges gebe es in Fragolin noch genügend liebenswerte Menschen, die mit störrischem Eigensinn dem Zeitgeist trotzen würden.

Thierry wiegte zweifelnd den Kopf. Auf den einen oder anderen Querulanten könne er gerne verzichten. Er nahm einen Schluck Rotwein und grinste. Aber nicht wirklich, er würde jeden einzelnen vermissen. Vor allem seine Stimme bei der Bürgermeisterwahl. Außerdem sei es höchste Zeit, die Lammkoteletts auf den Grill zu legen. Das Kartoffelgratin sei bald fertig. Er stellte das Weinglas ab und stand auf. Ob sie heute Nacht bei ihm bleibe, fragte er wie nebenher.

Im selben Ton, dachte Isabelle, hätte er fragen können, ob sie als Beilage zu den Lammkoteletts *haricots verts* wolle. Fast hätte sie geantwortet, dass sie grüne Bohnen durchaus mochte. Stattdessen hob sie eine Augenbraue und lächelte vieldeutig. *On verra* – man würde sehen.

5

Apollinaire begrüßte sie am nächsten Morgen im Kommissariat. Isabelle war zuvor noch zu Hause gewesen und hatte sich umgezogen. Jetzt freute sie sich auf eine zweite Tasse Kaffee.

»Um Ihrer Frage zuvorzukommen«, begann Apollinaire einen Satz.

Weil er dann aber nicht weitersprach, sah sie ihn amüsiert an.

»Und die wäre?«

»Ach so, ja, die Nonne.«

»Und wie genau lautet meine Frage, der Sie zuvorzukommen beabsichtigen?«

Apollinaire hüstelte. »Ob mittlerweile ihre Identität bekannt ist. Das wollen Sie doch sicher wissen. Also, sie ist es nicht. Niemand vermisst eine Nonne, wenn Sie verstehen, wie ich es meine. Das ist natürlich blöd, und zwar in mehrerlei Hinsicht. Wohin mit ihrem Leichnam? Und dann wäre noch …«

»Was ist mit der Autopsie?«, unterbrach sie ihn.

»Die ist angeordnet, ganz wie von Ihnen gewünscht. Übrigens war Sergent Poullin am Telefon darüber wenig erfreut. Ich würde sogar sagen, er war ausgesprochen missgelaunt. Er hat sich dann aber doch breitschlagen lassen. Genauso wenig hat er verstanden, warum Sie die Fingerabdrücke der Nonne haben wollen. Außerdem falle die Angelegenheit nicht in Ihren Zuständigkeitsbereich. Ich habe ihm gesagt, dass er sich da mal nicht täuschen solle.«

»Er hat ja recht«, sagte Isabelle. »Das alles geht mich nichts an. Trotzdem, gibt's schon Ergebnisse der Leichenschau? Und was ist mit den Fingerabdrücken?«

»Negativ, aber ich bleibe dran.«

Isabelle lief mit ihrer Kaffeetasse im Kommissariat auf und ab. Sie könnte nicht erklären, warum sie sich so für die tote Nonne interessierte. Oder vielleicht doch, denn seit ihrem zweiten Besuch der Gärten von Rayol hatte sie mehr als ein flaues Magengrimmen. Jetzt war sie auch mit dem Verstand dabei.

»Apollinaire, wie kommt es, dass es keine Hinweise auf die Nonne gibt? Die Zeitungen haben doch ausführlich über den Unglücksfall berichtet. Auch im Radio kam es und sogar im Fernsehen. Irgendwo müsste sie doch vermisst werden.«

Er zog eine Grimasse. »Verstehe ich auch nicht. Jeder entlaufene Hund wird als vermisst gemeldet, und sei er noch so hässlich. Aber diese Nonne fehlt keinem. Wieso?«

Das war zwar sehr flapsig formuliert, aber der springende Punkt.

»Vielleicht steckt in der Frage die Antwort. Wie sehen die Tätigkeitsfelder einer Nonne aus? Sie könnte in einem christlichen Krankenhaus arbeiten, in einer karitativen Einrichtung, in der Seelsorge, keine Ahnung. Überall dort würde man auf die Berichterstattung in den Medien aufmerksam und sich bei der Polizei melden. Aber nichts dergleichen. Die einzige Erklärung, die mir einfällt, ist ganz simpel. Unsere Nonne stammt aus einem weltabgeschiedenen Kloster, wo man keine Zeitung liest, kein Radio hört, kein Fernsehen sieht.«

Er kratzte sich mit dem Bleistift am Kopf. »Weltabgeschieden, keine Zeitung, kein Radio«, wiederholte er. »Ich verstehe. Ja, das würde es erklären. Und vermisst wird sie nicht, weil sie womöglich Urlaub hatte.« Er sah sie fragend an. »Oder machen Nonnen keinen Urlaub?«

Sie zuckte mit den Schultern. »Wie auch immer«, fuhr sie fort, »wir wissen von der Kassiererin am Empfang der Rayol-Gärten, dass unsere Nonne Französin war und schon einige Male dort zu Besuch. Vermutlich ist sie mit dem Bus gekommen. Das legt den Schluss nahe, dass sie im weitesten Sinne aus unserer Region stammt.«

Apollinaire wirbelte den Bleistift durch seine Finger. Er konnte das gut, musste aber dann doch meistens unter dem Schreibtisch nach ihm suchen. Heute ging es glatt.

»Ich rekapituliere. Wir suchen ein abgeschiedenes, irgendwie weltfernes Nonnenkloster in der näheren oder ferneren Umgebung, jedenfalls im Département Var gelegen. Oder daran angrenzend, wie auch immer. Jedenfalls nicht in der Bretagne oder auf Korsika. Korrekt?«

Sie nickte. Gleichzeitig war ihr klar, dass die Hypothese eines ebensolchen Klosters als Herkunftsort der Nonne auf höchst vagen Überlegungen basierte.

Apollinaire riss die Augen auf. »Doch nicht unsere *Chartreuse?*«

»Nein, sie wird von einem Mönchsorden betrieben.«

»Stimmt, aber den Namen des Ordens habe ich nicht präsent. Ich muss gestehen, ich kenne mich mit Klöstern nicht aus. Eine unverzeihliche Wissenslücke.«

Endlich einmal. Es kam selten vor, dass Apollinaire einen solchen Offenbarungseid leistete.

»Dann bietet sich die einmalige Gelegenheit, die Wissenslücke ein wenig zu schließen. Sie könnten mal recherchieren, ob und wo es in der Provence infrage kommende Klöster gibt. Im nächsten Schritt könnten wir dort nach unserer Nonne fragen.«

Er klopfte sich mit dem Bleistift gegen die Stirn. »Ihr Wunsch ist mir Befehl.«

»Ich hab noch eine Bitte. Fahren Sie heute Mittag nach Toulon und gleichen Sie die Fingerabdrücke auf dem Schäufelchen, das ich in den Gärten von Rayol gefunden habe, mit jenen der Nonne ab.«

»Toulon, Schäufelchen, Fingerabdrücke, sehr wohl. Fragt sich nur, an wen ich mich in der Präfektur wenden kann. Sergent Poullin wird mir kaum weiterhelfen.«

Wo er recht hatte, hatte er recht. Sie griff zum Telefonhörer. »Kein Problem. Ich werde Capitaine Richeloin anrufen und Ihren Besuch avisieren.«

Richeloin war der Polizeichef des Département Var. Er war ihr gewogen und wusste um ihren Sonderstatus. Dass er ihr gegenüber keine Weisungsbefugnis hatte, gefiel ihm zwar nicht, aber er kam damit klar.

Dennoch begann er das Telefonat mit einer Beschwerde. Sergent Poullin sei gestern in sein Büro gestürmt und habe sich über Madame le Commissaire erregt. Sie mische sich in einen aus Polizeisicht alltäglichen und belanglosen Unglücksfall ein. Es gebe überhaupt keinen Grund für Ermittlungen. Schon gleich nicht für sie. Eine Leichenschau sei genauso Quatsch wie die Abnahme von Fingerabdrücken.

Capitaine Richeloin betonte, dass er das genauso sehe. Gleichwohl habe er ihn angewiesen, ihrem Wunsch zu folgen. Jetzt sei er auf ihre Erklärung gespannt.

Isabelle zögerte. Das mit der Erklärung war gar nicht so einfach. »Was wäre, wenn der erste Anschein trügt?«, fragte sie.

»Wie meinen Sie das?«

Gute Frage. Jetzt musste sie entscheiden, ob sie sich eine Blöße gab. Wenn sich später rausstellen sollte, dass sie sich mit ihrem Verdacht auf dem Holzweg befand, hätte sie sich vielleicht nicht lächerlich gemacht, aber gewaltig an Respekt eingebüßt. Entsprechend vorsichtig fiel ihre Antwort aus.

»Es ist unsere Pflicht, nicht vorschnell zu urteilen. Zur Polizeiarbeit zählt, die Eventualität einer Gewalttat auszuschließen. Darum geht es mir, um nicht mehr, aber auch um nicht weniger.«

»Wollen Sie damit andeuten, dass bei der Nonne jemand nachgeholfen haben könnte? Madame, ich bitte Sie, der Gedanke ist nun wirklich abwegig, geradezu absurd.«

»Warum?«

»Weil es dafür keinen einzigen Anhaltspunkt gibt.«

Sollte sie ihm erklären, warum es in ihren Augen sehr wohl Anhaltspunkte gab? Besser nicht. Sie wollte nicht noch mehr Angriffsflächen bieten.

»Wir wissen noch nicht einmal, wer sie ist«, stellte sie fest.

»Eine Nonne, das reicht in meinen Augen. Sie hat seltene Heilkräuter gesucht, so was machen Nonnen. Dann ist sie ausgerutscht und abgestürzt. Ganz banal, so hat es sich zugetragen. Wollen wir wetten?«

Isabelle mochte keine Wetten, erst recht nicht, wenn es um den Tod eines Menschen ging. Aber sie fühlte sich herausgefordert.

»Warum nicht?«, antwortete sie spontan.

Sie konnte sich Richeloins verdutztes Gesicht vorstellen. Damit hatte er nicht gerechnet. Sie selbst auch nicht. Aber jetzt war es zu spät, kneifen ging nicht mehr.

»Tatsächlich, Sie würden mit mir wetten? Madame, Sie haben Eier in der Hose, das muss man Ihnen lassen.«

»So würde ich das nicht formulieren.«

»Pardon, ist mir so rausgerutscht. Wie ist Ihr Wetteinsatz?«

Isabelle hatte keine Idee. Sie ließ ihren Blick durchs Büro schweifen. Auf dem Aktenschrank stand eine repräsentative Box mit einer teuren Flasche Cognac. Die hatte sie mal von Thierry geschenkt bekommen. Sie würde den Staub abwischen.

»Wenn sich bestätigt, dass es sich beim Tod der Nonne um ein Unglück handelt«, erklärte sie, »bekommen Sie von mir eine Holzkiste mit einem edlen Jahrgangs-Cognac. Einverstanden?«

»*Je suis d'accord*. Im Gegenzug biete ich …«

Isabelle unterbrach ihn. »Im Gegenzug möchte ich, dass Sie mir, falls es doch kein Unglück war, ohne Diskussion den Fall übertragen.«

Sie hörte Richeloin lachen. »*Alors,* das ist eine Wette nach meinem Geschmack. Ich kann nur gewinnen. Madame, *bonne chance*.«

»Okay, die Wette gilt. Am Nachmittag kommt Sous-Brigadier Eustache in die Präfektur …«

»Apollinaire, ich kenne ihn.«

»Sagen Sie Sergent Poullin, dass er tun soll, worum er ihn bittet.«

»Gerne, wird gleich erledigt.« Wieder hörte sie ihn lachen. »Am besten, er bringt den Cognac gleich mit.«

6

Das Mittagessen mit Clodine brachte sie auf andere Gedanken. Jacques hatte Muscheln auf der Tageskarte, *moules marinières au citron et vin blanc*. Köstlich! Sie teilten sich eine kleine Karaffe Wein. Clodine erzählte unablässig irgendwelche Geschichten. So berichtete sie von einem Hollywoodstar, der riesige Schulden angehäuft habe und deshalb sein Anwesen bei Saint-Tropez verkaufen müsse. Isabelles Mitleid hielt sich in Grenzen.

Zwischendurch kamen sie mit Lucas ins Gespräch. So hieß der neue Aushilfskellner in Jacques' Bistro. Der junge Mann war erst seit wenigen Wochen in Fragolin und lebte bei seiner Tante – wie er sagte, nur vorübergehend. Man sah, dass er im Service kein Profi war, aber er war bemüht und ausgesprochen freundlich. Clodine merkte bedauernd an, dass Lucas noch grün hinter den Ohren sei. Schade, denn männliche Neuzugänge hätten in Fragolin Seltenheitswert und würden grundsätzlich ihre Aufmerksamkeit verdienen.

Sie teilten die Rechnung. Isabelle begleitete ihre Freundin zu ihrem Laden *Aux saveurs de Provence*. Dabei blieb Clodine mehrfach stehen und deutete nach oben zu den installierten Überwachungskameras. Sie müsse sich erst daran gewöhnen, sagte sie. In der Gendarmerie sitze jetzt womöglich der lüsterne Albertin vor den Monitoren und beobachte sie. Ob sie zum Spaß ihren Rock heben und ihm ihren knappen Slip zeigen solle? Clodine lachte. Oder besser gleich den nackten Hintern?

Isabelle wies amüsiert darauf hin, dass ebenso sein Chef Capitaine Briand vor den Monitoren sitzen und ihre Freizügigkeit mit einer Anzeige wegen Erregung öffentlichen Ärgernisses ahnden könne.

Clodine schüttelte empört ihren Lockenkopf. »*Mais non,* wir sind in Frankreich. Außerdem hat mein Hintern bisher noch jeden Mann verzückt. Meinen Po kann nun wirklich keiner als Ärgernis bezeichnen. *C'est impossible!* Da würde ich Briand glatt wegen Beleidigung verklagen.«

Vor Clodines Laden angekommen, verabschiedeten sie sich mit Küsschen. Isabelle ging weiter zum Kommissariat im Rathaus. Clodines verbaler Wasserfall war versiegt. Prompt holte sie das Telefonat mit Capitaine Richeloin ein. Sie ärgerte sich – und zwar über sich selbst. Wie hatte sie sich auf diese alberne Wette einlassen können? Erstens brauchte sie keine gewonnene Wette, um den Fall, wenn es denn überhaupt einer war, übertragen zu bekommen. Dafür genügte ein Anruf in Paris. Zweitens empfand sie die Wette als geschmacklos und der Würde einer toten Nonne nicht angemessen. Und drittens bestand die Gefahr, dass sie die Wette verlor. Dabei ging es ihr nicht um den Cognac, sondern um ihre Reputation als Kommissarin. Capitaine Richeloin würde ihr eine verlorene Wette in Zukunft bei jeder passenden und unpassenden Gelegenheit unter die Nase reiben und sich über ihren »Spürsinn« lustig machen. Daran wollte sie nicht denken. Blieb als einzige Hoffnung, dass sie mit ihrem Verdacht recht hatte.

Sie setzte sich an ihren Schreibtisch und nahm eine Liste mit Klöstern zur Hand, die Apollinaire vor seiner Abfahrt noch schnell zusammengestellt hatte: die Chartreuse de la Verne, Sainte-Croix, Reillanne, Almanarre, Saint-Bernard, Sénanque, Castagniers, Notre-Dame de Lérins … Isabelle schaltete den Computer ein und begann im Internet zu recherchieren. Bei genauerer Betrachtung schieden die meisten aus. In der Abtei Lérins auf der Insel Saint-Honorat bei Cannes lebten Zisterziensermönche. Fehlanzeige. Dass die Chartreuse de la Verne mit den Ordensschwestern von Bethlehem nicht in Betracht kam, hatte bereits Apollinaire durch ein Telefonat bestätigt gefunden und den Namen durchgestrichen. Das Kloster Sainte-Croix beherbergte einstmals zwar Benediktinerinnen und später Zisterzienserinnen, war aber seit der Französischen Revolution geschlossen. Isabelle strich den Namen von der Liste. Almanarre und Saint-Bernard? Gab es schon lange nicht mehr. Sénanque? Hier lebten Zisterziensermönche. Kam also auch nicht infrage. Immerhin sollten die umliegenden Lavendelfelder sehr schön sein. Reillanne kam schon eher in Betracht, denn hier handelte es sich um ein Nonnenkloster, und es existierte noch. Aber die Chartreuse Notre Dame in Reillanne hatte eine Website und sogar eine E-Mail-Adresse. Die Nonnen schienen alles andere als weltfern, sie hätten die Medienberichte über eine tote Mitschwester mitbekommen. Infrage kam noch die Zisterzienserinnenabtei Castagniers in der Nähe von Nizza. Sie las, dass es im Kloster eine Schokoladenfabrik gab. Folglich hielten auch dort die Nonnen Kontakt zur Außenwelt. Das war nicht, was sie suchte. Sie hatte sich vorgestellt, dass es irgendwo eine Abtei gab, womöglich versteckt im Wald oder einsam auf einem Berg, wo die Nonnen zurückgezogen beteten und nicht viel mitbekamen, was außerhalb ihrer Klostermauern geschah. Aber vielleicht gab es so etwas gar nicht, zumindest nicht hier im Süden Frankreichs.

Isabelle stand auf und ging ans Fenster. Zufällig bog genau in diesem Moment Apollinaire im Polizeifahrzeug um die Ecke. Sie konnte gerade noch sehen, wie er das Blaulicht ausschaltete. Das sah ihm wieder mal ähnlich. In dieser Beziehung verhielt sich ihr Assistent wie ein großes Kind. Dabei hatte sie ihm schon mehrmals klargemacht, dass er sich an die Bestimmungen halten müsse, die einen Einsatz mit Blaulicht eindeutig regelten. Eine Fahrt nach Toulon zum Abgleichen von Fingerabdrücken zählte ganz gewiss nicht dazu.

Als Apollinaire aber mit breitem Grinsen ins Kommissariat stürmte, verzichtete sie auf eine Zurechtweisung. Sie wollte ihm nicht seine Laune verderben.

»Madame, ich habe eine gute Nachricht«, sagte er.

Apollinaire lockerte seinen Krawattenknoten und ließ sich mit einem Stöhnen auf das Besuchersofa sinken.

Sie sah ihn fragend an.

Er runzelte die Stirn. »Nun, vielleicht ist es auch eine schlechte Nachricht, das kann ich nicht beurteilen.«

»Aber ich könnte es beurteilen, wenn Sie bitte die Freundlichkeit hätten, besagte Nachricht kundzutun.«

Aus Spaß hatte sie sich so kompliziert ausgedrückt, wie sie es von Apollinaire gewohnt war.

»Sie sind identisch!« Er fuchtelte mit seinen Fingern in der Luft herum. »Ich meine die Fingerabdrücke, also jene auf dem Schäufelchen und jene, die man *post mortem* der Nonne abgenommen hat. Ergo war das ihr Schäufelchen.«

Isabelle lächelte. Das war nun wirklich eine gute Nachricht. Sie ließ hoffen, dass sie die Wette nicht verlieren würde. Die Schaufel gehörte folglich keinem Gärtner von Rayol, der sie dort vielleicht vergessen hatte, sondern der Nonne. Und ihre Absturzstelle wollte so gar nicht zum Fundort ihres Werkzeugs passen.

»Das ist eine gute Nachricht«, stellte sie fest. »Was macht die Obduktion?«

»Ist noch am Laufen. Mit einem Bericht ist erst morgen Vormittag zu rechnen.«

»Hauptsache, die Gerichtsmedizin arbeitet sorgfältig.«

Apollinaire nickte. »Davon können wir ausgehen. Docteur Franell führt die Leichenschau höchstpersönlich durch.«

»Gut so.«

Er fischte aus seiner Jacke ein Foto.

»Ich habe noch eine Information, aber die hilft uns nicht weiter. Unsere Nonne trug einen Ring.«

Sie betrachtete das Foto, auf dem die Hand der Toten zu sehen war, mit einem schlichten Ring am Finger, der kleine Erhebungen aufwies und eingravierte Symbole, die aber kaum zu erkennen waren.

»Warum meinen Sie, dass uns der Ring nicht weiterhilft? Ist doch seltsam, dass eine Nonne einen Ring trägt, oder?«

»Nein, ist es leider nicht. Ich habe in Toulon unseren alten Familienpfarrer befragt. Er sagt, dass Nonnen häufig einen Ring tragen. Er symbolisiere die Bindung an Jesus Christus, er ist quasi ihr Bräutigam, im übertragenen Sinne, Sie verstehen?«

Sie nickte. »Und der Ring selbst, gibt der keinen Hinweis?«

»Mein Pfarrer wusste sofort, worum es sich handelt. Das ist ein sogenannter Rosenkranzring. Die kleinen Erhebungen dienen als Zählhilfe bei den Gebeten. Ist leider nichts Besonderes.«

»Schade. Die Nonne macht es uns schwer.« Sie deutete auf die Liste mit den Klöstern. »Vielen Dank für die Aufstellung. Ich habe sie durchgesehen. Meines Erachtens kommt kein einziges Kloster infrage.«

»Habe ich mir schon gedacht.«

Sie zuckte mit den Schultern. »Vielleicht existiert so ein weltvergessenes Kloster auch nur in meiner Fantasie. Na egal, über kurz oder lang werden wir erfahren, wo die Nonne vermisst wird. Jetzt bin ich erst mal auf den Obduktionsbericht gespannt.«

»Darf ich fragen, was Sie sich von ihm versprechen? Spielt es eine Rolle, ob die Nonne einem Schädelbasisbruch erlegen ist oder inneren Verletzungen?«

Genau darauf, dachte Isabelle, könnte es hinauslaufen. Sehr wahrscheinlich sogar. Dann wäre sie hinterher kein bisschen klüger, und Capitaine Richeloin könnte zu Recht fragen, weshalb sie auf einer besonders sorgfältigen Autopsie bestanden hatte.

»Was ich mir davon verspreche? Die Frage kann ich Ihnen nicht beantworten. Erst mal gar nichts. Ich will nur nichts außer Acht lassen, darauf kommt es mir an.«

»Weil Sie nicht an einen Unfall glauben, richtig? Deshalb haben Sie mit Richeloin gewettet.«

»Was ein Fehler war, das hätte ich nicht machen sollen.«

Apollinaire grinste. »Warum nicht? Ich würde mich nur ärgern, wenn der Capitaine gewinnt.«

»Ich auch«, flüsterte Isabelle. Sie zog die Schreibtischschublade auf und entnahm ihr einen kleinen durchsichtigen Plastikbeutel mit den abgezupften Kräutern und Blättern von Rayol.

»Ich würde gerne wissen, ob das tatsächlich seltene Heilpflanzen sind. Kennen Sie jemanden, der was davon versteht?«

Er stand auf, nahm ihr den Beutel ab und hielt ihn gegen das Licht.

»*Amaranthus hypochondriacus*«, murmelte er. »Soll gegen Neurodermitis helfen und gegen Durchfall.«

Sie sah ihn fassungslos an. »Das glaube ich jetzt nicht. Sagen Sie bloß, Sie kennen sich mit Heilpflanzen aus?«

Apollinaire lachte. »Jetzt habe ich Sie beeindruckt, oder? Leider muss ich gestehen, dass ich ausschließlich den Amarant kenne, und zwar nur deshalb, weil ihn meine Schwester als Topfpflanze auf der Fensterbank stehen hat. So wie wir unseren Kaktus. Und lateinische Namen sind nun mal eine Obsession von mir. Nein, im Ernst, vom Amarant abgesehen habe ich nicht den leisesten Schimmer. Aber ich kenne einen alten Apotheker, den werde ich befragen.«

Isabelle atmete demonstrativ aus. »Ich bin beruhigt, Sie sind ein menschliches Wesen. Jetzt sind mir schon zwei Wissensgebiete bekannt, auf denen Ihnen keine tieferen Kenntnisse vorliegen – Heilpflanzen und Klöster.«

»Oh, mir sind unendlich viele Gebiete bekannt, auf denen ich durch eklatantes Nichtwissen glänze.«

7

Sie musste an Apollinaires Worte denken, als sie am nächsten Morgen auf ihrer üblichen Route, die zur *Chartreuse* führte, durch den Wald joggte. Normalerweise machte sie auf der halben Strecke kehrt. Heute aber lief sie weiter. Zwar wusste sie, dass die Kartause von einem Mönchsorden geführt wurde, weshalb dieses nahe gelegene Kloster als Herkunftsort der Nonne nicht in Betracht kam, aber sie hielt es für möglich, dass sie dort Auskunft bekommen könnte. Sie lächelte. Es ging ja die Mär, dass Mönche schon immer wussten, wo ihre Nonnen zu finden waren. Sie hatte von mittelalterlichen Klöstern gelesen, die durch geheime Gänge miteinander verbunden waren. Nun, damit war bei der einsam im Wald gelegenen *Chartreuse* nicht zu rechnen, aber vermutlich wussten die verschiedenen Ordensgemeinschaften voneinander. Ein Versuch jedenfalls war es wert.

Vor der hohen Mauer mit dem Eingangstor angekommen, blieb sie zunächst stehen, um auf die Knie gestützt zu Atem zu kommen. Sie wusste, dass man hier auf Besucher eingestellt war. Gleich hinter dem Empfang befand sich ein Ausstellungsraum, wo die kunsthandwerklichen Arbeiten der Ordensbrüder verkauft wurden. Es gab hier also nicht nur das vergeistigte und Gott geweihte Leben, sondern auch einen weltlichen Teil, der am Kommerz orientiert war.

Isabelle trat ein und wendete sich an den Empfang, wo ein Mönch das Eintrittsgeld kassierte. Von hier konnte man einen Rundgang durch jenen Teil des Klosters machen, der der Öffentlichkeit zugänglich war.

Sie erklärte, dass sie nicht hier sei, um die *Chartreuse* zu besichtigen. Sie sei von der *Police nationale,* genauer gesagt vom Kommissariat in Fragolin, und wolle den Klostervorstand sprechen.

Der Mönch musterte sie zweifelnd. Sie trug ein verschwitztes T-Shirt, Trainingshosen und Laufschuhe. Das Stirnband hatte sie abgenommen. Einen Dienstausweis hatte sie nicht dabei.

Isabelle deutete auf das Telefon hinter dem Tresen. Ihr Name sei Bonnet, sagte sie, Isabelle Bonnet. Er könne gerne im Kommissariat oder im Büro des Bürgermeisters anrufen, dort würde man ihm ihre Identität bestätigen.

Der Mönch erwiderte, dass er ihr glaube. Dann wies er auf eine Bank und bat sie, Platz zu nehmen. Er werde den hochwürdigen Herrn Prior verständigen. Es könne etwas dauern, weil der verehrte Vater ein Mann des Gebets und der Andacht sei.

Der Mönch wollte ihr mit der betont ehrerbietigen Ausdrucksweise sagen, dass sie dem Prior mit dem nötigen Respekt zu begegnen habe, dachte Isabelle. Sie nahm sich vor, den Hinweis zu beherzigen. Schließlich wollte sie was von ihm.

Eine halbe Stunde später saß sie dem Prior in der altehrwürdigen Bibliothek des Klosters gegenüber. Sie fühlte sich nicht wohl in ihrer Joggingkluft. Der Prior trug ein frisch gebügeltes Ordenshabit, einen Überwurf mit Kapuze und vor der Brust an einer Kette ein großes Kreuz.

»Nun, meine Liebe, was kann ich für Sie tun?«, fragte er. Und mit einem Schmunzeln: »Habe ich unwissentlich und aus reiner Seele gegen irgendwelche irdischen Gesetze verstoßen?«

»*Mais non, votre honneur.* Ich bin hier, weil ich Ihren Rat suche.«

»Nur zu, worum geht es?«

»Vielleicht ist Ihnen bekannt, dass in den Gärten von Rayol die Leiche einer Nonne gefunden wurde.«

Der Prior nickte. »Natürlich weiß ich von diesem tragischen Unglück. In unserem Kloster gibt es zwar weder Fernsehen noch Radio, aber das Lesen der Zeitung zählt zu meinen täglichen Exerzitien.«

»Dann ist Ihnen vielleicht auch bekannt, dass wir nicht wissen, um wen es sich bei dieser Ordensschwester handelt. Sie hatte keine Ausweispapiere bei sich. Sie wird offenbar nirgends vermisst. Keiner hat sie auf dem veröffentlichten Foto erkannt.«

»Tatsächlich? Es betrübt mich, das zu hören. Aber seien Sie gewiss, ich weiß auch nicht, wer diese Nonne sein könnte.« Wieder umspielte ein Lächeln seine Lippen. »Zugegebenermaßen sind mir nicht allzu viele Nonnen persönlich bekannt, vor allem keine jungen. Ich muss Sie also enttäuschen.«

»Ehrwürdiger Vater, das habe ich auch nicht erwartet. Dennoch hoffe ich, dass Sie mir einen wertvollen Hinweis geben können. Ich wundere mich nämlich, dass die Nonne nirgends vermisst wird, obwohl sie mit großer Wahrscheinlichkeit aus dieser Region kommt. Eine logische Erklärung wäre, dass sie aus einem Kloster stammt, und zwar aus einem weltabgeschiedenen, in dem niemand am Geschehen außerhalb der Klostermauern Interesse zeigt. In einem solchen Kloster würde womöglich niemand vom Tod einer Nonne in den Gärten von Rayol erfahren. Dass sie nicht vermisst wird, könnte einfach daran liegen, dass sie sich einige Tage freigenommen hat, aus welchen Gründen auch immer.«

Der Prior faltete die Hände und sah sie nachdenklich an.

»Freigenommen? Nun, das würden wir anders bezeichnen. Aber gewiss ist es möglich, dass eine Schwester aus privaten oder kirchlichen Gründen eine Absenz bewilligt bekommt. Darüber hinaus ist Ihre Überlegung nachvollziehbar. So etwas wäre denkbar, da stimme ich Ihnen zu. Jetzt wollen Sie wissen, welches Kloster dafür infrage käme, habe ich recht?«

Isabelle nickte. »Wir haben recherchiert, aber kein entsprechendes Kloster gefunden.«

Der Prior spielte nachdenklich mit seinem Kreuz.

Ihr fiel das Foto mit dem Ring ein. Sie hatte es dabei und holte es aus ihrer Joggingjacke.

»Das ist die Hand der Toten mit einem Ring, den sie getragen hat.«

Er nahm das Foto und bekreuzigte sich. »Der Herr sei ihrer Seele gnädig«, murmelte er. Dann fischte er eine Lesebrille aus seiner Kutte und betrachtete das Bild eindringlich.

»Kommt es häufig vor, dass Nonnen einen Ring tragen?«, fragte sie.

»Das hängt vom Orden ab«, antwortete er. »Bei nicht wenigen ist es üblich, dass die Schwestern ihre Bindung zu Jesus Christus mit einem eheähnlichen Ring zum Ausdruck bringen. Manche sprechen auch davon, dass sie mit Gott verheiratet seien.«

»Aber das ist ein Rosenkranzring, richtig?«

»Nicht wirklich, doch so ähnlich. Jedenfalls ist es ein interessantes Stück. Die eingravierten Symbole sind leider kaum zu erkennen.« Er nahm die Lesebrille ab, schloss die Augen und dachte nach. »*Omnis enim qui petit accipit et qui quaerit invenit*«, sagte er schließlich. »Denn wer da bittet, der empfängt, und wer da suchet, der findet. Matthäus 7, Vers 8.«

Sie sah ihn fragend an. »Was wollen Sie mir damit sagen?«

»Dass Ihre suchende Bitte eine findende Antwort verdient. Ich kann dem insofern entsprechen, als mir nur ein Kloster in den Sinn kommt, in dem ich besagte Weltverschlossenheit für möglich halte. Meines Wissens ist es dort üblich, dass die Ordensschwestern an Rosenkränze erinnernde Ringe tragen.«

Isabelle atmete tief ein. Sollte das der entscheidende Hinweis sein? Hatte sie nur ihre Joggingstrecke zu Ende laufen müssen, um eine Antwort zu bekommen?

»Das Kloster hört auf den ebenso schönen wie schlichten Namen *Monastère des bonnes sœurs*«, fuhr er fort. »Die Nonnen gehören einem kontemplativen Orden an und leben äußerst zurückgezogen.«

»*Monastère des bonnes sœurs?*«, wiederholte Isabelle. Von einem Kloster dieses Namens hatte sie noch nie gehört, und es stand auch nicht auf Apollinaires Liste.

»Das Kloster ist gar nicht so klein«, erklärte der Prior, »doch leben dort nur noch wenige Ordensschwestern. Schade, denn das *Monastère* hat eine große spirituelle Kraft.«

»Wo finde ich dieses Kloster?«

Er nahm einen Zettel zur Hand und schrieb ihr die Adresse auf.

»Es liegt in einer geweihten Lage auf einem Hügel im Hinterland des *Massif des Maures*, umgeben von dichten Wäldern. Das Kloster ist nur schwer zu erreichen. Die hinführende Straße verdient den Namen nicht und erinnert eher an einen Pilgerpfad.«

»Gibt es ein Telefon?«

Der Prior lächelte nachsichtig. »Natürlich nicht. Meine Schwestern im Glauben dürften das Telefon für ein Werk des Teufels halten, das sie von ihrer inneren Einkehr abhält. Um Näheres zu erfahren, müssten Sie sich schon hinbemühen und hoffen, dass Ihnen aufgetan wird.«

Hinbemühen? Genau das würde sie tun, dachte sie. Und zwar so bald wie möglich. Sie stand auf und gab dem Prior die Hand. »Hochwürdiger Vater, ich danke Ihnen.«

»Danken Sie dem Herrgott, dessen Wege unerforschlich sind. Und wappnen Sie sich gegen Enttäuschungen. Ihre Überlegungen sind zwar scharfsinnig, mögen aber dennoch in die Irre führen. Gott beschütze Sie.«

8

Zwei Stunden später kam Isabelle frisch geduscht und voller Tatendrang ins Kommissariat. Apollinaire hatte auf seinem Schreibtisch ein gutes Dutzend Bleistifte parallel nebeneinandergelegt und war damit beschäftigt, sie zu spitzen. Systematisch von links nach rechts. Und mit großer Akkuratesse. Jeder einzelne Bleistift wurde einer sorgfältigen Endkontrolle unterzogen.

Sie warf einen Blick auf seine Füße. Rechts trug er einen blauen Strumpf, links einen weißen. Das war gewagt. Oder fehlte nur das Rot? *Bleu-blanc-rouge,* das wäre die *drapeau tricolore,* die französische Nationalflagge. Dann kämen morgen womöglich rote Strümpfe zum Einsatz. Schon länger vermutete sie, dass Apollinaire seine verschiedenfarbigen und gemusterten Socken nicht zufällig auswählte. Aber sein System war schwer zu entschlüsseln.

Apollinaire kniff ein Auge zu und begutachtete eine Bleistiftspitze. Vorsichtig entfernte er den kaum wahrnehmbaren Rest eines Bleistiftspans. Jetzt erst schien er zufrieden.

»Madame, Sie haben einen Anruf bekommen«, fiel ihm ein. »Capitaine Richeloin wollte Sie sprechen.«

»Hat er eine Nachricht hinterlassen?«

»Nein, aber er würde sich über einen gelegentlichen Rückruf freuen.«

Isabelle warf einen Blick zum Schrank mit der Geschenkbox und dem alten Cognac. Sie war gespannt, was Richeloin zu sagen hatte.

»Wissen Sie, was bei der Obduktion herausgekommen ist?«, fragte sie.

Er schüttelte den Kopf. »Ich habe in Toulon angefragt, aber keine Auskunft bekommen.«

»Wahrscheinlich will mir Richeloin höchstpersönlich aufs Brot schmieren, dass bei der gerichtsmedizinischen Untersuchung nichts herausgekommen ist. Den kleinen Triumph möchte er auskosten.«

»Warum so pessimistisch? So kenne ich Sie gar nicht.«

Apollinaire hatte recht. Ja, warum?

»Gibt's mittlerweile irgendwelche Hinweise zur Identität der Nonne?«, fragte sie.

»Nein, es hat sich immer noch niemand gemeldet, der sie kennt. Keine Vermisstenmeldung, nichts.«

Sie nahm den Hörer und wählte Richeloins Nummer.

»Ich war heute früh beim Prior unserer *Chartreuse*«, erwähnte sie nebenher. »Er hat mir ein Kloster genannt, das infrage kommen könnte. Erzähle ich Ihnen gleich. Erst hören wir mal, was Richeloin zu sagen hat.«

Sie schaltete den Lautsprecher ein. Apollinaire konnte ruhig mithören, auch wenn das Gespräch schlecht laufen sollte.

Der Capitaine war gleich dran.

»Vielen Dank für den Rückruf, Madame. Mir liegt der Obduktionsbericht vor.«

Sie stellte fest, dass er ohne Umschweife auf den Punkt kam. Gut so.

»Vorab habe ich noch eine Frage«, sagte er.

»Und die wäre?«

»Sie haben mir nichts verschwiegen? Sie sind nicht gezielt am Ort des Geschehens aufgetaucht? Sie hatten und haben keine mir unbekannten Hintergrundinformationen?«

»Das waren drei Fragen«, stellte sie fest. »Aber sie sind mit einem definitiven und dreifachen Nein zu beantworten. So, jetzt lassen Sie die Katze aus dem Sack! Was ist bei der Obduktion herausgekommen?«

»Nun, die Nonne weist die klassischen Verletzungen auf, wie sie bei einem Sturz auftreten: Schädelfraktur, gebrochene Wirbel, Milzruptur, et cetera, et cetera. Alles wie erwartet. Darüber hinaus war sie bei bester Gesundheit, nur etwas untergewichtig. Der Mageninhalt und andere Merkmale deuten auf eine vegetarische Ernährung hin.«

Das war's? Isabelle musste zugeben, dass sie enttäuscht war. Sie hatte sich von der Obduktion mehr versprochen als die Erkenntnis, dass die Nonne Vegetarierin war.

»Okay«, sagte sie lakonisch. »Können Sie mir den ausführlichen Bericht per Mail schicken? Nur der Neugier halber.«

Richeloin räusperte sich. »Mache ich gerne. Sie bekommen auch alle anderen Unterlagen zum Fall der toten Nonne. Ich wünsche Ihnen viel Spaß damit.«

Sie brauchte einen Moment, bis sie schaltete.

»Verstehe ich richtig, dass das jetzt mein Fall ist?«

»Tja, ist wohl so«, bestätigte er kleinlaut.

»Demnach hat die Leichenschau noch was anderes ergeben?«

»Korrekt, fast hätte ich vergessen, es zu erwähnen.«

Richeloin beliebte zu scherzen. War das Galgenhumor?

»Docteur Franell hat festgestellt, dass die Nonne zwar an den genannten Folgen des Sturzes gestorben wäre, aber nicht sofort. Da wurde nachgeholfen.« Er machte eine dramatische Pause.

»Auf welche Weise?«

»Sie wurde erstickt, und zwar ziemlich rabiat, worauf Verletzungen an Nase und Mund sowie Einblutungen in die Bindehaut beider Augen hindeuten. Gleichzeitig wurde ihr die Kehle zugedrückt. Kehlkopf und Zungenbein waren frakturiert. Franell ist sich sicher, dass die Nonne nach ihrem Sturz noch gelebt hat. Es gebe Indizien, dass sie sich gewehrt hat und mit Gewalt niedergedrückt wurde. Die Details können Sie im Bericht nachlesen. Ach so, und noch was: Franell hat am Rücken und an den Schultern Spuren einer Gewalteinwirkung gefunden, die nicht vom Sturz herrühren können. Er hält es für wahrscheinlich, dass sie von hinten kräftig gestoßen wurde. Als Szenario ist denkbar, dass sie erst an den Schultern gepackt und nach vorne geschleudert wurde. Dann hat sie einen kräftigen Tritt ins Kreuz bekommen. Oder umgekehrt. Na, egal. Nach ihrem Abflug ist der Täter offenbar runter auf die Klippen geklettert. Er dürfte festgestellt haben, dass die Nonne noch lebte. Um auf Nummer sicher zu gehen, hat er ihr die Kehle zugedrückt und sie erstickt. So oder so ähnlich könnte es sich zugetragen haben.« Erneut machte Richeloin eine Pause.

»Ganz schön brutal«, stellte Isabelle fest. »Vor allem, wenn man sich vorstellt, dass das Opfer eine Nonne war.«

»Stimmt. Da hat jemand das Gebot der Nächstenliebe irgendwie falsch verstanden.« Nach einem kurzen Verlegenheitsräuspern sprach er weiter: »Wie auch immer, ich gebe es ungern zu, aber unsere Wette haben Sie zweifelsfrei gewonnen. Dumm gelaufen. Bleibt mir als Trost, dass ich den Fall vom Tisch habe. An der toten Nonne können Sie sich die Zähne ausbeißen. Und was den Cognac betrifft, den können Sie Docteur Franell schenken.«

9

Kaum hatte sie aufgelegt, reckte Apollinaire grinsend die Daumen in die Höhe. Dann machte er vor seinem Schreibtisch einige Tanzschritte, was Isabelle in höchstem Maße verwunderte. Erstens hatte sich ihr Assistent noch nie zu einer solchen Einlage hinreißen lassen. Zweitens gerieten dabei seine schlaksigen Beine derart in Unordnung, dass ein Sturz unausweichlich schien – aber dann doch ausblieb. Und drittens empfand sie seine Freude als unangemessen, hatten sie doch gerade erfahren, dass die junge Nonne aus den Gärten von Rayol das Opfer einer kaltblütigen Gewalttat geworden war.

Isabelle sah ihn mahnend an, was prompt dazu führte, dass er ins Straucheln geriet und sich am Schreibtisch festhalten musste. In der Folge kullerten die gespitzten Bleistifte zu Boden.

Apollinaire entschuldigte sich für seinen Gefühlsausbruch. Aber er freue sich wie ein Schnitzel, dass Capitaine Richeloin die Wette verloren habe. Der Chef der *Police nationale* in Toulon habe ihm zwar nichts getan, aber der Mann werde von Tag zu Tag hochnäsiger und überheblicher, als ob er seinem großtuerischen Vorgänger Bastian würde nacheifern wollen. Es geschehe ihm recht, dass er sich jetzt eine blutige Nase geholt habe. Das Telefonat habe Richeloin viel Überwindung gekostet, das habe man seiner Stimme angehört. Außerdem möge Madame verstehen, dass er sich für sie freue. Sie habe wieder mal ihren unvergleichlichen Spürsinn unter Beweis gestellt und obendrein eine Wette gewonnen. Da sei es ja geradezu seine Pflicht und Schuldigkeit, seinem Glücksgefühl Ausdruck zu verleihen.

Isabelle war seinem Wortschwall mit zunehmendem Amüsement gefolgt. Hinzu kam, dass Apollinaire recht hatte. Wenn sie ehrlich war, freute sie sich auch. Sie hatte sich mit ihrer Wette ohne Sinn und Verstand weit aus dem Fenster gelehnt. Das hätte auch schief gehen können. Wahrscheinlich sollte sie den Cognac wirklich Docteur Franell schenken. Der Leiter der Touloner Gerichtsmedizin hatte ausgezeichnete Arbeit geleistet. Die übliche Leichenschau am Unfallort hatte keine Auffälligkeiten ergeben. Unfallort? Es war Franell zu verdanken, dass sie jetzt von einem *Tatort* sprechen konnten.

Während Apollinaire seine Bleistifte aufsammelte, dachte Isabelle über die unmittelbaren Konsequenzen nach. Die erste und wichtigste lag auf der Hand: Sie hatte einen neuen Fall auf dem Tisch! Fürderhin würde sich alles um die tote Nonne drehen. Wäre ihre Freundin Jacqueline nicht mit ihr in den Gärten von Rayol spazieren gegangen, hätte sie vom Unglück der Ordensschwester allenfalls in der Zeitung gelesen. Niemand wäre auf die Idee gekommen, den Leichnam einer genaueren Obduktion zu unterziehen. Man hätte ihr trauriges Schicksal beklagt und sich höchstens über ihren Leichtsinn gewundert. Irgendwann wäre vermutlich ihre Identität offenbart worden. Da hätte sich schon keiner mehr wirklich für sie interessiert. Ihr Tod wäre hinter einer Kommastelle in der landesweiten Unfallstatistik verbucht worden. Akte zu. Ende. Und ihr Mörder? Der hätte sich ins Fäustchen gelacht und wäre ungeschoren davongekommen. Einfach deshalb, weil keiner wusste, dass es ihn überhaupt gab. Ihn oder sie, das würde sich zeigen. Die Vorgehensweise sprach wohl eher für einen Mann. Es mochte Schicksal sein oder im Fall der Nonne eine göttliche Fügung, jedenfalls würde sie jetzt alles daransetzen, die

Hintergründe aufzuklären und den Täter zu finden. Der Tod der Nonne würde nicht ungesühnt bleiben. Das war ihr fester Vorsatz – fast schon ein Versprechen.

In der nächsten halben Stunde besprach sie mit Apollinaire die weitere Vorgehensweise. Im Grunde gab es nicht viel zu bereden. Jetzt ging es vor allem darum, die Identität der Nonne herauszufinden. Apollinaire schlug vor, den Tatort einer kriminaltechnischen Spurensicherung zu unterziehen. Nicht unten auf den Felsen, da war, wie er von ihr wusste, längst die Brandung drübergegangen, aber oben, wo die Nonne die Kräuter gesucht hatte und von dort in die Tiefe gestürzt war. Womöglich habe der Täter irgendwelche Spuren hinterlassen. Gewiss keine Fingerabdrücke. Worauf auch? Aber vielleicht gentechnisch verwertbares Material wie Haare?

Sie dachte an das Terrain, an die Kräuter und Grasbüschel, an die Steine und Wurzeln. Was sollte es dort zu finden geben? Höchstens Spuren, die von ihr selbst stammten. Oder von irgendwelchen Gärtnern. Apropos Gärtner, war es denkbar, dass es ein *jardinier* der *Domaine du Rayol* war? Nein, was sollte er für ein Motiv haben? Aber denkbar war prinzipiell natürlich alles.

Apollinaire begann unversehens über den großartigen Edmond Locard zu philosophieren, der in der ersten Hälfte des vorigen Jahrhunderts die Grundlagen der modernen Forensik gelegt hatte. Nach ihm sei die Locard'sche Regel benannt. Apollinaire hob bedeutungsvoll den Zeigefinger, dachte kurz nach und zitierte dann aus dem Gedächtnis: »*Toute action de l'homme, et a fortiori, l'action violente qu'est un crime, ne peut pas se dérouler sans laisser quelque marque!*« Was vereinfacht bedeute, dass bei jeder Gewalttat eine unfreiwillige Spurenübertragung stattfinde. Isabelle lächelte. Ihr Apollinaire hatte auf der Polizeischule aufgepasst.

Weshalb man, so fuhr er fort, auch die Ordenstracht der Nonne einer kriminaltechnischen Untersuchung unterziehen solle und zudem etwaige Spuren sicherstellen, die an Mund, Nase und Kehle bei der Erstickung hinterlassen worden sein könnten.

Sie versprach sich nicht viel davon, nicht in diesem konkreten Fall. Auch die Locard'sche Regel hatte ihre Grenzen. Aber man durfte nichts unversucht lassen, insofern hatte Apollinaire recht. Doch er hatte etwas vergessen.

Die Rechtsmedizin, sagte sie ihm, solle die Fingernägel der Toten genauer untersuchen. Womöglich fänden sich darunter Hautpartikel.

Apollinaire riss die Augen auf und bedankte sich für diesen Hinweis. Da hätte er natürlich selbst draufkommen müssen. Vielleicht habe die bedauernswerte Nonne noch die Kraft aufgebracht, sich zu wehren, und ihren Angreifer gekratzt. Natürlich, dieses Szenario sei wahrhaft naheliegend.

Sie gab ihm etwas Zeit, alles zu verarbeiten und abzuspeichern, wofür er sich wie üblich keine Notizen machte, dann wechselte sie das Thema. Wie angekündigt berichtete sie von ihrem Besuch in der *Chartreuse* und von ihrem Gespräch mit dem Prior. Apollinaire war entzückt. Jetzt habe sein Foto mit dem Ring doch zu einer heißen Spur geführt. Aber von einem *Monastère des bonnes sœurs* habe er noch nie gehört. Er blätterte in seinen Unterlagen. Das Kloster stand auf keiner Liste. Auch das Internet brachte kein Ergebnis. Erst als sie ihm den Zettel mit der Adresse gab, wurde er fündig. Apollinaire staunte. Das nenne er nun mal wirklich abgelegen, stellte er fest. Dort seien nicht einmal Straßen vermerkt.

Schließlich stieß er im Internet auf eine Luftaufnahme des Klosters. Es lag auf einem Hügel in einer großen Lichtung, über allem schwebend.

»Fehlt nur noch der Heiligenschein«, sagte er.

»Der Prior hat von einer großen spirituellen Kraft gesprochen«, berichtete sie. »Aber er hat mich auch vor allzu viel Zuversicht gewarnt.«

»Dem Prior fehlt es an Gottvertrauen. Ich habe alle möglichen Adressen durchtelefoniert, wo in der näheren oder weiteren Umgebung Nonnen tätig sein könnten. Überall Fehlanzeige. Glauben Sie mir, das *Monastère des bonnes sœurs* ist ein heißer Tipp. Erst recht, wenn die Nonnen dort solche Ringe tragen.«

Sie stimmte ihm zu. Etwas Zuversicht war durchaus angebracht.

»Ich finde keine Telefonnummer«, sagte Apollinaire.

»Weil das Kloster kein Telefon hat.«

»Wirklich? Leben die dort wie im Mittelalter?«

»In gewisser Weise trifft das wohl auf viele Klöster zu.«

»Aber man muss ja nicht übertreiben. Na egal, dann werde ich mich wohl oder übel ins Auto setzen und hinfahren.«

Sie schmunzelte. »Denken Sie, man wird Ihnen in einem Nonnenkloster Einlass gewähren?«

»Warum nicht? Ich trage Uniform und repräsentiere die Staatsgewalt.«

Isabelle musterte ihn vom Scheitel bis zur Sohle. »Ich fürchte, Ihr Auftreten wird die Ordensschwestern zutiefst erschrecken. Außerdem macht die Staatsgewalt hinter Klostermauern keinen Eindruck. Ich glaube, es ist besser, Sie kümmern sich um die Spurensicherung, und zum Kloster fahre ich selbst.«

Er nickte zögerlich. »Ich kann Ihnen zwar nur stückweise folgen, teile aber in gewisser Weise Ihre Bedenken, wenngleich ich mit meinem Anblick noch nie eine Nonne in Schrecken versetzt habe, da muss ich aufs Entschiedenste widersprechen.«

10

Das *Massif des Maures* ist ein Gebirge, das sich im Département Var entlang der Côte d'Azur erstreckt. Der Höhenzug reicht von Fréjus und dem rötlichen Esterel-Gebirge im Osten bis Hyères im Westen. Obwohl es naheliegt, den Namen auf die Mauren zurückzuführen, scheint er sich wohl eher vom finsteren Wald und dem dunklen Gestein abzuleiten. Es gibt wenig schroffe Felsen und schon gleich keine spektakulären Gipfel, vielmehr dominieren dicht bewaldete Hügel die Landschaft. Im Schatten der Korkeichen und Kastanienbäume verliert sich das pulsierende Leben der Küste. Im Hinterland ist das *Massif des Maures* nur dünn besiedelt, die Straßen sind schmal und kurvig, im Sommer ist das Klima heiß und trocken – mit entsprechend hoher Waldbrandgefahr. In den kühleren Monaten ist das *Massif des Maures* ein Paradies für Wanderer.

Isabelle befand sich auf der Fahrt zum *Monastère des bonnes sœurs*. Ihr fiel die einsam gelegene Kapelle Notre Dame des Anges ein, die sie mal mit Clodine besucht hatte. Von dort hatten sie den grandiosen Blick über die weiten Wälder aufs ferne Meer genossen. Schon im Mittelalter war die Kapelle als Wallfahrtsort bekannt gewesen. Was sie wohl bei dem Nonnenkloster erwartete, zu dem sie unterwegs war? Offenbar lag es noch viel abgelegener im *arrière-pays*. Das Kloster stand in keinem Fremdenführer. Ihr Navi hatte bei der Zieleingabe gestreikt. Unbekanntes Terrain! Beste Voraussetzungen für stille Einkehr und fürs Gebet. Blieb die Frage, ob sie überhaupt hinfinden würde. Apollinaire hatte ihr eine Karte ausgedruckt und mit handschriftlichen Hinweisen und Linienführungen ergänzt.

Sie fuhr langsamer. Es ging über eine kleine Brücke, danach kam ein großes Wegkreuz aus Stein.

Hier sollte es rechts abgehen. Isabelle zögerte einen Moment. Das sollte eine Straße sein? Geteert war sie nicht, auch nicht geschottert, aber mit etwas Fantasie als Fahrweg erkennbar. Sie bog ab und fuhr in Schrittgeschwindigkeit durch den Wald. Mit jeder Minute schwand die Hoffnung, dass sie ausgerechnet hier auf die Spur der toten Nonne stoßen könnte. Aber ein Umdrehen kam nicht infrage. Auch wäre das auf dieser »Straße« gar nicht möglich.

Nach einigen Kilometern, die vorwiegend bergan führten und ihr wie eine kleine Ewigkeit erschienen, lichteten sich plötzlich die Bäume. Sonnenstrahlen fielen durch das Blätterwerk. Unwillkürlich dachte sie an kirchliche Darstellungen des Heiligen Geistes. Solche Assoziationen hatte sie sonst nie, dafür war sie viel zu nüchtern. Und besonders gläubig war sie auch nicht. Übrigens auch nicht besonders schreckhaft – dennoch zuckte sie zusammen, als sie neben einem Baum eine regungslose Gestalt mit einem umgehängten Gewehr entdeckte. Der Mann starrte sie an.

Isabelle hielt und öffnete das Seitenfenster. Er war mittleren Alters, hatte eine stämmige Figur und einen dichten Vollbart. Ihre Begrüßung erwiderte er mit einem unverständlichen Knurren. Das hatte nichts zu bedeuten. Die Menschen im Hinterland galten als eigenbrötlerisch und mundfaul.

Ob er auf der Jagd sei, fragte sie ihn. Sein erneutes Knurren interpretierte sie als Bejahung. Außerdem war das offensichtlich. Isabelle wusste nicht, was es in den Wäldern aktuell zu jagen gab, und sie kannte sich auch nicht mit den Jagdbestimmungen aus.

Sie deutete nach vorne und fragte, ob es hier zum *Monastère des bonnes sœurs* gehe.

Der Mann nickte. »*Oui, c'est ça*«, glaubte sie zu verstehen. Und dass es nicht mehr weit sei. Daraufhin drehte er sich grußlos um und stapfte in den Wald.

»*Merci, et bonne journée*«, rief sie ihm hinterher. Langsam fuhr sie weiter. Der Wald wurde immer lichter. Dann öffnete er sich vollends, und vor ihr lag in der gleißenden Sonne eine freie Hochebene – mit einem pittoresken Klostergebäude in der Mitte. Sie war am Ziel.

Isabelle parkte und stieg aus. Bei näherer Betrachtung erwies sich das ockerfarbene Gemäuer in schlechtem Zustand, aber es war intakt und robust. Der Kirchturm dagegen schien restauriert. Und die große Pforte aus massivem Eichenholz war frisch lackiert. Vergeblich suchte sie nach einem Klingelknopf. Aber es gab einen großen Türklopfer aus Bronze in Form eines Fabelwesens mit einem schweren Ring im Maul.

Ihr kräftiges Klopfen verhallte. Fast könnte man glauben, das Kloster sei verlassen. Isabelle fasste sich in Geduld. Hier gab es keinen Pförtner, vielmehr musste erst eine Nonne ihre Arbeit oder Andacht unterbrechen, um zum Tor zu gelangen.

Über der Pforte las sie eine in Stein gemeißelte Inschrift: *Deus nobis haec otia fecit*. Gott hat uns diese Ruhe geschenkt.

Schließlich hörte sie Geräusche. Im Eichentor öffnete sich eine Klappe, und eine ältere Nonne mit Nickelbrille und einer Warze auf der Nase schaute sie verstört an. Isabelle stellte sich als Kommissarin der *Police nationale* vor und bat, hereinkommen zu dürfen, sie habe eine wichtige Frage.

Die Nonne zögerte. Sie ließ sich den Polizeiausweis zeigen. Beim Lesen murmelte sie vor sich hin, ohne dass Isabelle ein

Wort verstand. Schließlich entschied sie, dass sie erst die *mère supérieure* fragen müsse, ihre Mutter Oberin. Dann war die Klappe wieder zu.

Isabelle ging vor der Pforte auf und ab. Es machte ihr nichts aus zu warten. Sie genoss die Ruhe und den tiefen Frieden. Der Prior hatte von einem geweihten Boden gesprochen und von der großen spirituellen Kraft, die von dem *Monastère* ausgehe.

Ihr Blick streifte den Waldrand auf der anderen Seite der großen Lichtung. Plötzlich glaubte sie eine Bewegung wahrzunehmen. Erst dachte sie an ein Reh oder an ein anderes Wildtier. Dann erkannte sie eine menschliche Gestalt und bei genauerem Hinsehen den Jäger, den sie nach dem Weg gefragt hatte. Was machte der hier? War er ihr gefolgt? Oder täuschte sie sich, und es handelte sich um jemand anderen? Jetzt drehte sich die Gestalt um und entfernte sich. Deutlich waren der Rucksack und das umgehängte Gewehr zu erkennen. Am liebsten wäre sie ihm nachgelaufen, um ihn zur Rede zu stellen. Aber natürlich ging das nicht, sie wartete ja darauf, dass ihr im Kloster Einlass gewährt wurde. Hoffentlich.

Während sie noch darüber nachdachte, wie schnell sich die Illusion unendlichen Friedens in Luft auflösen konnte und dass es dafür nur der Gestalt eines finster dreinblickenden Jägers bedurfte, hörte sie, wie die Pforte geöffnet wurde.

Die Nonne, deren Gesicht sie bereits kannte, war viel kleiner als gedacht. Isabelle entdeckte einen Hocker, auf dem sie hinter der Klappe offenbar gestanden hatte.

»Ich bin Schwester Adèle«, stellte sie sich vor. »Unsere Superiorin, die ehrwürdige Mutter Hortensia, erwartet Sie im Refektorium. Bitte folgen Sie mir!«

Isabelle warf einen Blick auf Adèles Hände. Die Ordensschwester trug einen Ring, der jenem der toten Nonne nicht
unähnlich schien. Das war ein gutes Vorzeichen.

Adèle geleitete Isabelle durch einen Kreuzgang mit Sterngewölbe
und in den Boden eingelassenen Grabplatten. Er umschloss
den Innenhof, der als Garten angelegt war und in dem
in der Mitte ein steinerner Brunnen plätscherte.

Adèle erklärte, dass das *Monastère* über eine heilige Quelle
verfüge, die niemals versiege und heilende Kräfte habe. Der
Kreuzgang verbinde alle wichtigen Räume des Klosters. Isabelle
könne sich glücklich schätzen, dass die Superiorin ihr
den Zutritt erlaubt habe. Das komme höchst selten vor.

Sie kamen an einem Durchlass vorbei, der einen Blick in die
Klosterkirche erlaubte, deren Glockenturm sie schon von
draußen gesehen hatte.

Mit kurzen Trippelschritten zweigte Adèle ins Refektorium
ab. Im Speisesaal des Klosters verloren sich im Licht großer
Altarkerzen ein riesiger Esstisch aus Eiche und wenige spartanische
Stühle. Am Kopfende des Raums stand ein Lesepult
mit einer aufgeschlagenen Bibel. Isabelle dachte an den Prior,
der erwähnt hatte, dass im *Monastère des bonnes sœurs* nur
noch wenige Ordensschwestern lebten. Das Refektorium sah
ganz danach aus.

Erst jetzt entdeckte Isabelle die alte Nonne, die zusammengesunken
auf einem der Stühle saß. Ihrer hatte als Einziger eine
hohe Rückenstütze und Armlehnen.

»Unsere ehrwürdige Mutter Hortensia«, flüsterte Adèle achtungsvoll.

Isabelle wusste nicht so recht, wie sie sich verhalten sollte. Es
geziemte sich wohl nicht, der alten Superiorin energisch die
Hand zu schütteln. Sie deutete eine Verbeugung an und bedankte
sich für die Konsultation.

Hortensia bat Isabelle, gegenüber am Tisch Platz zu nehmen. »Sie sind von der Polizei?«, fragte die Mutter Oberin mit leiser, kratziger Stimme.

Isabelle nickte. »Mein Name ist Isabelle Bonnet, ich bin Kommissarin bei der *Police nationale*.«

Längst hatte sie gesehen, dass auch Hortensia einen Ring wie die tote Nonne trug. Nur war ihrer größer, und auf den Erhebungen schimmerten Halbedelsteine. Isabelle hatte Skrupel, ohne Umschweife zu fragen, ob im Kloster eine junge brünette Nonne vermisst werde, um fast im gleichen Atemzug erklären zu müssen, dass diese tot sei.

Hortensia faltete die Hände und sah sie fragend an.

»Gehe ich recht in der Annahme«, sagte Isabelle, »dass Sie im Kloster kein Fernsehen haben, kein Radio hören und keine Zeitung lesen?«

»So ist es, mein liebes Kind. Das sind unsere Ordensregeln.«

Das passte alles zusammen, dachte Isabelle. Es half nichts, irgendwann musste sie die entscheidende Frage stellen. Sie holte gerade Luft, da wurde ihr die Initiative von der Superiorin überraschend abgenommen.

»Nun sagen Sie schon, ist Albertine etwas passiert?«

Adèle, die hinter Hortensia stand, ergänzte: »Wir machen uns Sorgen um unsere Mitschwester. Albertine wollte vor zwei Tagen zum Mittagsgebet wieder im Kloster sein.«

Isabelle schluckte. Die beiden Nonnen hatten die richtigen Schlüsse gezogen und ihren Besuch mit dem Verschwinden einer Mitschwester in Zusammenhang gebracht. Obwohl sie also gerade kurz vor einem ersten Ermittlungserfolg stand, konnte sie sich nicht freuen.

»Womöglich habe ich eine schlimme Nachricht«, sagte sie und zeigte ein Foto der toten Nonne. Das war hart, aber sie konnte es den beiden nicht ersparen. »Ist das Albertine?«

Die Mutter Oberin zitterte und bekreuzigte sich.

Adèle schlug die Hände vors Gesicht.

Die Reaktionen waren eindeutig, dachte Isabelle, eigentlich bedurfte es keiner weiteren Bestätigung.

»Albertine ist tot, oder?«, fragte Adèle.

Isabelle nickte. »Wenn das auf dem Foto Albertine ist, dann muss ich leider bestätigen, dass sie nicht mehr lebt.«

Adèle schniefte. Sie nahm ihre Brille ab und wischte sich einige Tränen aus den Augen.

»Möge Gott sich ihrer Seele erbarmen.«

»Albertine ist von uns gegangen. Sie ruhe in Frieden. *Repose en paix!*«

Isabelle wartete eine Weile, damit die beiden den ersten Schock überwinden konnten. Erst als das Zittern der Mutter Oberin nachließ, beschloss sie weiterzusprechen. Aber erneut kam ihr die Superiorin zuvor.

»Wie ist unsere geliebte Albertine ums Leben gekommen?«, fragte sie.

»Sie ist in den Gärten von Rayol über eine Klippe gestürzt«, antwortete Isabelle.

»*Oh mon Dieu!*«

»Wissen Sie, was Albertine dort gemacht hat?«

Adèle zuckte mit den Schultern. »Wahrscheinlich war sie wieder wegen ihrer Kräuter dort. Sie müssen wissen, dass Albertine unseren Klostergarten betreut und sich intensiv mit pflanzlichen Heilmitteln beschäftigt hat.«

»War sie demnach schon früher in Rayol?«

»Ja, fast immer, wenn sie ihre kranke Schwester in Hyères besucht hat. Die Gärten liegen auf dem Weg.«

Isabelle gingen gleichzeitig so viele Fragen durch den Kopf, dass es ihr schwerfiel zu entscheiden, welche sie als erste stellen sollte.

»Wie hat sich Albertine fortbewegt? Hatte sie ein Auto?«

Wieder war es Adèle, die antwortete. »Ein Auto? Nein, natürlich nicht. Nicolas hat sie mit dem Lieferwagen mitgenommen und zum Bus gebracht.«

»Nicolas?«

»Nicolas Bertrand, er versorgt uns einmal die Woche mit Lebensmitteln. Er hat eine *Épicerie,* einen kleinen Laden an der Hauptstraße.«

Die Mutter Oberin hob ihren mageren Zeigefinger. Sie war ihrem Gespräch schweigend gefolgt, jetzt mischte sie sich ein. »Madame le Commissaire, Sie haben uns noch nicht erklärt, wie Albertine über die Klippe stürzen konnte.«

Isabelle atmete tief ein. Sie hatte gehofft, dass diese Frage nicht gestellt würde. Sie wollte die Nonnen nicht anlügen, aber sie brauchten auch nicht alles zu wissen.

»Sehr wahrscheinlich war es ein Unfall«, antwortete sie ausweichend, »aber wir sind uns nicht ganz sicher.«

Hortensia runzelte die Stirn. »Nicht ganz sicher?«

»Nun, es gibt die vage Möglichkeit, dass sie gestoßen wurde. Das können wir nicht ausschließen.«

So, jetzt war es raus. Dass Albertine nach ihrem Sturz erstickt wurde, würde sie ganz gewiss für sich behalten. Dennoch hatte sie sich nicht versündigt und gegen das achte Gebot verstoßen, das da heißt: Du sollst nicht falsch Zeugnis reden! Nein, direkt gelogen hatte sie nicht. Aber es gab jemanden, der gegen das fünfte Gebot verstoßen hatte: Du sollst nicht töten! Diesen Menschen galt es zu finden und seiner Strafe zuzuführen. Sie ahnte, dass das nicht einfach werden würde. Aber ein Anfang war soeben gemacht. Das Opfer hatte einen Namen: Albertine. Ihre Herkunft war das *Monastère des bonnes sœurs.* Sie hatte eine kranke Schwester in Hyères und …

Hortensia unterbrach Isabelles Gedankenfluss. »Sie wurde womöglich gestoßen? Habe ich das richtig verstanden?«

»Wie gesagt, wir können es nicht ausschließen. Die Untersuchungen laufen noch.«

Hortensia wackelte mit dem Kopf. »Wer sollte so etwas Schreckliches tun? Nein, das kann und will ich nicht glauben.«

»Ich auch nicht«, sagte Isabelle. »Darf ich Ihnen dennoch einige Fragen stellen?«

Die Superiorin verneinte. »Mir nicht, ich bin erschöpft. Aber Schwester Adèle wird Ihnen gewissenhaft Auskunft geben. Ich ziehe mich zurück, um in der Kapelle ein Gebet zu sprechen. Danach werde ich mich niederlegen, um mich von der furchtbaren Nachricht zu erholen.«

Eine halbe Stunde später saß Isabelle noch immer mit Adèle im Refektorium. Die Schwester goss sich schon das dritte Glas mit einem Kräuterlikör ein, den Albertine gemacht hatte. Auch Isabelle hatte von ihm probiert. Nicht schlecht. Viel Alkohol. Sicher gut nach einem fetten Essen. Ob der Kräuterlikör allerdings half, eine Trauernachricht besser zu bewältigen, schien ihr zweifelhaft. Jedenfalls löste er Adèles Zunge. Auf diese Weise brachte sie einiges in Erfahrung – aber leider nichts Entscheidendes. Die größte Enttäuschung war, dass Albertines weltlicher Name im Kloster unbekannt war. Das entspreche den Ordensregeln, erklärte Adèle. Zwar wisse normalerweise die Mutter Oberin Bescheid, aber Hortensias Vorgängerin Laetitia habe diese Information mit ins Grab genommen. Albertine sei eben niemand anders gewesen als Albertine. Eine noch relativ junge Frau, die ihr Leben Gott geweiht habe. Mit dem Eintritt in das *Monastère des bonnes sœurs* habe sie ihr voriges Leben zurückgelassen, mit ihm abgeschlossen und sich von ihm unwiderruflich verabschiedet. Um dies zu besiegeln, habe sie ein Gelübde abgelegt, das die freiwillige Armut und Keuschheit einschließe. Nach einem weiteren Kräuterlikör erinnerte sich Adèle, dass Albertine ihr Ordensgelübde vor knapp drei Jahren abgelegt hatte.

Nach dieser Vorrede war Isabelle wenig überrascht, dass Adèle auch den Namen von Albertines kranker Schwester nicht kannte. Ein Leben außerhalb der Klostermauern schien es nicht zu geben – und wenn doch, dann wurde es verschwiegen. Sie ließ sich die Adresse von Nicolas Bertrands Lebensmittelgeschäft geben. Vielleicht wusste er etwas. Dann versuchte sie noch etwas mehr über das Kloster in Erfahrung zu bringen. Es bestätigte sich, was schon der Prior angedeutet hatte: In dem *Monastère* lebten nur noch wenige Nonnen. Neben der Mutter Oberin Hortensia und Adèle gab es eine Ordensschwester namens Marguerite. Diese sei gerade im Dormitorium mit Putzarbeiten beschäftigt. Außerdem eine Novizin aus Zentralafrika, die noch kein Gelübde abgelegt habe. Jasmin trage deshalb einen weißen Schleier. Sie sei in der Bibliothek, um in der Heiligen Schrift zu lesen und zu beten. Adèle seufzte. Ja, und dann habe zu ihrer Gemeinschaft natürlich noch Albertine gehört. Sie sei eine gute Seele gewesen. Sie werde dem Kloster unendlich fehlen.

Isabelle merkte, dass es wenig Sinn machte, die Befragung weiter fortzusetzen. Adèle wirkte ausgelaugt – und ein wenig betrunken vom Kräuterlikör. Es erübrigte sich die Frage, ob Albertine Feinde hatte. In ihrem klösterlichen Leben ganz bestimmt nicht. Auch sonst fiel alles weg, was üblicherweise bei einem Tötungsdelikt im Fokus der Ermittlungen stand. Gab es eine außereheliche Affäre? Ging es um Geld? Um Hass, Neid, Eifersucht? Fragen, die sich im Leben einer gottesfürchtigen Nonne nicht stellten.

Sie bat Adèle, noch einen kurzen Blick in Albertines Kloster-zelle werfen zu dürfen.

Die Schwester musste sichtbar mit sich ringen. Das sei eigent-lich verboten, sagte sie. Die Klosterzelle sei der einzige priva-te Raum einer Nonne. Im Grunde müsse sie die Mutter Obe-rin um Erlaubnis fragen, aber die wolle im Moment gewiss nicht gestört werden.

Schließlich erklärte sie sich einverstanden, erhob sich und trippelte voran. Im Dormitorium begegneten sie der Schwes-ter Marguerite, die mit einem Schrubber zugange war und zur Ordenstracht gelbe Gummihandschuhe trug – was komisch aussah.

An der Schwelle zu Albertines Zelle blieb Isabelle stehen. Der Raum war spartanisch eingerichtet, mit einem Schrank, einem kleinen Tisch und einem schmalen Bett. An der Wand hing ein Marienbild und neben dem winzigen Fenster ein Kruzifix. Das war's.

Isabelle sagte, sie müsse unbedingt nach Albertines Ausweis-papieren suchen. Sie habe keine bei sich gehabt, im Kloster seien offenbar keine hinterlegt, also müssten sie sich hier in ihrer Klause befinden.

Wieder wurde Adèle von Gewissensnöten geplagt. Sie hüstel-te verlegen und entgegnete, dass sie das keinesfalls zulassen dürfe. Dann nestelte sie an ihrem Habit und erklärte Isabelle, dass sie sie leider einige Minuten alleine lassen müsse. Sie habe dringend etwas zu erledigen, sei aber bald wieder zurück. Kaum gesagt, machte sie auf dem Absatz kehrt und trippelte davon.

Isabelle sah ihr lächelnd hinterher. Ohne Kräuterlikör hätte sich Adèle dazu wohl kaum durchringen können. Sie betrat Albertines Zelle und begann zu suchen. Weil alles so über-sichtlich und ordentlich war, ging es schnell – leider ohne Erfolg. Es gab weder einen Ausweis noch den geringsten Hinweis auf ihre Identität. Isabelle überlegte, dass es dafür nur eine logische Erklärung gab: Albertine hatte ihren Ausweis beim Besuch der Gärten von Rayol dabeigehabt – und ihr Mörder hatte ihn an sich genommen.

Isabelle wartete im Gang vor der Zelle, bis Adèle zurückkam. Die Nonne sah sie fragend an, und sie schüttelte leise den Kopf. Isabelle bedankte sich und ließ sich von Adèle durch den Kreuzgang zurück zur Pforte führen. Ihr fiel der eigentümliche Jäger ein, den sie nach dem Weg gefragt hatte und der plötzlich am Waldrand vor dem Kloster aufgetaucht war. Auf die Frage, ob sie ihn kenne, reagierte Adèle ungewohnt brüsk. Das sei der verrückte Bruno, sagte sie. Ein unangenehmer Zeitgenosse, der sich nicht an die Regeln halte.

An welche Regeln er sich nicht halte, fragte Isabelle.

In der näheren Umgebung des Klosters dürfe nicht geschossen werden, erklärte Adèle. Die himmlische Ruhe sei seit Jahrhunderten ein verbrieftes Recht. Trotzdem ballere Bruno unbekümmert in der Gegend herum. Einmal habe er sogar unweit der Apsis der Klosterkirche ein Reh erlegt, genau während des Angelus-Gebets. Daraufhin sei Albertine bei der *Municipalité* vorstellig geworden und habe Bruno angezeigt. Aber das habe nichts geholfen. Kurz darauf habe er einen Hasen erschossen und ihnen vor den Eingang gelegt. Das sei nicht als milde Gabe gedacht gewesen, sondern seine grobe und gotteslästerliche Art von Humor.

Adèle ereiferte sich beim Reden. Ihr Gesicht war gerötet – was nicht nur am Kräuterlikör, sondern vor allem an diesem heiklen Thema lag.

Isabelle fragte nicht weiter nach, gab Adèle zum Abschied die Hand und brachte ihr Bedauern zum Ausdruck, dass sie eine so traurige Nachricht habe überbringen müssen.

Gerade wollte sie gehen, als hinter der Schwester die Mutter Oberin auftauchte. Was mit dem Leichnam von Schwester Albertine geschehe, wollte sie wissen.

Gute Frage. Daran hatte Isabelle noch nicht gedacht. Die Rechtsmedizin in Toulon würde die tote Nonne bald loswerden wollen.

Hortensia machte deutlich, dass sich eine Feuerbestattung bei einer Nonne ihres Ordens selbstverständlich verbiete. Man solle die sterblichen Überreste in einen schlichten Kiefernsarg betten und diesen ins Kloster überführen, wo sie einen Abschiedsgottesdienst halten und das Totengebet sprechen würden. Ihre letzte Ruhestätte werde Albertine unter einer Grabplatte im Kreuzgang finden.

Isabelle versprach, die nötigen Schritte in die Wege zu leiten. Sie reichte der Mutter Oberin ihre Visitenkarte. Sie wisse, dass man im *Monastère des bonnes sœurs* kein Telefon habe, aber wenn Hortensia mit ihr sprechen wolle, könne sie ja ihren Lebensmittellieferanten Nicolas Bertrand bitten, sie zu benachrichtigen.

Die Mutter Oberin nickte und nahm die Visitenkarte entgegen. Dann gab sie unter dem Siegel der Verschwiegenheit preis, dass sie auch ohne Bertrands Hilfe mit Isabelle Kontakt aufnehmen könne, denn im Geheimen verfüge sie über ein modernes Mobiltelefon und wisse auch, wie es zu bedienen sei. Aber ihr *portable* sei permanent ausgeschaltet und ruhe in der Sakristei, weshalb man sie nicht erreichen könne. Der Herr sei gepriesen. Aber im Notfall könne sie mit der Außenwelt Kontakt aufnehmen. Das sei ein Gebot der Vernunft.

Infolgedessen müsse sich Isabelle wieder herbemühen, wenn sie mit ihr sprechen wolle. Sie bestehe darauf, umgehend informiert zu werden, falls es bei Albertines Unglück tatsächlich irgendwelche Ungereimtheiten gebe. Auch wenn sie sich keine Sekunde vorstellen könne, dass Albertine tatsächlich einen Stoß erhalten habe. Hortensia bekreuzigte sich. *Gloria in excelsis Deo et in terra pax hominibus bonae voluntatis.* Ehre sei Gott in der Höhe und Friede auf Erden den Menschen in seiner Gnade.

11

Auf der Rückfahrt nach Fragolin war Isabelle mit ihren Gedanken überall, nur nicht auf der Straße. Was nichts machte, denn sie begegnete nur selten anderen Autos. Auf dem ersten Abschnitt durch den Wald sowieso nicht. Dort hatte sie unwillkürlich nach dem Jäger Bruno Ausschau gehalten, aber entweder hatte er sich gut versteckt, oder er war verschwunden.

Der Lebensmittelladen von Nicolas Bertrand hatte geschlossen. *Fermé cet après-midi!* Schade, denn sie hätte am liebsten gleich mit ihm gesprochen in der Hoffnung, dass er etwas mehr über Albertine und ihre Schwester in Hyères wusste. Auch über das Kloster und seine Ordensschwestern ganz allgemein. Er war wahrscheinlich einer der wenigen Außenstehenden, die regelmäßig Kontakt hatten.

Sie versuchte sich den Ablauf im Kloster vorzustellen. Zugegebenermaßen hatte sie wenig Ahnung von den Gebräuchen. Sie kannte das Motto der Benediktiner: *Ora et labora.* Bete und arbeite. In gewisser Weise galt das wohl für alle Klöster. Wenn sie aber überlegte, wie gerade mal fünf Schwestern für sich sorgen und alles alleine bewältigen mussten, dann blieb nicht viel Zeit für Gebete. Fünf Schwestern? Jetzt waren es nur noch vier.

Sie dachte daran, dass Albertines Sarg unter einer Grabplatte im Kreuzgang beigesetzt werden sollte. Und sie stellte sich die ganz triviale Frage, wer eine schwere steinerne Platte hochheben könnte. Die altersschwache Superiorin Hortensia ganz bestimmt nicht. Selbst alle vier zusammen würden es nicht schaffen. Was passierte bei einem Stromausfall oder bei einem Wasserschaden? Wer reparierte das? Wer hatte die Pforte des Klosters gestrichen? Es gab nur eine Antwort: Es musste jemanden geben, der den Nonnen bei all diesen Aufgaben half. Eine Art Hausmeister. Sie hatte vergessen, nach einer solchen Person zu fragen.

Schon kam ihr ein weiteres, höchst irdisches Thema in den Sinn. Wer bezahlte das alles? Nicolas würde seine Lebensmittel nicht umsonst liefern. Oder vielleicht doch? Und der Hausmeister? Arbeitete er für Gottes Lohn? Selbst bei einem Kloster fielen laufende Zahlungen an.

Gehörte das *Monastère des bonnes sœurs* zu einem übergeordneten Orden, oder waren die Nonnen auf sich allein gestellt?

Isabelle gingen noch viele weitere Fragen durch den Kopf, die sie alle interessant fand. Aber waren sie auch zielführend? Worum ging es tatsächlich? Es gab eine tote Nonne, die einem Gewaltverbrechen zum Opfer gefallen war. Es gab einen Täter, den es zu finden galt. Und es musste ein Motiv geben. Auf diese Punkte sollte sie sich konzentrieren. Wer die Lebensmittel bezahlte oder den Schwestern bei der Grabplatte half, war irrelevant.

Irrelevant? Ja, höchstwahrscheinlich schon, aber eben nicht mit hundertprozentiger Gewissheit. Was wirklich bedeutungslos war, wusste man immer erst hinterher. Mit den diffusen Fragestellungen folgte sie unwillkürlich ihrem ganz persönlichen Ermittlungsprinzip, das auf einer umfassenden Neugier basierte. Sie wollte immer alles wissen und verstehen. Damit hatte sie schon in ihrem früheren Job als Leiterin einer Antiterroreinheit ihre Mitarbeiter genervt. Heute konnte sie sich damit nur selbst schikanieren. Oder Apollinaire, aber der tickte ähnlich – nur dass er sich im Dickicht seiner Wissbegier meist hoffnungslos verirrte. Blieb zu hoffen, dass ihr Orientierungssinn besser war.

Zurück in Fragolin, lief sie vor dem Rathaus Thierry in die Arme, der sie umgehend zum Boule verpflichtete, genauer gesagt zum Pétanque, wie es hier traditionell gespielt wurde, mit *ped tanco,* mit geschlossenen Füßen. Der alte Jules habe Geburtstag und lade sie nach der Partie zu Jacques ins Bistro ein. Thierry lachte. Vorausgesetzt, dessen Mannschaft würde gewinnen.

Isabelle sah, dass der Polizeiwagen nicht auf dem Parkplatz stand. Sie hatte Apollinaire das Dienstfahrzeug überlassen und war selbst mit ihrem privaten Renault gefahren. Vermutlich war er noch in Rayol, um die Spurensicherung zu überwachen. Dass diese nichts ergeben würde und deshalb so überflüssig war wie ein vierter Spieler beim Pétanque-typischen *triplette,* stand für Isabelle außer Zweifel. Aber Apollinaire hatte insofern recht, als eine Spurensicherung bei einem Tötungsdelikt einfach dazugehörte – nur hätte diese unmittelbar nach dem Fund der Leiche erfolgen müssen. Jetzt war es zu spät.

»Spielst du nun mit oder nicht?«, fragte Thierry.

»Aber klar«, stimmte sie zu. »Am besten spiele ich mit Jules in einer Mannschaft, dann müsst ihr uns gewinnen lassen.«

12

Am nächsten Morgen musste sie sich erst zurechtfinden. Sie lag bei Thierry im Bett. Sie tastete nach rechts, nach links, aber er war nicht da. Dafür duftete es durch die angelehnte Tür nach frischem Kaffee. Jetzt hörte sie, wie Thierry auf der Terrasse den Tisch zurechtrückte. Den Sonnenschirm hatte er wahrscheinlich schon aufgespannt. Isabelle gähnte und räkelte sich. Gleich würde es ein großartiges *petit-déjeuner* geben, mit frisch ausgepresstem Orangensaft und Omelette. Thierry war anders als die meisten seiner Landsleute – er liebte es, ausgiebig zu frühstücken. Sie schlug die dünne Decke zurück und stand auf. Dabei stellte sie zweierlei fest: Sie hatte Kopfschmerzen, und sie war nackt. Beides ließ sich erklären. Den dicken Kopf führte sie auf das gestrige Trinkgelage mit Jules und den anderen Boule-Spielern zurück. Auch darauf, dass sie eine dicke Zigarre geraucht hatte, woran der fiese Geschmack im Mund erinnerte. Dass sie nackt war, überraschte sie nicht. Sie lächelte versonnen. Nein, in keinster Weise.

Isabelle versuchte einige Dehnübungen, merkte aber schnell, dass diese ihrem Kopf nicht guttaten. Also ließ sie es wieder sein und machte sich barfuß und so, wie sie war, auf den Weg, um Thierry einen wunderschönen guten Morgen zu wünschen. Dann würde sie sich unter die Außendusche stellen, mit eiskaltem Wasser und so lange, bis der Kopf wieder klar war.

Eine gute Stunde später spazierten Isabelle und Thierry hinüber zum *Hôtel de ville,* wo sie praktischerweise beide ihren Arbeitsplatz hatten, sie im Erdgeschoss und er in den Etagen darüber. Sie machte sich keinen Kopf, was die Leute denken könnten. Dass die Kommissarin und der Bürgermeister was miteinander hatten, wusste mittlerweile jeder. Gerede gab es sicher dennoch, denn ihre Beziehung entsprach nicht den in Fragolin üblichen Konventionen. Isabelle schmunzelte. Und das war gut so. Zum Abschied gab sie Thierry einen Kuss.

»Bonjour, Madame, ça va bien?«, wurde sie von Apollinaire begrüßt.

Er machte einen aufgeräumten Eindruck. Aber irgendwas stimmte nicht mit ihm. Er war ordentlich gekämmt, sogar mit Scheitel. Auch der Krawattenknoten saß absolut gerade. Seine Jacke hatte er auf einem Kleiderbügel an den Aktenschrank gehängt. Musste sie sich Sorgen machen?

Sollte er jetzt noch gleichfarbige Strümpfe tragen, wäre eine ernste Persönlichkeitsstörung zu befürchten. Im Vorbeigehen schielte sie unter seinen Tisch. Na Gott sei Dank, alles gut. Wobei die heutige Variante eine besondere Note hatte. Rechts trug Apollinaire eine pinkfarbene Socke – und links gar keine. Das war innovativ.

Er drehte sich auf dem Bürostuhl in ihre Richtung und sah sie erwartungsvoll an.

Stimmt, sie hatte ihm noch nicht von ihrem Besuch im Kloster berichtet. Er konnte nicht wissen, dass die Nonne tatsächlich vom *Monastère des bonnes sœurs* stammte – und einen Namen hatte: Albertine! Leider war das ihr Ordensname, nicht ihr weltlicher.

Sie gab ihm einen kurzen Report, wobei sie sich auf die wesentlichen Fakten beschränkte. Apollinaire ließ sich zu einem

V de la victoire hinreißen, zu einem Victory-Zeichen mit dem Zeige- und Mittelfinger. Es freute sie immer wieder, dass er bei ihren Ermittlungen mit dem Herzen dabei war.

Dann forderte sie ihn auf, umgekehrt von seinem Einsatz mit der Spurensicherung zu berichten. Apollinaires gerade noch sonniger Gesichtsausdruck verdunkelte sich. Bekümmert gestand er ein, dass ihm die Kollegen keine Hoffnung gemacht hätten. Sie hätten das Terrain zwar akribisch untersucht und auch diverse Proben genommen, meinten aber, dass man sich das hätte sparen können. Madame habe wieder mal recht gehabt.

Apollinaire schlug sich an den Kopf. »Halt, Moment, fast hätte ich es vergessen. Ihr Hinweis mit den, also, Sie wissen schon …«, verhaspelte er sich. »Nun, der war genial. Obwohl, logisch, da hätte man selber draufkommen können.«

Sie überlegte, was er meinen könnte. Welchen Hinweis hatte sie gegeben?

Isabelle hob eine Augenbraue und lächelte. Das reichte. Ihm wurde klar, dass er sich genauer ausdrücken musste.

»Sie haben doch gesagt, man solle in der Rechtsmedizin nach Hautpartikeln unter den Fingernägeln suchen. Bingo! Docteur Franell hat welche gefunden. Auch Spuren von Blut. Es könnte also tatsächlich so gewesen sein, dass sich die Nonne gewehrt hat. In diesem Fall hätte der Täter Kratzspuren, aber das hilft uns nicht weiter. Mangels Täter. Ähm, wir haben ja nicht einmal einen Verdächtigen.«

Isabelle beobachtete, wie sich Apollinaire aufgeregt durch die Haare fuhr. Bald sah er so aus wie immer.

»Aber mit etwas Glück haben wir durch die Hautfetzen und das Blut einen genetischen Fingerabdruck des Täters«, stellte sie fest. »Wir machen Fortschritte.«

Er nickte. »*C'est vrai.* Dabei haben wir noch gar nicht richtig losgelegt.«

Nun, da stimmte sie ihm zu. Ihr kleines Team nahm langsam, aber zügig Fahrt auf. Bislang waren sie noch bei jedem Fall erfolgreich gewesen. Hoffentlich blieb das so.

»Dann können Sie jetzt Ihrer Lieblingsbeschäftigung nachgehen«, forderte sie ihn auf.

»Die da wäre?«

Sie deutete auf das Flipchart in der Ecke. »Wir können eine Liste der bislang bekannten Fakten und Namen erstellen. Und Sie können schon mal erste Kreise und Pfeile anbringen.«

Apollinaire grinste und stand auf. Charts waren seine Leidenschaft. In der Entstehungsphase konnte auch Isabelle was mit ihnen anfangen. Sie halfen, die Gedanken zu ordnen. Und sie konnten einen auf Ideen bringen. Leider neigte Apollinaire dazu, die Charts mit fortschreitender Ermittlung immer komplizierter zu gestalten, bis nur er noch durchblickte – wenn überhaupt.

Er lockerte seinen Krawattenknoten. Na bitte. Jetzt musste nur noch sein Hemd aus der Hose rutschen, dann war er wieder ganz der Alte. Der Himmel wusste, warum er heute früh so geschniegelt war.

Auf dem Weg zum Flipchart machte er auf dem Absatz kehrt, was gefährlich aussah, um von seinem Schreibtisch ein Blatt zu holen.

»*Et voilà,* eine Liste aller Gärtner und Angestellten, die zur Tatzeit in der *Domaine du Rayol* Dienst hatten. Im Büro gibt es eine reizende Mitarbeiterin. Ich habe sie mit einer Tüte köstlicher *macarons* bestochen. Danach hätte ich alles von ihr haben können.«

Sie sah ihn amüsiert an. »Wirklich alles?«

Er hüstelte verlegen. »Nein, natürlich nicht. Aber wer weiß, vielleicht doch?«

»Gut gemacht«, sagte sie, nicht weiter auf die Mandelbaisers und ihre wundersame Wirkung eingehend. »Die Mitarbeiter auf der Liste sollten alle befragt werden. Erstens müssen wir ausschließen, dass einer als Täter in Betracht kommt, was ich aber nicht glaube. Zweitens könnte jemand eine Beobachtung gemacht haben, der er keine Bedeutung beimisst.«

»Täter ausschließen, Beobachtung, keine Bedeutung«, wiederholte er. »Kein Problem, das kann ich übernehmen.«

Isabelle nickte zustimmend. »Tun Sie das. Und sprechen Sie mit der Kassiererin, die an dem Tag Dienst hatte. Ist auch eine nette Frau. Ich habe bei meinem letzten Besuch mit ihr geredet. Sie konnte sich sehr genau an unsere Nonne erinnern. Vielleicht ist ihr noch was eingefallen.«

»Eingefallen oder aufgefallen? Zum Beispiel ein verhaltensgestörter Besucher?«

»Richtig.« Sie dachte kurz nach. »Oder jemand, der beim Verlassen der Gärten im Gesicht blutige Kratzspuren hatte.«

»Das wäre zu schön. Übrigens, was soll ich ihr sagen, warum wir uns für das Unglück interessieren?«

Sie antwortete mit einer Gegenfrage. »Wie haben Sie in Rayol die Spurensicherung erklärt und Ihrer naschsüchtigen Freundin im Büro Ihr Interesse für die Gärtner und Mitarbeiter?«

»Ich habe gesagt, das sei bei tödlichen Unglücksfällen die vorgeschriebene Polizeiroutine. Lästig und überflüssig wie ein Kropf.«

Isabelle lächelte. »Dann sagen Sie das einfach ein weiteres Mal.«

»Was machen wir eigentlich mit der Presse?«, fiel ihm ein.

»Gute Frage, muss ich mir noch überlegen.« Sie deutete zum Flipchart. »Jetzt holen Sie die Filzstifte, und wir fangen an. Überschrift: Die tote Nonne von Rayol.«

»Hört sich an wie der Titel eines schlechten Romans.«

»Ist aber leider traurige Realität.«

13

Statt wie so oft in Jacques' Bistro Mittag zu essen, ging Isabelle nach ihrer »Strategiebesprechung« nach Hause. Apollinaire wollte derweil die angelegten Charts überarbeiten – was nichts Gutes verhieß. Noch waren sie einigermaßen verständlich.

Auf dem Heimweg erledigte sie einige Einkäufe. Dann improvisierte sie in ihrer kleinen Küche einen schnellen *salade niçoise*. Tomaten, Paprika, Zwiebeln, Olivenöl, Essig. Im Kühlschrank hatte sie hart gekochte Eier. Thunfischfilet kurz und scharf angebraten. Was fehlte noch? Schwarze Oliven. Sie zupfte Basilikumblätter von einem Topf auf dem Fensterbrett. Fertig. Ein Stück Baguette. Und eine Karaffe mit Zitronenwasser. Auf einem Tablett balancierte sie alles über die Wendeltreppe auf ihre Dachterrasse. Das gute Leben konnte so einfach sein.

Im Schatten ihres Sonnenschirms genoss sie die Ruhe – und ihren Salat. Die Kopfschmerzen vom Morgen waren längt verflogen, auch schmeckte es im Mund nicht mehr nach Zigarre.

Nach dem letzten Bissen wischte sie mit Baguette den Teller sauber. Die Vinaigrette war zu schade für die Spüle.

Dann legte sie sich in ihren Liegestuhl und schloss die Augen. Unweigerlich wanderten ihre Gedanken zu ihrem aktuellen Kriminalfall und zu Apollinaires Charts. Auf einem hatte er nach ihrer Anweisung mehrere konzentrische Kreise gezogen wie Wellen, die sich von einem ins Wasser geworfenen Stein ausbreiten. Der innerste Kreis bezog sich auf das Kloster selbst, umschloss also alle Menschen, die innerhalb der Klostermauern lebten: die Mutter Oberin Hortensia, die beiden Ordensschwestern Adèle und Marguerite sowie die Novizin Jasmin. Als Täter kam von ihnen niemand ernsthaft in Betracht. Der nächstgrößere Kreis umschrieb das direkte Umfeld des Klosters. Hier wurde die Angelegenheit diffuser, denn mit dem Lebensmittelhändler Nicolas Bertrand hatten sie nur einen konkreten Namen. Dass es eine Art Hausmeister geben musste, war klar, ihn galt es dringend zu ermitteln. Darüber hinaus musste es weitere Personen geben, die Kontakt zum Kloster hatten. Ob und inwieweit sich unter ihnen jemand befand, der ein Motiv haben könnte, die Nonne Albertine umzubringen, galt es herauszufinden. Zu diesem Kreis gehörte auch der kurz angebundene Jäger Bruno, den Albertine mal wegen Störung des Klosterfriedens angezeigt hatte. Der Mann war auf sie gewiss nicht gut zu sprechen gewesen. Das war aber noch lange kein Grund, sie umzubringen. Auch zukünftig würde er in der Nähe des Klosters nicht jagen dürfen, ihr Tod änderte also nichts am Verbot. Dennoch würde sie ihm auf den Zahn fühlen.

Isabelle goss sich Zitronenwasser nach. Erneut rief sie sich das Chart in Erinnerung. Sie kam zum nächsten Kreis, der das Kloster in größerem Abstand umschloss. Hier fehlte es an allem. Sie wussten gar nichts. Gehörten die *bonnes sœurs* einem übergeordneten Orden an? Wer finanzierte das Kloster? In wessen Besitz befand es sich? Fragen, die zweifellos interessant waren, deren Beantwortung aber kaum weiterhelfen würde, den Mord an der Nonne aufzuklären. Die rabiate Ausführung sprach für eine emotional begründete Tat. Weshalb in ihren Augen ein Pfeil am wichtigsten war, den Apollinaire ausgehend von Albertines Namen quer durch die konzentrischen Kreise nach außen gezogen hatte. Er endete bei einem großen roten Fragezeichen. Der *point d'interrogation* stand für den weltlichen Namen der toten Nonne, den sie nicht kannten. Und er stand für das Vorleben von Albertine, die ja erst seit wenigen Jahren im *Monastère des bonnes sœurs* lebte. Wie sah ihre Lebensgeschichte aus? Warum zog sich eine junge Frau in ein Kloster zurück? Gab es ein traumatisches Erlebnis? Ihr fielen etliche mögliche Gründe ein. Und mit etwas Fantasie ließ sich aus jedem ein Mordmotiv ableiten. In diesem hypothetischen Fall wäre die Nonne von ihrer Vergangenheit eingeholt worden. Ihr Schicksal hätte sie nur deshalb in den Gärten von Rayol ereilt, weil ihre Ermordung hinter den Klostermauern nicht möglich war. Das große rote Fragezeichen hatte deshalb die höchste Priorität. Sie mussten zwingend und so schnell wie möglich Albertines weltlichen Namen herausfinden, um ihr Vorleben und ihr dazugehöriges privates Umfeld unter die Lupe nehmen zu können. Was Isabelle zu einem weiteren Pfeil brachte, der zu ihrer kranken Schwester führte, die Albertine wiederholt besucht hatte. Auch mit ihr mussten sie dringend sprechen. Isabelle spukte der Gedanke durch den Kopf, dass es diese Schwester womöglich gar nicht gab. Vielleicht war sie nur ein Vorwand, und in Wahrheit hatte Albertine andere Gründe für ihre klösterliche Absenz? Allerdings war eine Nonne mehr noch als jeder andere Gläubige dem achten Gebot verpflichtet. Warum sollte sie die Mutter Oberin und ihre Mitschwestern belügen?

Ihr fiel ein, dass es auf Apollinaires Chart noch einen weiteren Kreis gab. Er umschloss die Namen aller Mitarbeiter der Gärten von Rayol. Natürlich, auch sie mussten befragt werden. Aber das hatte sie bereits an Apollinaire delegiert. Viel versprach sie sich nicht davon.

Isabelle resümierte, dass es im Fall der toten Nonne viel zu tun gab. Nicht weil es so viele Spuren gab, sondern ganz im Gegenteil, weil es eben noch keine gab und sie wenig bis gar nichts wussten. Apollinaire nannte dieses Phänomen das Paradoxon der Kenntnislosigkeit. Mit dem Grad der Unwissenheit steige die Wissbegier. Dies gelte freilich nicht für alle Menschen, denn es gebe genug bedauernswerte Dumpfbacken, die ihre Dummheit als Status quo akzeptieren und somit das Paradoxon der Kenntnislosigkeit ad absurdum führen würden. So oder so ähnlich pflegte sich Apollinaire auszudrücken. Isabelle lächelte. Was genau er damit sagen wollte, blieb sein Geheimnis.

Ihr fiel ein, dass sie ein überfälliges Telefonat führen sollte. Immerhin hatte sie Jacqueline, in deren Begleitung sie die tote Nonne entdeckt hatte, versprochen, sie über den weiteren Fortgang zu informieren. Dass die Ordensschwester kein Unfallopfer war, sondern ermordet wurde, würde ihrer Pariser Freundin den Atem verschlagen.

»*Ce n'est pas vrai, non?*«, reagierte Jacqueline denn auch fassungslos, als sie von Isabelle ins Bild gesetzt wurde. »Das kann nicht wahr sein. Wer bitte schön sollte fähig sein, eine gottesfürchtige Nonne umzubringen?«

»Genau das, meine liebe Jacqueline, gilt es herauszufinden.«

»Ein Monster, eine Kreatur, eine abscheuliche Missgeburt«, ereiferte sich Jacqueline.

»Wenn es so einfach wäre. Mörder sehen selten aus wie der Glöckner von Notre-Dame.«

»Hast recht. Quasimodo war hässlich, aber unschuldig.«

»Eben. Nur weil jemand in der Lage ist, eine Nonne zu töten, muss er nicht wie der leibhaftige Teufel aussehen. Wohl bedarf es aber einer besonderen Kaltherzigkeit, das vermutlich schon.«

»Oder der Täter war unzurechnungsfähig, ein krankhafter Nonnenhasser. Meinst du, so was gibt es?«

Isabelle erstaunte die Emotionalität ihrer Freundin. Immerhin arbeitete sie bei der Polizei und hatte schon vieles erlebt – allerdings meist im Vorzimmer von Balancourt und selten am Ort eines Verbrechens. Ein Nonnenhasser? Die Vorstellung schien abwegig. Aber der Gedanke ließ sich umkehren. Offenbar hatte der Mörder keine Skrupel gehabt, eine Frau im Ordenshabit umzubringen. Wofür es eine einfache Erklärung geben könnte.

»Es gibt nichts auf der Welt, was es nicht gibt«, antwortete Isabelle sibyllinisch. »Für wahrscheinlicher halte ich allerdings eine andere Begründung. Wie wäre es, wenn der Täter in Albertine überhaupt keine Nonne gesehen hat? Einfach deshalb, weil er sie von früher kannte, als sie ihr Leben noch nicht Gott geweiht und keine Ordenstracht getragen hatte.«

»Ich verstehe, ja, das wäre eine Erklärung. Sozusagen tiefenpsychologisch oder so ähnlich.«

Isabelle lächelte. »Oder so ähnlich, ja.«

»Okay, dann musst du als Nächstes ihr Vorleben ausforschen.«

»Genau. Dazu müsste ich allerdings wissen, wie unsere Nonne früher hieß.« Sie dachte an Apollinaires Chart. »Das ist noch ein großes Fragezeichen. Aber wir arbeiten daran. Jacqueline, ich hätte eine Bitte.«

»Ja?«

»Du hast doch in der *Domaine du Rayol* viel fotografiert. Könntest du bitte mal alle Bilder raussuchen, auf denen nicht nur Pflanzen zu sehen sind, sondern auch Menschen, und sei es nur im Hintergrund oder unscharf.«

»Menschen? Um Gottes willen, meinst du, auf einem meiner Fotos könnte der Täter zu sehen sein?«

»Sehr unwahrscheinlich«, gab Isabelle zu. »Aber ich will sie bei meinen Unterlagen haben.«

»Ich verstehe. Die reinen Pflanzenfotos sortiere ich also aus. Ich fürchte, viele Bilder werden nicht übrig bleiben.«

»Macht nichts. Ganz andere Frage«, wechselte Isabelle das Thema, »wie geht's Maurice?«

»Der Alte? Er hat seine Operation gut überstanden und kommt schon wieder stundenweise ins Büro. Aber ich glaube nur deshalb, weil er hier ungestört eine Zigarre rauchen kann. Zu Hause würde er sich das nicht trauen.«

»Ist er gerade da?«

»Ja, willst du ihn sprechen?«

Sie sollte ihn kurz informieren, dachte Isabelle. Als ihr oberster und einziger Vorgesetzter sollte er wissen, an welchem Fall sie gerade arbeitete – und wie sie ihn auf den Tisch bekommen hatte.

»Gerne«, antwortete sie.

»Ich stelle dich gleich durch. Aber vorher musst du mir noch verraten, ob du was von Rouven Mardrinac gehört hast.«

Von Rouven? Ihre Freundin war ganz schön neugierig. Sie war zwar ihre einzige Vertraute, aber selbst sie musste nicht alles wissen. Dennoch war das eine gute Frage. Tatsächlich hatte sie mit Rouven seit ihrem Urlaub auf Saint-Barth kaum mehr Kontakt gehabt. Das war einerseits nicht ungewöhnlich und entsprach ihrer Vereinbarung. Andererseits hatte Jacqueline gerade ein heikles Thema angesprochen, denn im tiefsten Inneren störte es sie, dass Rouven nach ihren schönen Tagen auf Saint-Barth plötzlich wieder aus ihrem Leben verschwunden war.

»Warum gibst du mir keine Antwort?«, sagte Jacqueline. »Hätte ich besser nicht nach ihm fragen sollen? Gibt's ein Problem?«

»Nein, alles gut. Rouven ist in Tokio auf einer Kunstauktion. Ich bin in Fragolin und werde von Thierry verwöhnt. Es könnte mir nicht besser gehen.«

Nicht besser gehen? Das war gelogen, obwohl das Arrangement mit den zwei Männern ihr eigener Einfall gewesen war. Sie hatte ihre *ménage à trois* für eine gute Idee gehalten. Mittlerweile war sie sich nicht mehr so sicher.

»Ich will's dir mal glauben«, sagte Jacqueline. »So, jetzt verbinde ich dich mit Maurice. *Au revoir,* meine Liebe. Pass auf dich auf. *Bisou,* Küsschen.«

Maurice Balancourt lachte heiser, als Isabelle ihm ihre Wette mit Capitaine Richeloin beichtete. Weil sie wusste, dass er sich gerne amüsierte, zitierte sie die Aussage des Toulouner Polizeichefs, dass sie Eier in der Hose habe. »Daran können sich die männlichen Kollegen mal ein Beispiel nehmen«, prustete er vergnügt. »*Chérie,* ich liebe dich.«

Isabelle schmunzelte. Maurice Balancourt durfte sich alle Vertraulichkeiten herausnehmen. Sie kannten sich schon ewig, er war ihr väterlicher Freund – und er war glücklich verheiratet.

Dann erzählte sie ihm den Rest der Geschichte. Kurz und knapp und ohne weitere Ausschmückungen, ganz so, wie er es mochte. Details langweilten ihn. Natürlich seien diese für die Polizeiarbeit wichtig, pflegte er zu sagen, aber auf Einzelheiten zu achten sei der Job seiner Vasallen. Ihn interessierten die großen Zusammenhänge. Im Normalfall begab er sich auch nicht in die Niederungen »normaler« Alltagskriminalität, wozu in seinen Augen ebenfalls Morde gehörten, solange sie nicht politisch motiviert waren. Bei Isabelle machte er eine Ausnahme. Er wollte immer wissen, was sie tat und woran sie gerade arbeitete. Meist versuchte er ihr die aktuellen Fälle auszureden. Der Kleinkram sei unter ihrem Niveau, sie solle umgehend ihre Zelte in Fragolin abbrechen und zurück nach Paris kommen, wo größere und wichtigere Aufgaben auf sie warten würden. Alternativ zauberte er gerne einen »harmlosen« Auftrag aus dem Hut, der unversehens »staatstragende« Bedeutung bekam. Aber heute geschah nichts dergleichen. Stattdessen hustete er nachhaltig. Er erklärte, dass er entgegen dem Rat seiner Ärzte zum heutigen Abendessen eine Flasche Pomerol öffnen werde, aus therapeutischen Gründen, von seinem Lieblingsweingut. Ihm fiel noch ein, dass das Hospital, in dem er sich seiner Operation unterzogen hatte, von Nonnen geführt wurde. Alles sehr freundliche Geschöpfe, die sich ausgesprochen liebevoll und fürsorglich um ihn gekümmert hätten. Die Vorstellung bedrücke ihn, dass eine solche Nonne eines gewaltsamen Todes sterben müsse. Er finde es gut, dass sie sich dieses Falles angenommen habe. Das sei im allerbesten Sinne Christenpflicht.

»*Bonne chance, chérie!* Finde den Mörder und nagle ihn ans Kreuz. Und dann komm zurück nach Paris!«

Sie lächelte. Er konnte es einfach nicht lassen. Sie würde alles für ihn tun – aber nicht nach Paris in ihren alten Job zurückkehren. So viel stand fest.

14

Als Isabelle zurück ins Büro kam, legte Apollinaire gerade den Hörer auf. Er habe soeben einen Anruf eines Radiosenders erhalten, der sich nach aktuellen Informationen bezüglich der toten Nonne erkundigt habe.

Isabelle fragte überrascht, warum die Anfrage hier bei ihnen in Fragolin gelandet sei.

Dafür gebe es eine einfache Erklärung, sagte Apollinaire. Capitaine Richeloin habe seinen Leuten die Anweisung gegeben, alle Anfragen kommentarlos an ihr Kommissariat weiterzuleiten. Weshalb sich erneut die Frage stelle, wie sie auf Medienanfragen reagieren sollten. Den Radioreporter von eben habe er mit der Aussage abgespeist, dass es keine neuen Erkenntnisse hinsichtlich der Identität der Toten gebe.

Dies entsprach sogar der Wahrheit, dachte sie. Leider! Blieb die Frage, inwieweit sie verpflichtet waren, die Presse über die wahren Hintergründe ihres Todes zu informieren, oder ob sie einfach weiter so tun dürften, als ob es sich um einen Unfall handelte.

Nach kurzem Nachdenken beschloss sie, an der Unfallversion festzuhalten. Auch brauchte niemand zu wissen, dass die Nonne Albertine hieß und aus dem *Monastère des bonnes sœurs* stammte. Sie traf diese Entscheidung vor allem aus ermittlungstechnischen Gründen. Denn erstens sollte sich der Mörder in Sicherheit wiegen und glauben, dass niemand Verdacht geschöpft hatte. Was auch eine mögliche Flucht verhinderte. Zweitens würde der unausweichlich einsetzende Medienrummel sie von der Arbeit abhalten – und den öffentlichkeitsscheuen Apollinaire in den Wahnsinn treiben. Kam hinzu, dass sie sich nicht vorstellen wollte, wie das Kloster von Journalisten gestürmt wurde. Die armen Nonnen würden sich vor Schreck verbarrikadieren und Stoßgebete an den Himmel schicken mit dem flehenden Wunsch, sie von dieser Pest zu befreien.

Apollinaire war sichtlich erleichtert, als sie ihm ihre Entscheidung mitteilte. Er würde sich zukünftig also dumm stellen und gleichmütig alle Vorwürfe ertragen, die der Polizei fortgesetzte Inkompetenz unterstellten, sagte er. Außerdem gehe er davon aus, dass die Wissbegier bald nachlassen werde. Schon gestern und heute sei in der Zeitung nichts mehr von der toten Nonne zu lesen gewesen. Das mediale Interesse habe eine Aufmerksamkeitsspanne, die kürzer sei als bei einem Laubfrosch.

Sie hoffte, dass er recht hatte. Ob es sonst irgendwelche Neuigkeiten gebe, fragte sie.

Er fuhr sich nachdenklich mit einem Filzstift durch die Haare. Sie hoffte für ihn, dass die Verschlusskappe drauf war.

Doch, da gebe es etwas, antwortete er. Aber eigentlich handle es sich um das Gegenteil einer Neuigkeit. Er habe nämlich die unter den Fingernägeln des Opfers sichergestellte DNA mit allen erdenklichen Datenbanken abgeglichen. Es habe nirgends eine Übereinstimmung gegeben. Die Neuigkeit sei also, dass es diesbezüglich keine Neuigkeit gebe.

Den Sachverhalt hätte man einfacher ausdrücken können, dachte sie, dennoch war er wichtig. Wenngleich es sie nicht weiterbrachte, was zu erwarten war, denn sie glaubte nicht, dass Albertine das Opfer eines polizeibekannten und vorbestraften Gewalttäters geworden war, der mal eben so eine Nonne umbringen wollte.

Isabelle besprach mit Apollinaire noch einige Themen von nachrangiger Bedeutung. Zum Beispiel genehmigte sie den Kauf einer neuen Kartusche für ihren Drucker. Alternativ machte er den Vorschlag, im Büro des Bürgermeisters die Kartusche im baugleichen Drucker diskret auszutauschen. Ein Zucken umspielte seine Lippen. Sie wusste nicht, ob er diesen Beitrag zur Budgetentlastung ernst meinte.

15

Am nächsten Tag war Isabelle erneut zum *Monastère des bonnes sœurs* unterwegs. Weil ihr Polizeiwagen zum Ölwechsel war, fuhr sie wieder mit ihrem privaten Renault.

Ihr erstes Ziel war der Lebensmittelladen von Nicolas Bertrand. In einer Einfahrt stand der Lieferwagen, von dem Adèle erzählt hatte. Er hatte schon bessere Tage gesehen. Nicolas Bertrand war zwar auch nicht mehr jung, wirkte aber vergleichsweise robust und vital. Gerade wuchtete er einen Sack Kartoffeln von der Ladefläche. Isabelle konnte nicht anders, unwillkürlich registrierte sie, dass es für den Lebensmittelhändler rein physisch ein Leichtes gewesen wäre, Albertine in den Abgrund zu stoßen und danach zu ersticken. Gleichzeitig bat sie sich selbst um Verzeihung, tat sie dem Mann doch sicher unrecht. Aber sein Name stand nun mal auf dem Chart innerhalb des zweiten Kreises.

Bertrand wischte sich die Hände an der Schürze ab und fragte freundlich, was er für sie tun könne.

Isabelle sagte, dass sie unterwegs zum Kloster sei. Von der Mutter Oberin wisse sie, dass er die Nonnen regelmäßig mit Lebensmitteln versorge. Dafür wolle sie sich bei ihm bedanken.

Mais non, das sei nicht nötig, erwiderte er. Damit tue er nur seine Christenpflicht. Er grinste. Vielleicht bringe ihm das im Himmel einige Bonuspunkte ein.

Sie lächelte und versicherte ihm, dass das ganz gewiss so sei. Aber sie hoffe, dass er nicht alles aus eigener Tasche zahlen müsse.

Er schüttelte den Kopf. In der Gemeinde gebe es mildtätige Menschen, die für die Nonnen spenden würden. Natürlich trage auch er sein Scherflein bei. Auf der Theke im Laden stehe eine Sparbüchse mit dem Bild des Klosters. Da könne sie gerne eine Spende leisten. Grinsend zwinkerte er mit den Augen. Offenbar kenne sie das Kloster. Dann wisse sie ja, dass die Ordensschwestern allesamt schlank und rank seien. Die älteren sogar dürr und klapprig, aber das zu sagen sei respektlos. Jedenfalls verdrücke sein halbwüchsiger Sohn am Abend mehr als alle Nonnen am Tag gemeinsam. Zudem würden sie vieles selbst anbauen. Ihre Tomaten seien die besten weit und breit. Der finanzielle Aufwand halte sich also in Grenzen.

Isabelle folgte ihm in den Laden, steckte einen Geldschein in die Sparbüchse, wofür er sich herzlich bedankte, und ließ sich einige Aprikosen einpacken.

»Kennen Sie die Schwester Albertine?«, fragte sie.

Bertrand nickte. »Natürlich kenne ich sie. Die Albertine ist eine besonders Nette, ich mag sie. Sie ist nicht so weltfremd wie die anderen. Na ja, sie ist ja auch noch nicht so lange im Kloster wie die Mutter Oberin. Hortensia glaubt wahrscheinlich, dass unser Staatspräsident noch Pompidou heißt.« Er kicherte und deutete auf einen Korb mit *fraises*. »Die Erdbeeren sind ganz frisch und wunderbar aromatisch. Wollen Sie eine probieren?«

Isabelle kostete eine, was ihr Zeit gab, über seine Reaktion nachzudenken. Entweder war er ein außergewöhnlich begabter Schauspieler, oder er wusste wirklich nicht, dass Albertine tot war. Auch glaubte sie ihm, dass er die Nonne mochte.

»*Délicieux*, eine Tüte nehme ich.«

»Gute Entscheidung. Sind die Aprikosen und Erdbeeren für Sie oder fürs Kloster?«

»Weiß ich noch nicht«, antwortete sie.

»Darf ich fragen, was Sie mit dem *Monastère* verbindet und warum Sie wissen wollten, ob ich Albertine kenne?«

Nun, seine Neugier war verständlich. Hätte er nicht gefragt, wäre ihr das fast schon verdächtig vorgekommen.

»Mit dem *Monastère* verbindet mich nicht viel. Ich war erst einmal dort, fahre aber gerade wieder hin. Dafür verbindet mich einiges mit Albertine.« Und nach einer kurzen Pause: »Ich bin ihre älteste Schwester.« Ups, das war ihr so rausgerutscht.

Bertrand riss die Augen auf. »Sie sind die Schwester? Albertine hat mir von Ihnen erzählt. Sie sind krank, oder?«

»Nein, Gott sei Dank nicht. Krank ist eine andere Schwester von uns. Sie haben Albertine letzthin mitgenommen. Das war nett, dafür danke ich Ihnen. Darf ich fragen, wo Sie Albertine hingebracht haben?«

»Hinunter zur Hauptstraße. Da gibt's eine Bushaltestelle. Warum fragen Sie? Ist ihr was passiert?«

Isabelle setzte ein bekümmertes Gesicht auf. »Ja, leider. Sie hatte einen tödlichen Unfall, sie lebt nicht mehr.«

Bertrands Gesicht wurde fahl. »Um Gottes willen, Albertine ist tot? Das kann ich nicht glauben.«

»Ist leider wahr. Lesen Sie keine Zeitung?«

»Nur selten, ich hab so viel zu tun. Warum? Stand es in der Zeitung?«

»Nur als kurze Nachricht«, spielte sie die Berichterstattung runter. »Albertine ist in den Gärten von Rayol vom Weg abgekommen und abgestürzt. Hat sie Ihnen erzählt, dass sie dorthin wollte?«

Er schüttelte den Kopf. »Nein, hat sie nicht. Sie wollte zu ihrer kranken Schwester nach Hyères. Von diesen Gärten habe ich noch nie gehört. Wo sind sie?«

»In Canadel-sur-Mer. Albertine war schon häufiger dort. Sie hat sich schon als kleines Mädchen für Pflanzen interessiert.«

»Ja, mit Pflanzen kannte sie sich aus«, bestätigte er. »Sie hat im Kloster den Kräutergarten betreut.«

»Ich weiß. Was hat Albertine sonst noch von sich erzählt?«

Bertrand stand so unter Schock, dass er sich nicht über ihre Fragen zu wundern schien.

»Ich muss überlegen.« Er zupfte sich am Ohrläppchen. »Also, mir fällt nichts ein. Im Grunde weiß ich nichts von ihr. Wir haben uns nur über belanglose Themen unterhalten. Oder über den Gesundheitszustand der Mutter Oberin. Ich habe sie mal gefragt, warum sie Nonne geworden ist. Das hätte mich interessiert. Was veranlasst eine so hübsche junge Frau, ins Kloster zu gehen? Sie hat's mir nicht verraten. Aber sicherlich können Sie mir erklären, warum sich Ihre Schwester zu diesem Schritt entschlossen hat.«

Das würde sie selbst gerne wissen, dachte Isabelle. Ihre vage Hoffnung, von Bertrand etwas zu erfahren, hatte sich hiermit als trügerisch erwiesen.

»Ja, natürlich könnte ich es erklären«, gab sie zur Antwort. »Aber ich respektiere Albertines Entscheidung, nicht darüber zu reden. Mit dem Eintritt ins Kloster hat sie mit ihrem alten Leben abgeschlossen.«

Bertrand nickte verständnisvoll. Eine Fortsetzung des Gesprächs würde nichts bringen, dachte sie. Er schien wirklich nichts zu wissen. Umgekehrt brachte sie sich mit der Behauptung, Albertines Schwester zu sein, zunehmend in Erklärungsnöte.

Isabelle bezahlte und bedankte sich für das Gespräch.

Bertrand sprach ihr zum Abschied sein Mitgefühl aus. Er wirkte mitgenommen. Und er tat sich schwer, die richtigen Worte zu finden.

Im Hinausgehen deutete sie auf die Öffnungszeiten an der Eingangstür.

»Müssen Sie immer selber im Laden stehen, oder haben Sie Mitarbeiter?«, fragte sie.

»Schön wär's, ich mach alles selbst. Jetzt verstehen Sie, warum ich nur selten zum Zeitunglesen komme.«

Ja, das verstand sie. Auch dass er bei der Arbeitsbelastung einen freien Nachmittag brauchte. Erst jetzt fiel ihr auf, dass dieser genau auf jenen Wochentag fiel, an dem Albertine ermordet wurde. Sie drehte sich um und warf Bertrand einen nachdenklichen Blick zu. Hatte sie sich von ihm gerade ins Bockshorn jagen lassen?

16

Auf ihrer Weiterfahrt zum Kloster stellte sie sich die Frage, ob sie noch richtig tickte. Es passierte ihr immer wieder, dass sie sich im Zuge ihrer Ermittlungen ad hoc für jemand anderen ausgab. Ganz spontan und ohne groß nachzudenken. Eine Erklärung wäre, dass sie früher häufig undercover gearbeitet hatte. Da gehörte die Camouflage quasi zum Job. Aber in ihrer jetzigen Tätigkeit legitimierte man sich vor jeder Befragung mit dem Polizeiausweis. So gehörte sich das. Vermutlich existierte sogar eine polizeiliche Regelung, die genau das vorschrieb. Fast musste sie lachen. Tatsächlich hatte sie als Seiteneinsteigerin keine Ahnung, wie die Bestimmungen aussahen. Also konnte sie sie auch ignorieren. Natürlich hatte sie nicht ganz grundlos gehandelt. Sie hatte sich nicht als Kommissarin zu erkennen gegeben, um zu verschleiern, dass die Polizei Ermittlungen anstellte. Der Täter sollte ruhig glauben, dass man die tote Nonne für ein Unfallopfer hielt. Er würde sich in Sicherheit wiegen. Er würde es nicht für nötig erachten unterzutauchen. Er würde sich womöglich leichtsinnig aus der Deckung wagen.

Klar, insofern war es richtig gewesen, Bertrand im Unklaren zu lassen. Erst recht, weil er rein theoretisch auch als Täter in Betracht kam. Aber deshalb hätte sie sich nicht gleich als ältere Schwester ausgeben müssen. Doch als was sonst?

Isabelle beschloss, nicht länger über ihr Rollenspiel nachzudenken. Sie durfte später nur nicht vergessen, den Nonnen und vor allem der Mutter Oberin ihren Einfall zu beichten.

Denn es konnte gut sein, dass Bertrand bei seiner nächsten Lieferung von ihrem Besuch erzählte. Hoffentlich verzieh man ihr die Lüge.

Kurz vor dem Wegkreuz erreichte sie ein Anruf. Rouven war dran. Unwillkürlich musste sie an Jacqueline denken, die nach ihm gefragt hatte. Und daran, dass sie behauptet hatte, die aktuelle Funkstille mache ihr nichts aus. Da war sie nicht ganz ehrlich gewesen. Sonst würde sie sich nicht so freuen, seit Längerem wieder seine tiefe Stimme zu hören.

Rouven war bester Stimmung. Tokio habe er abgehakt, die alte Welt habe ihn wieder. Bis nach Südfrankreich habe er es zwar noch nicht geschafft, aber von London sei es nicht mehr weit.

Er schlug ihr vor, den nächsten Flieger zu nehmen, um ihn zu besuchen. Bei Sotheby's gebe es eine hochspannende Auktion. Morgen könne er sie zu einem Galeristen-Dinner in die Tate Modern mitnehmen. Außerdem habe er Premierenkarten für ein Theater in Soho.

Der Vorschlag war verführerisch, dachte Isabelle. An der Seite von Rouven wurde es einem nie langweilig. Dennoch sagte sie ab. Sie erklärte, dass sie an einem neuen Fall arbeite und deshalb nicht verschwinden könne, so verlockend sein Angebot auch sei.

Rouven nahm ihre Absage klaglos hin. Er war sowieso gewohnt, dass sie ihren eigenen Kopf hatte. Er hatte keine Probleme damit. Stattdessen führte er das Gespräch locker weiter und stellte sein baldiges Kommen in Aussicht. Er lachte. Nein, natürlich komme er nicht nach Fragolin, das wage er nicht. Er mache der Côte d'Azur seine Aufwartung nur in unmittelbarer Küstennähe. Er bewege sich gewissermaßen auf neutralem Boden außerhalb des Wirkungskreises eines gewissen Bürgermeisters.

Isabelle amüsierte sich über seine Formulierung und versprach, ihn zu treffen, sobald er da war. Sogar London hätte sie gereizt. Aber nicht hopplahopp. Sie war keine Frau, die man einfach so herbeischnippen konnte – das schaffte selbst ein Rouven nicht.

Während ihres Telefonats war sie langsam weitergefahren. Sie hielt nach dem Jäger Bruno Ausschau. Vergeblich. Sie erreichte das Kloster, ohne ihn zu sehen.

Wieder dauerte es nach Betätigung des bronzenen Türklopfers eine Weile, bis sich die Klappe öffnete. Adèle steckte den Kopf raus. Ihr misstrauischer Blick wich einem freundlichen Lächeln, als sie Isabelle erkannte. Ohne lange Rückfrage bei der Mutter Oberin öffnete sie die Pforte und ließ sie herein.

Wenig später saßen sie an dem ihr schon bekannten großen Tisch im Refektorium. Und zwar alle zusammen: die ehrwürdige *mère supérieure* Hortensia, die Schwestern Adèle und Marguerite sowie die Novizin Jasmin. Sogar die verstorbene Albertine war dabei – als Bild am Kopfende des Tisches mit frischen Blumen davor und einer brennenden Kerze.

Gleich zu Beginn beichtete Isabelle ihren vorangegangenen Besuch bei Bertrand, dem gegenüber sie sich als Albertines ältestes Schwester ausgegeben habe. Als Erklärung gab sie an, dass sie jegliches Aufsehen vermeiden wollte. Das Auftreten einer Kommissarin der *Police nationale* würde schnell für Gerede sorgen und womöglich den klösterlichen Frieden stören. Dies habe sie mit ihrer kleinen Lüge zu vermeiden gesucht.

Hortensia nickte und gewährte ihr Absolution.

Isabelle erklärte, dass es bei Albertine keine Neuigkeiten gebe, es sei wohl wirklich von einem tragischen Unglück auszugehen. Der vage Verdacht, dass sie jemand gestoßen haben könnte, habe sich nicht bestätigt.

Hortensia faltete die Hände und dankte Gott.

Isabelle dagegen hatte schon wieder ein schlechtes Gewissen. Eigentlich machte es ihr nichts aus, Menschen zu täuschen, das war oft unvermeidbar und gehörte zu ihrem Job. Aber in den klösterlichen Mauern und im Kreis gottesfürchtiger Ordensschwestern bereitete es ihr Unbehagen.

Das weitere Gespräch führte sie wie eine zwanglose Unterhaltung. Gleichwohl ging es ihr darum, Antworten auf ganz konkrete Fragen zu bekommen. Im Plauderton dauerte es zwar länger, schien ihr aber angemessener.

Sie bekam von Hortensia bestätigt, was sie schon von Adèle wusste, dass nämlich Albertines Aufnahme in den Orden durch die frühere Leiterin des Klosters erfolgt sei. Weil Laetitia verstorben sei und keine Aufzeichnungen hinterlassen habe, habe sie das Geheimnis um Albertines Identität mit ins Grab genommen.

Isabelle hatte den Eindruck, dass Jasmin etwas sagen wollte. Aber Hortensia warf ihr einen strengen Blick zu, der sie verstummen ließ.

Isabelle nahm sich vor, Jasmin bei nächster Gelegenheit zur Seite zu nehmen.

Adèle sagte, dass sie alle Habseligkeiten von Albertine aus ihrer Zelle in einen Karton gepackt habe. Den könne Madame le Commissaire gerne mitnehmen. Irgendwelche Dokumente befänden sich nicht darunter, ergänzte sie, wohl wissend, dass Isabelle dies ja schon selbst festgestellt hatte. Aber gegenüber der Mutter Oberin durfte sie das keinesfalls zugeben.

Isabelle dachte erneut darüber nach, dass es für das Fehlen jeglicher Art von Legitimation zwei Erklärungen geben mochte. Entweder hatte Albertine sehr wohl eine *carte d'identité* besessen und sogar bei ihrem Besuch in Rayol dabeigehabt, aber ihr Mörder hatte den Personalausweis an sich

genommen – warum auch immer. Oder Albertine hatte s[...]
dafür gesorgt, dass es keinen Hinweis auf ihre Vergangenheit
gab. Weil sie unter diese einen radikalen Schlussstrich ziehen
wollte? Weil sie nichts mehr haben wollte, was an ihr früheres
Leben erinnern könnte? Weil sie dieses als so schlimm empfunden hatte, dass sie es vollends tilgen wollte? Das war natürlich eine wilde Spekulation – aber im Bereich des Möglichen.

Sie wechselte das Thema. Ihre Vermutung, dass es eine Art
Hausmeister geben müsse, bestätigte sich. Sein Name war
Jérôme. Er wohne in einem nahe gelegenen Dorf und komme
auf seinem klapprigen *vélomoteur* regelmäßig vorbei, erzählte
Adèle. Jérôme sei ein großer, starker Kerl, aber im Geiste wie
ein Kind. Er sei herzensgut und handwerklich sehr begabt.
Isabelle notierte gedanklich seinen Namen – mit dem Ver-
merk, dass er als Verdächtiger kaum in Betracht kam.

Sie tastete sich an einen weiteren Fragenkomplex heran. Gab
es einen übergeordneten Orden? Wie finanzierte sich das
Kloster?

Erwartungsgemäß zeigte sich Hortensia zunächst wenig aus-
kunftsfreudig, schon deshalb, weil sie keinen Zusammenhang
mit Albertines Unfall erkennen konnte. Die Mutter Oberin
ließ sich nur so viel entlocken, dass das *Monastère des bonnes
sœurs* schon lange existiere und früher viel bedeutender gewesen sei. Die katholische Ordensgemeinschaft sei unabhängig,
fühle sich aber den Dominikanerinnen von Bethanien we-
sensnah. Auch in ihrem Kloster seien seit jeher reuige Sünderinnen willkommen, die durch die Begegnung mit Jesus wieder auf den Pfad der Tugend und des Glaubens zurückgefunden hätten. Ganz im Geiste des Dominikaner-Paters
Jean-Joseph Lataste, der im Frauenzuchthaus von Cadillac im
Département Gironde als Seelsorger gewirkt und die Domi-

nikanerinnen von Bethanien gegründet habe. Zudem sei auch ihre Ordensgemeinschaft in ähnlicher Weise kontemplativ ausgerichtet und dem Gebet geweiht.

Damit war aber nicht erklärt, dachte Isabelle, wie sich das Kloster finanzierte. Soviel sie wusste, hatten im Mittelalter viele Nonnenklöster junge Frauen adliger Familien aufgenommen und eine entsprechende Mitgift erhalten. Das war ein »Geschäftsmodell«, das sie verstand. Aber reuige Sünderinnen brachten nichts mit – außer ihrem Wunsch nach Vergebung. Auch stellte das *Monastère des bonnes sœurs* keine Produkte her, die sie mit Gewinn verkaufen konnten. Sie erinnerte sich an die *Chartreuse* auf ihrer Joggingstrecke, wo es einen regelrechten Verkaufsraum für Devotionalien und kunsthandwerkliche Arbeiten gab. Den von Albertine produzierten Likör tranken ihre Mitschwestern wohl selbst. Der brachte nichts ein.

Schließlich rückte Hortensia mit der Erklärung heraus, dass das *Monastère des bonnes sœurs* seit der Säkularisation nicht mehr im kirchlichen Besitz sei. Nach wechselvoller Geschichte gehöre es seit drei Generationen einer Familienstiftung, die das Kloster dem Orden per Satzung *in aeternum* zur Verfügung stelle und für den Erhalt aufkomme. Zudem fließe den Ordensschwestern aus dieser Stiftung eine Art monatliche Apanage zu. Das alles sei überaus generös und auf die tiefe Frömmigkeit des längst verstorbenen Stiftungsgründers Jean-Baptiste Falcon-Fontallier zurückzuführen. Mindestens einmal täglich würden sie dem noblen Mann im Gebet danken.

Isabelle dachte bei sich, dass die Nonnen dafür allen Anlass hatten. *In aeternum* stand für alle Ewigkeit. Nun, das war wirklich überaus generös. Obwohl die Klärung der eigentumsrechtlichen und finanziellen Situation des Klosters für ihre Ermittlungen keinen Belang hatte, freute sie sich dennoch über die erhaltenen Informationen. Es machte sie immer nervös, wenn offene Fragen im Raum standen.

Behutsam führte sie ihr Gespräch dem Ende zu. Dabei machte sie sich unwillkürlich Gedanken über die Nonnen am Tisch. Hortensia hatte von reuigen Sünderinnen gesprochen, die durch die Begegnung mit Jesus wieder auf den Pfad der Tugend und des Glaubens zurückgefunden hätten. Traf das auch auf Adèle, Marguerite und Jasmin zu? Man konnte es sich kaum vorstellen. Und was war mit der toten Albertine? War auch sie eine reuige Sünderin?

Den Karton mit Albertines bescheidenen Habseligkeiten verstaute sie im Kofferraum ihres Renault, ebenso die Flasche Kräuterlikör, die ihr Adèle zum Abschied geschenkt hatte. Isabelle setzte sich ans Steuer und wollte losfahren. Plötzlich sah sie auf der anderen Seite der Lichtung wie beim letzten Mal und an fast der gleichen Stelle eine Gestalt stehen. Obwohl die Sonne blendete, war sie sicher, dass es Bruno war. Sie hatte gehofft, den finster dreinblickenden Jäger erneut anzutreffen. Und sie wollte nicht, dass er plötzlich auf Nimmerwiedersehen im Wald verschwand. Also beschloss sie, den kürzesten Weg zu wählen. Sie gab Gas und fuhr mit hohem Tempo über die Wiese auf ihn zu. Bruno blieb wie erstarrt stehen. Erst im letzten Moment brachte er sich hinter einem Baum in Sicherheit. Mit blockierenden Rädern kam Isabelle rutschend zum Stehen. Sie sprang aus dem Auto und ging entschlossen auf ihn zu. Nach ihrer Lebenserfahrung gab es Menschen, mit denen konnte man höflich reden und auf Umgangsformen achten, und es gab Charaktere, bei denen kam man so nicht weiter. Bruno gehörte ganz sicher zur zweiten Kategorie. Nach allem, was sie von ihm wusste, ballerte er mit

Absicht vor dem Kloster herum. Albertines Anzeige hatte er mit einem toten Hasen vor der Klosterpforte beantwortet. Er war ihr nicht sympathisch.

Bruno hatte Jagdklamotten an, trug einen vergammelten Hut aus Cord – und er hatte sein Gewehr umhängen. Mit zusammengekniffenen Augen sah er sie an. Offenbar konnte er sich auf die Situation keinen Reim machen. Er spuckte einen Kaugummi aus und legte mit dem Gewehr auf sie an.

»Verpiss dich, du Kanaille«, zischte er.

Er konnte nicht wissen, dass Isabelle es nicht ausstehen konnte, wenn jemand mit einer Schusswaffe auf sie zielte – und dass sie in solchen Momenten oft überreagierte. Aber es gelang ihr, sich zu beherrschen.

»Ich will nur kurz mit Ihnen reden«, sagte sie in ruhigem Ton. »Bitte nehmen Sie die Waffe runter.«

»Fick dich!«

Das war nicht die Antwort, die sie hören wollte. Noch weniger gefiel ihr, dass er sein Gewehr gleichzeitig entsicherte. Ihr brannten die Sicherungen durch.

Sekunden später lag Bruno auf dem Rücken. Sein hässlicher Cordhut war ihm vom Kopf geflogen. Ein Schuss hatte sich gelöst – aber nur einen Baum getroffen. Sein Gewehr hatte den Besitzer gewechselt. Jetzt hielt *sie* es in der Hand. Isabelle drückte ihm die Mündung auf die Stirn. Seine Augen, die sie zuvor nur als schmale Schlitze wahrgenommen hatte, waren weit aufgerissen.

»Fick dich selber«, rutschte es ihr raus.

Seine Antwort war ein merkwürdig langer Zischlaut. Es hörte sich an, als ob durch seine Lippen die Luft entweichen würde. Wie bei einer aufgepumpten Luftmatratze, aus der man den Stöpsel zog.

»Name, Adresse!«, herrschte sie ihn an.

Ganz vorsichtig und mit Panik in den Augen holte er seinen Jagdausweis aus der Jacke. Isabelle verminderte keinen Augenblick den Druck mit dem Gewehr.

Sie nahm den Ausweis an sich und überlegte, was sie ihn fragen könnte. Zum Beispiel, ob er für die Tatzeit ein Alibi hatte. Aber irgendwie war ihr die Lust auf ein Gespräch vergangen. Das ließ sich jederzeit nachholen. Sie wusste, wie er hieß, und sie hatte seinen Jagdausweis.

Sie machte einige Schritte rückwärts, zielte dabei aber unablässig auf seine Stirn. Bruno wagte es nicht, sich zu bewegen. Fast hätte sie gesagt: Steh auf, du Wichser, und verpiss dich. Aber sie wollte sich nicht auf sein Niveau herablassen. »Sie können gehen«, sagte sie stattdessen. »Das Gewehr lehne ich gegen den Baum. Sie können es sich später holen. Wir sehen uns wieder, dann gebe ich Ihnen den Jagdausweis zurück.«

»Wer sind Sie?«, fragte er mit kratziger Stimme.

Gute Frage. Sie fuhr keinen Polizeiwagen. Wie sollte er es wissen?

»Ich bin eine Sonderbeauftragte des Ordens«, antwortete sie. »Wer meinen Schwestern zu nahe tritt oder die klösterliche Ruhe stört, bekommt es mit mir zu tun. Gelobt sei Jesus Christus.«

Jetzt war es schon wieder passiert. Sie hatte sich für jemand anderen ausgegeben. Das wurde langsam zur Manie. Aber es machte Spaß. Und es trug zur Verwirrung bei.

Bruno rappelte sich auf und warf einen fast schon sehnsüchtigen Blick auf sein Gewehr, gepaart mit einer Heidenangst, dass es losgehen könnte. Dann stolperte er durch die Bäume davon. Bald hatte ihn der Wald verschluckt. Isabelle glaubte nicht, dass er sich umdrehen und zurückkommen würde. Aber gewiss war das nicht. Sie bückte sich und hob den Cordhut auf, den er in seiner Panik vergessen hatte. Er war alt und verschwitzt. Und innen klebten Haare. Brunos Hut war dafür prädestiniert, einen Gen-Abgleich mit den Hautpartikeln durchzuführen, die sie unter Albertines Fingernägeln gefunden hatten. Kratzspuren hatte er im Gesicht keine. Ebenso wenig wie der Gemüsehändler Nicolas Bertrand. Aber das hatte nichts zu besagen. Beide trugen langärmlige Hemden. Sie hätte ihre Unterarme kontrollieren sollen, das hatte sie vergessen – ließ sich aber nachholen.

Sie entlud das Gewehr und lehnte es wie versprochen gegen einen Baum. Dann machte sie, dass sie wegkam.

17

Apollinaire schlug sich vergnügt auf die Schenkel. Es gebe dumme Menschen, stellte er fest, und es gebe solche, die noch dümmer seien.

Isabelle, die gerade erst das Kommissariat betreten hatte, wusste nicht, worauf er anspielte.

Sie erinnere sich doch an den geklauten Bistrostuhl, schob er die Erklärung nach, beim *Café des Arts,* den Dieb habe man nicht ermitteln können.

Natürlich erinnerte sie sich. Auch, dass dafür die Gendarmerie zuständig war.

Apollinaire fuchtelte lachend mit einem Lineal herum. Nun habe doch jeder Trottel mitbekommen, dass der Bürgermeister für Fragolin eine Videoüberwachungsanlage eingeweiht und in Betrieb genommen habe.

Aber der Stuhl sei doch vorher gestohlen worden, merkte sie an, als die Anlage noch nicht in Betrieb war.

C'est juste! Er knallte mit dem Lineal auf seinen Schreibtisch. Aber der bescheuerte Vincent sei so blöd gewesen, letzte Nacht einen zweiten Stuhl zu klauen, mit dem Argument, er habe Besuch erwartet. Jetzt sitze er bei der Gendarmerie hinter Gittern. Seinem Gast müsse er folglich absagen. Außerdem würden ihm nun die Sitzgelegenheiten fehlen.

Isabelle schmunzelte. Jetzt hatte Thierrys Videoüberwachung also ihre erste Bewährungsprobe bestanden. Er würde sich freuen, auch wenn das aufgedeckte »Verbrechen« den technischen Aufwand in keinster Weise rechtfertigte.

Isabelle wartete, bis sich Apollinaire beruhigt und das Lineal aus der Hand gelegt hatte. Dann erzählte sie von ihrem Ausflug zum *Monastère des bonnes sœurs,* wobei sie gleich eingangs erwähnte, dass sie hinsichtlich Albertines Identität keinen Schritt weitergekommen sei. Sie deutete auf den mitgebrachten Karton. Da seien ihre privaten Habseligkeiten drin, leider ohne den geringsten Hinweis auf ihr vorklösterliches Leben. Ihr Gespräch mit dem Lebensmittelhändler Nicolas Bertrand kürzte sie ab. Dass sie sich als Albertines Schwester ausgegeben hatte, behielt sie für sich. Als sie den Hausmeister Jérôme erwähnte, stand Apollinaire auf, um seinen Namen auf dem Chart nachzutragen. Und er machte einen Pfeil, der in den innersten Kreis führte. Immerhin sei Jérôme im Kloster ein und aus gegangen. Seinem *vélomoteur* trug er mit der kleinen Zeichnung eines Mofas Rechnung. Dass der Hausmeister groß gewachsen, aber im Geiste etwas zurückgeblieben war, fand dagegen darstellerisch keinen Ausdruck.

Den Namen Falcon-Fontallier ließ er sich buchstabieren und vermerkte ihn im äußersten Kreis. Von einer Familie oder Stiftung dieses Namens habe er noch nie gehört. Weil es ihr nicht anders ging, bat sie ihn, einige Recherchen durchzuführen. Aber das habe Zeit und diene nur dazu, ihre Neugier zu befriedigen. Andere Dinge seien wichtiger.

Isabelle entnahm einer Plastiktüte den gammeligen Cordhut des Jägers Bruno. Ihre Begegnung mit ihm schilderte sie nur andeutungsweise. Sie gab Apollinaire den Auftrag, anhand der Haarreste und Schweißspuren einen gentechnischen Vergleich durchführen zu lassen. Weitere Erklärungen konnte sie sich sparen. Ihm war klar, dass es um die DNA ging, die sie unter den Fingernägeln der toten Nonne gefunden hatten.

Des Weiteren gab sie ihm Brunos Jagdausweis und bat ihn, einige Erkundigungen einzuziehen. Der Mann sei zumindest vulgär und rabiat – vielleicht habe er noch weitere und viel schlechtere Eigenschaften.

Apollinaire hielt den Hut mit spitzen Fingern. Er stellte fest, dass eine weitere schlechte Eigenschaft ganz offensichtlich sei. Bruno sei definitiv eine Drecksau. Nur ein Schwein könne sich so was aufsetzen.

Isabelle widersprach ihm nicht. Sie lehnte sich zurück und schaukelte auf dem Stuhl hin und her. Dabei ging ihr zum wiederholten Male durch den Kopf, was die Mutter Oberin über ihren Orden erzählt hatte. Dass nämlich im Geiste des Dominikaner-Paters Lataste reuigen Sünderinnen, die auf den Pfad der Tugend und des Glaubens zurückgefunden hätten, ein neues Leben als Nonne gewährt wurde. Und sie überlegte erneut, ob auch Albertine eine »reuige Sünderin« gewesen sein könnte.

»Apollinaire, ich habe noch einen Auftrag«, sagte sie. »Das ist der wichtigste, bitte erledigen Sie ihn als Erstes.«

»Auftrag, der wichtigste, ich verstehe.«

»Wir haben doch die Fingerabdrücke von Albertine. Bitte jagen Sie diese durch den Polizeicomputer.«

»Äh, aber wir haben in unserer Datenbank keine Nonnen gespeichert.«

»Machen Sie es trotzdem!«

»Weil, äh …«

»Weil unsere Nonne in ihrem früheren Leben womöglich eine Sünderin war.«

»Nonne, früher Sünderin? Das wäre eine erstaunliche Metamorphose. Einerseits, aber andererseits? Vielleicht also doch. Ich verstehe. Wird erledigt.«

18

Thierry hatte ein geschäftliches Essen in Toulon. Clodine war ihr für den heutigen Abend zu redselig. Deshalb saß Isabelle ohne Begleitung in Jacques' Bistro, ganz hinten im Eck, wo sie ihre Ruhe hatte. Lucas, der freundliche Aushilfskellner, nahm ihre Bestellung entgegen. Während sie auf ihre *ratatouille niçoise* wartete, las sie im *Var-Matin*. Der mysteriöse Unfalltod der Nonne fand selbst im hinteren Teil keine Erwähnung mehr. Was Apollinaires Theorie bestätigte, dass die Aufmerksamkeitsspanne der Medien kürzer sei als die eines Laubfroschs. Ihr sollte es recht sein. Je weniger sie von neugierigen Journalisten behelligt wurden, desto besser.

Zum Dessert bekam sie unaufgefordert eine *crème brûlée* hingestellt. Sie wusste nicht, ob sie Jacques dafür lieben oder hassen sollte. Er torpedierte regelmäßig ihren Vorsatz, auf Süßspeisen zu verzichten. Gerade wollte sie mit dem Löffel durch den knusprigen Karamellüberzug fahren, da sah sie, wie Apollinaire ins Bistro stolperte. Reaktionsschnell brachte Lucas ein Tablett mit Gläsern in Sicherheit. Ein Gast, der auf dem Weg zur Toilette war, vermied um Haaresbreite einen Zusammenstoß. Apollinaire bekam davon nichts mit. Er riss einen Arm in die Höhe, um Isabelle zuzuwinken. Gleichzeitig manövrierte er seine schlaksige Gestalt in Schlangenlinie durchs voll besetzte Bistro. Er bewältigte die Strecke ohne größere Zwischenfälle. Atemlos sank er auf den freien Stuhl an Isabelles Tisch.

Sie überlegte, was ihn so in Aufregung versetzt haben könnte. Gleich würde sie es erfahren.

Er brauchte einen Moment, um sich zu sammeln. Sie nahm ein leeres Glas, goss aus ihrer Karaffe vom *vin de la maison* ein und reichte es ihm wortlos. Er sah sie dankbar an – und leerte das Glas in einem Zug.

Jetzt war sie wirklich gespannt.

»Madame, Ihr Auftrag, also Ihr letzter, jener mit der höchsten Priorität …«

»Bitte sprechen Sie leiser«, ermahnte sie ihn.

Er warf einen schuldbewussten Blick zu den Gästen an den Nachbartischen, dann fuhr er im Flüsterton fort: »Wie gesagt, Ihr Auftrag, also, Sie wissen, welchen ich meine?«

»Jetzt, wo keiner mehr mithört, können Sie sich auch klarer ausdrücken.«

»Nun, um Ihre Worte zu zitieren, unsere Nonne war wirklich eine Sünderin. Auf diesen Gedanken wäre ich nie gekommen.«

Sie nickte auffordernd. »Weiter!«

»Albertines Fingerabdrücke sind wahrhaftig in unserem Identifizierungssystem gespeichert. *C'est incroyable, n'est-ce pas?* Jetzt fragen Sie, was sich unsere Nonne hat zuschulden kommen lassen? Ich sage es Ihnen sogleich. Könnte ich zuvor noch etwas Wein haben?«

Sie goss ihm ein und bestellte bei Lucas eine neue Karaffe. Isabelle wusste, dass man im Gespräch mit Apollinaire oft die Geduld eines Zen-Meisters aufbringen musste.

»Sie hat einen Mann niedergestochen«, fuhr er schließlich fort. »Bei ihrer Verhaftung vor sechs Jahren wurden routinemäßig die Fingerabdrücke genommen. Die Übereinstimmung ist eindeutig. Unsere Nonne hieß bürgerlich Odette Clément.«

Isabelle wiederholte stumm den Namen. Odette Clément! Unversehens lüftete sich der Schleier. Albertine war in ihrem früheren Leben also tatsächlich kein Engel gewesen. Fast musste sie ihr dafür dankbar sein. Sie nahm ihr Weinglas und stieß mit Apollinaire an.

»Gut gemacht. *Santé!*«

»Madame, das ist einzig Ihr Verdienst«, wehrte er bescheiden ab. »Ich wäre nie auf die Idee gekommen, nach einer gottesfürchtigen Nonne in einer Verbrecherdatei zu suchen, das dürfen Sie mir glauben.«

Sie selbst, dachte Isabelle, wäre vielleicht auch nicht draufgekommen. Den Anstoß hatte die Mutter Oberin gegeben und die seelsorgerische Mission des Dominikaner-Paters Lataste.

»Sie kann nicht lange im Gefängnis gesessen haben«, überlegte Isabelle laut. »Soviel ich weiß, ist Albertine alias Odette vor gut fünf Jahren ins Kloster eingetreten. Vor knapp drei Jahren hat sie ihr Gelübde abgelegt.«

Apollinaire legte die Stirn in Falten. »Ja, das ist merkwürdig. Das Niederstechen einer Person wird normalerweise mit einer längeren Haftstrafe geahndet. Da hilft auch frommes Beten nichts.«

»Gibt's kein Protokoll zu Odettes Fall?«

»Wird es schon geben, aber ich habe auf die Schnelle nichts gefunden. Mir schien es wichtiger, Sie sofort zu informieren.« Isabelle nickte. »Richtige Entscheidung. Sie haben mir den Abend versüßt. Apropos süß, darf ich Ihnen meine *crème brûlée* offerieren? Sie ist noch unberührt.«

»Wirklich? Ich liebe *crème brûlée*.«

Lächelnd schob sie ihm die kleine Form mit dem Dessert zu. Nun war also auch dieses Problem gelöst. Und warum Odette Clément nicht lange in Haft war, das würden sie bald herausbekommen.

19

Auf ihrer morgendlichen Joggingstrecke überlegte Isabelle, dass sie bis zur *Chartreuse* durchlaufen könnte, um sich beim Prior zu bedanken. Immerhin hatte er ihr mit dem *Monastère des bonnes sœurs* den entscheidenden Tipp gegeben. Doch, das würde sie tun, aber nicht heute. Es gingen ihr gerade zu viele Fragen durch den Kopf, Fragen, die vom klösterlichen Leben wegführten und sehr weltliche Bezüge hatten.

Sie dachte an die Kreise auf Apollinaires Chart. Zunehmend füllten sie sich mit konkreten Namen, angefangen vom hilfsbereiten Lebensmittelhändler Nicolas Bertrand über den leicht debilen Hausmeister Jérôme bis zum durchgeknallten Jäger Bruno. Vor allem aber endete der rätselbehaftete Pfeil, der zurück in Albertines Vergangenheit führte, nicht mehr bei einem nebulösen Fragezeichen. Es konnte durch einen konkreten Namen ersetzt werden: Odette Clément!

An einem Baumstumpf, der eine ihrer bevorzugten Wendemarken darstellte, machte sie einige Dehnübungen, dann trabte sie zurück. Sie freute sich auf die Arbeit, die vor ihr lag. Und sie war voller Zuversicht, dass sie Odettes Mörder finden und überführen würde. Es mochte einige Zeit in Anspruch nehmen und nicht einfach werden, aber sie würde nicht lockerlassen. Fast kam es ihr vor, als ob sie ein Gelübde abgelegt hätte. Was natürlich abwegig war, denn sie glaubte an keinen Gott, dem man ein feierliches Versprechen geben könnte. Aber man durfte sich selbst ein Versprechen geben –

und dann alles daransetzen, es einzuhalten. Es galt, Odettes Mörder aufzuspüren und der irdischen Gerechtigkeit zuzuführen. Oder suchte sie in Wahrheit Albertines Mörder? Isabelle stellte fest, dass diese Unterscheidung Sinn machte. Natürlich waren Odette und Albertine ein und dieselbe Person, jedenfalls rational betrachtet. Aber gleichzeitig handelte es sich um zwei Menschen, die in ihrer Lebensweise und hinsichtlich ihres sozialen Umfeldes wohl unterschiedlicher nicht sein könnten. Noch wusste sie nichts von Odette, aber sie hatte gewiss in keinem Kloster gelebt, sie war stattdessen in eine Situation geraten, einen Mann niederzustechen, während Albertine friedlich ihren Kräutergarten pflegte und das Angelus-Gebet sprach. Welche dieser beiden Frauen war umgebracht worden? Kam der Täter aus der Vergangenheit und hatte Odette getötet? Oder war es jemand, der von Odette gar nichts wusste, sondern ganz gezielt die Nonne Albertine ermorden wollte? Fast war es so, als hätte sie zwei Mordfälle aufzuklären – wobei einer von beiden gar nicht stattgefunden hatte. Entsprechend gab es völlig unterschiedliche Motivlagen und Personenkreise, aus denen sich Tatverdächtige ableiten könnten. Bei Albertine hatte sich der Schleier schon ein wenig gelüftet, aber nur ganz zart und ohne konkrete Anhaltspunkte. Bei Odette war sie neugierig, was sie über ihr noch völlig unbekanntes Leben herausfinden würde. Es versprach, spannend zu werden. Jedenfalls musste sie in zwei Richtungen ermitteln und zwischen den Opfern unterscheiden. Oder gab es eine Möglichkeit, dass beide zugleich gemeint waren, Odette und Albertine? Oder keine von beiden, indem es nicht um ihre Person ging, sondern um ganz etwas anderes, bis hin, dass ein Psychopath gemordet haben könnte, nach dem Zufallsprinzip und ohne Sinn und Verstand?

Morgendliches Joggen, dachte Isabelle, förderte zwar die Durchblutung, wohl auch jene des Gehirns, aber es brachte oft auch konfuse Gedanken hervor, was an der vermehrten Endorphinausschüttung liegen mochte. Es fiel nicht immer leicht, gute Einfälle von Schwachsinnsideen zu unterscheiden. Jetzt freute sie sich erst mal auf einen frisch aufgebrühten *café au lait,* auf Croissants und eine kalte Dusche.

Eine gute Stunde später kam sie voller Elan und mit noch nassen Haaren ins Kommissariat. Apollinaire trug gelb-rot gestreifte und grüne Socken. Wohlan, sie konnten loslegen.
»Madame, ich vermag bereits Aufklärung zu geben«, meldete sich ihr Assistent mit erhobenem Zeigefinger zu Wort.
Sie fragte sich, ob er eine neue Marotte kultivierte, indem er Sätze durchaus vielversprechend anfing – um dann nicht weiterzusprechen. Als Reaktion hob sie wie beim letzten Mal eine Augenbraue. Das genügte.
»*Eh bien,* wir haben doch über das Mysterium gesprochen, dass Odette Clément offenbar bald nach ihrer Verhaftung wegen des Delikts einer Messerattacke schon wieder auf freiem Fuß war und sich wenig später zur Nonne transformieren konnte. In den Untiefen des Polizeiarchivs habe ich die entsprechenden Protokolle aufgespürt und mir ein Bild verschafft. Es hat sich also folgendermaßen zugetragen: Odette Clément, damals wohnhaft in Marseille, wurde inhaftiert, weil sie einen Mann namens Serge Blanc-Guerin mit einem Küchenmesser niedergestochen hat. Er wurde lebensgefährlich verletzt und musste in einer Notoperation zusammengeflickt werden. Aber wie so häufig im Leben ist der erste Eindruck oft ein trügerischer, und so auch hier. Denn schnell hat sich herausgestellt, dass es sich bei besagtem Serge Blanc-Guerin um einen polizeibekannten Drogendealer und vorbestraften Gewalttäter handelte. Odette

Clément war seit Kurzem drogenabhängig und insofern nicht nur eine Kundin von Serge, sondern offenbar auch ein Objekt seiner sexuellen Begierde. Sie verstehen, wie ich das meine?«

»Das ist nicht schwer zu verstehen. Fahren Sie fort!«

»Es gibt paranoide Menschen, die verprügeln, was sie begehren.«

»Das ist schon schwerer zu verstehen.«

»Jedenfalls hat dieser Serge unserer Odette mehrfach Gewalt angetan. Dafür haben sich später Zeugen gefunden. Eines Abends ist er sternhagelvoll in Odettes Wohnung aufgetaucht, hat eine gerade anwesende Freundin rausgeworfen, um dann über Odette herzufallen in der niederträchtigen Absicht, sie zu vergewaltigen. Ihre Hilferufe hat man durchs offene Fenster bis auf die Straße gehört. Sie hat sich gewehrt, irgendwann ein Küchenmesser in die Hand bekommen und zugestoßen. Nicht nur einmal. Das war's!«

Diese Odette, dachte Isabelle, war vielleicht eine kleine Sünderin gewesen, vor allem aber war sie ein bemitleidenswertes Opfer, das sich seiner Haut gewehrt hat.

»Zunächst«, schlussfolgerte Isabelle, »hat man Odette als Täterin in Haft genommen, korrekt?«

Apollinaire nickte. »Natürlich, obwohl ihre aus der Wohnung geworfene Freundin die Polizei verständigt hatte und Odette selbst unmittelbar nach der Tat den Notarzt. Aber das änderte nichts an der Tatsache, dass sie gerade einen Mann fast zu Tode gebracht hatte. Vor allem wurde ihr angelastet, dass sie mehrfach zugestoßen hatte, wie im Rausch.«

»Wie im Rausch? Stand sie unter Drogen?«

»Ja, sie hatte sich tatsächlich zuvor mit ihrer Freundin eine Spritze gesetzt. Damit war sie sowieso nicht mehr zurechnungsfähig. Später wurde sie zudem von Gutachtern entlastet, die ihr aufgrund der emotional belasteten Täter-Opfer-

Beziehung und der Extremsituation einer versuchten Vergewaltigung eine nachvollziehbare Affekthandlung zubilligten.« Apollinaire holte Luft. »Ich hoffe, ich habe das richtig zitiert. Das Psychologenkauderwelsch kann ganz schön nerven. Jedenfalls sei eine solch überschießende Explosivreaktion auch im cleanen Zustand nachvollziehbar und strafrechtlich nicht zu belangen. Langer Rede kurzer Sinn: Odette Clément wurde vom versuchten Totschlag freigesprochen. Sie hatte in Notwehr gehandelt.«

Isabelle versuchte, sich in Odette hineinzuversetzen. In der Untersuchungshaft musste ihr jede Stunde wie eine Ewigkeit vorgekommen sein. Für eine Drogenabhängige war das ein harter Entzug. Die versuchte Vergewaltigung, die Fratze des Angreifers, die Panik, das Messer, die Stiche, Schreie, Blut. Tagträume, Flashbacks – zweifellos waren bei Odette alle Bedingungen für eine posttraumatische Belastungsstörung gegeben. Ein Gebiet, auf dem sich Isabelle leider auskannte. Deshalb wusste sie, dass es viele therapeutische Konzepte zur Bewältigung einer solch traumatischen Erfahrung gab. Nicht jedes war im individuellen Fall das richtige. Odette Clément hatte sich nach ihrer Freilassung für einen radikalen Schritt entschieden – und war ins Kloster gegangen. Eine Entscheidung, die ihr Respekt abnötigte.

»Was ist aus diesem Serge Blanc-Guerin geworden?«, fragte sie.

»Er wurde gesundheitlich wiederhergestellt und wegen versuchter Vergewaltigung, Drogenhandels und schwerer Körperverletzung zu einer mehrjährigen Haftstrafe verurteilt.«

»Na Gott sei Dank. Wo ist er jetzt? Noch im Gefängnis?«

»Er wurde vor einem halben Jahr entlassen. Über seinen aktuellen Aufenthaltsort konnte ich auf die Schnelle nichts herausfinden.«

»Ist sowieso erstaunlich, was Sie zu dieser frühen Stunde bereits recherchiert haben«, lobte sie ihn.

Er grinste. »*Le monde appartient à ceux qui se lèvent tôt!* Oder wie es so schön heißt: Morgenstund hat Gold im Mund. Odettes Schicksal hat mir keine Ruhe gelassen, deshalb bin ich früher ins Büro.«

»Ausgezeichnet. Diesen Serge Blanc-Guerin können Sie auf Ihrem Chart in Großbuchstaben eintragen.«

»Schon geschehen. Unterstrichen und in Rot. Er ist ganz sicher ein heißer Kandidat.«

Sie dachte an ihre Überlegungen, die sie beim Joggen angestellt hatte. Demzufolge wäre nicht Albertine, sondern Odette ermordet worden. Es hätte nichts damit zu tun gehabt, dass sie heute das Leben einer Nonne führte. Das Mordmotiv wäre in der Vergangenheit zu suchen. Serge Blanc-Guerin hätte ihr die Schuld für sein Schicksal gegeben und sich dafür brutalstmöglich gerächt.

»Ein heißer Kandidat? Sagen wir so, mit ihm haben wir jemanden, der zweifellos als Täter in Betracht kommt.« Sie machte eine Pause und sah Apollinaire nachdenklich an. »Nur etwas lässt mich zweifeln.«

»Es wäre zu einfach, oder?«

»Genau. Dieser Serge drängt sich dermaßen auf, dass man es fast nicht glauben kann. Oder um Ihre Worte von vorhin zu zitieren: Der erste Eindruck ist oft ein trügerischer.«

Apollinaire kratzte sich am Kopf. »Aber der Eindruck kann auch zutreffend sein. Für mich spricht alles für diesen miesen Typen als Täter. Wenn ich nicht wüsste, dass Sie nur ungern wetten, würde ich …« Er sprach nicht weiter und zog eine Grimasse.

»Was würden Sie? Mit mir wetten? Wird das ein neues Gesellschaftsspiel?«

Er lachte. »Sie können ja nicht immer gewinnen.«

»In diesem Fall hätten Sie gute Chancen«, räumte sie ein, »denn ich meine ja selber, dass vieles für diesen Serge spricht.«

Er deutete feixend zur Geschenkbox mit dem Cognac auf dem Aktenschrank. »Wie wär's?«, fragte er.

Isabelle schüttelte den Kopf. »Geht nicht. Die bekommt Docteur Franell von der Touloner Rechtsmedizin. Aber ich lade Sie zusammen mit Ihrer Freundin Shayana ins *Terrasse Provençale* zum Abendessen ein, wenn es tatsächlich Serge Blanc-Guerin war.«

»*Ça serait très généreux, merci.*«

Er hatte recht, das wäre großzügig. Das Lokal lag etwas außerhalb und hatte einen Michelin-Stern. Aber sie hätten ja was zu feiern. Die Wette verlöre sie gerne.

»Und was wäre meine Gegenleistung«, fragte Apollinaire, »falls Serge unschuldig sein sollte?«

»Sie tragen eine Woche lang gleichfarbige Socken«, fiel ihr spontan ein.

Er sah sie entgeistert an. »Das schaffe ich nicht, der Wetteinsatz ist zu hoch.«

»Na gut, dann fünf Tage.«

»Madame, Sie wollen doch nicht, dass ich an dieser Wette seelischen Schaden nehme.«

»Drei Tage.«

Er sah zerknirscht auf seine Strümpfe. Gelb-rot gestreift und grün.

»Einverstanden. Aber ich wette nie mehr mit Ihnen.«

»Hoffentlich!« Sie klatschte in die Hände. »So, jetzt gibt's viel zu tun. Wir müssen vordringlich den Aufenthaltsort von Serge Blanc-Guerin ermitteln. Und ich würde gerne mit Odettes kranker Schwester sprechen. Sofern es sie wirklich gibt.«

»Doch, es gibt sie.« Er blätterte in den Ausdrucken auf seinem Tisch. »Eine Schwester wird in den Protokollen erwähnt. So, da habe ich sie. Ihr Name ist Denise Clément, wohnhaft in Hyères.«

Hyères? Das deckte sich mit der Information, die Isabelle im Kloster erhalten hatte. Wahrscheinlich hatte Denise keine Ahnung, dass ihre Schwester tot war. Sie sollte es nicht am Telefon erfahren.

Apollinaire deutete auf seinen Monitor. »Die Adresse stimmt noch, ich drucke sie Ihnen aus.«

Isabelle stand auf. »Sehr gut. Ich setze mich ins Auto und fahre hin. Sie forschen in der Zwischenzeit nach Serge Blanc-Guerin. Alle anderen Punkte von unserer To-do-Liste stellen wir vorläufig zurück.«

20

Hyères mit den vorgelagerten Inseln Porquerolles, Port-Cros und Île du Levant gilt als westlichster Ort der mondänen Côte d'Azur. Obwohl die Winterfrische betuchter Engländer hier ihre historischen Wurzeln hat und der noble Fremdenverkehr bis in die erste Hälfte des 19. Jahrhunderts zurückreicht, wovon elegante Winterpaläste und Villen zeugen, steht Hyères heute im Schatten der von der Geldaristokratie erst später entdeckten Highlights der Côte wie Cannes oder Nizza. Das ist erklärbar unter anderem dadurch, dass Hyères nicht direkt am Meer liegt und deshalb auch keine prachtvolle Uferpromenade aufweisen kann. Dennoch, oder vielleicht gerade deshalb, hat Hyères seinen besonderen, versteckten Reiz.

Isabelle mochte die verwinkelte Altstadt und die vielen Palmen. Sie dachte an *Vivement dimanche,* an François Truffauts Kriminalfilm *Auf Liebe und Tod,* den er in Hyères gedreht hatte, mit Jean-Louis Trintignant und Fanny Ardant. Wenn sie sich recht erinnerte, wurde am Ende ein Anwalt namens Clément als Täter überführt. In Isabelles aktuellem Fall war es umgekehrt, da hieß die Tote Clément, Odette Clément. Wie der Mörder hieß, wusste sie noch nicht. Ob es wirklich Serge Blanc-Guerin war, musste sich erst noch erweisen. Sie war gespannt, was Odettes Schwester Denise zu erzählen hatte. Hoffentlich war sie zu Hause.

Sie parkte auf der Place Georges Clemenceau und ging von dort zu Fuß über die mit Platanen bestandene Place de la

République, am mittelalterlichen Tour des Templiers vorbei, über eine Treppe und die Rue Sainte-Catherine den Hügel hinauf.

Schließlich stand sie vor einem kleinen, schmalen Stadthaus und läutete. Auf dem Klingelschild stand D. Clément.

Die Frau, die ihr nach einer Weile öffnete, war im Alter ähnlich wie Odette. Auch hatte sie kurze Haare, aber sie war ausgesprochen mager und blass. Man sah ihr an, dass sie nicht gesund war. Isabelle zeigte ihren Polizeiausweis und fragte, ob sie hereinkommen dürfe. Denise war einverstanden und ging voraus. Die meisten Vorhänge an den Fenstern waren zugezogen. Im schummrigen Licht erkannte Isabelle Heiligenbilder an den Wänden und ein Kruzifix mit einer brennenden Kerze davor. In der Ecke stand ein alter Röhrenfernseher mit einer darübergelegten Häkeldecke. Es sah nicht so aus, als ob er benutzt würde.

Sie setzten sich an einen kleinen Tisch. Denise faltete ihre knochigen, zittrigen Hände und blickte sie erwartungsvoll an.

Jetzt war sie eine Erklärung schuldig. Vor allem hatte sie eine schlechte Nachricht zu überbringen.

»Madame Clément …«

»Mademoiselle Clément«, korrigierte Denise. Es schien ihr wichtig, das richtigzustellen.

»Mademoiselle Clément«, fing Isabelle erneut an, »mein Besuch hat einen traurigen Anlass. Darf ich Sie zunächst fragen, ob es sich bei der Nonne Albertine in dem *Monastère des bonnes sœurs* um Ihre Schwester Odette handelt?«

Denise biss sich auf die blutleere Unterlippe. »Ja, das stimmt«, sagte sie leise. »Warum fragen Sie? Ist ihr was zugestoßen?«

Isabelle nickte. »Ich muss Ihnen leider sagen, dass Ihre Schwester nicht mehr lebt.«

Sie legte ein Foto der toten Nonne auf den Tisch. Sie hatte eines ausgewählt, auf dem sie friedlich wirkte und vom blutverschmierten Mund nicht viel zu sehen war.

Denise begann heftig zu zittern. Isabelle beugte sich vor und nahm ihre Hände. Sie waren eiskalt.

»Mein tief empfundenes Beileid«, sagte sie.

»Meine kleine Odette. Du bist tot? Herr im Himmel, wie konntest du das zulassen?«

Denise begann zu weinen, nahm das Foto und küsste es.

Isabelle bekam eine Gänsehaut. Sie war nicht dafür geschaffen, Todesnachrichten zu überbringen, schon gar nicht einer geschwächten und abgemagerten Frau, die über keine Abwehrkräfte mehr zu verfügen schien.

»So hat man Odette vor einigen Tagen gefunden«, sagte Isabelle, »auf den Felsen unterhalb der Gärten von Rayol.«

»Rayol? Davon hat sie erzählt. Ihr hat es dort gefallen. Warum aber liegst du auf dem Felsen? Das verstehe ich nicht.«

»Sie hat weiter oben Kräuter gesucht«, erklärte Isabelle. »Sie ist abgestürzt.«

»Hat sie sich in Gefahr begeben? Odette, du warst schon immer zu leichtsinnig und unbedacht.«

Isabelle fand es gruselig, dass Denise eigentlich mit ihr redete, dabei aber auch immer wieder direkt zu ihrer Schwester sprach.

Denise sah Isabelle eindringlich an. »Du hättest im Kloster bleiben sollen, wo dich Gott behütet«, fuhr sie fort, um übergangslos zu fragen: »Hat meine Odette leiden müssen?«

»Ich denke nicht«, log Isabelle. Was brachte es, wenn Denise die grausame Wahrheit erfuhr?

»Dem Herrn sei gedankt.«

Die Situation war bizarr. Der abgedunkelte Raum, die Heiligenbilder, das Kruzifix und die brennende Kerze. Denise, die aussah wie das Leiden Christi und sich mindestens so fromm gab wie die Nonnen im Kloster.

»Kennen Sie das *Monastère des bonnes sœurs*?«, fragte Isabelle, »und die Mutter Oberin Hortensia?«

»Hortensia? Nein, aber ihre Vorgängerin kannte ich, die altehrwürdige Superiorin Laetitia. Ich war es, die dir den Rat gegeben hat, zu ihr ins Kloster zu gehen. Daran müsstest du dich doch erinnern? Das war eine gute Entscheidung, die beste, die du je getroffen hast. Das finden Sie doch auch, Madame le Commissaire?«

»Doch, ganz sicher war das eine gute Entscheidung. Odette hat Sie oft besucht, richtig?«

»Mich besucht? Ja, das hat sie. Jetzt bist du tot, und ich werde dich nie mehr sehen. Warum stirbst du vor mir? Bei mir ist das Ende nicht fern. So lange hätte Odette doch warten können.«

»Im Kloster hat man mir erzählt, dass Sie krank sind. Verzeihen Sie mir, aber man sieht es Ihnen an.«

»Ich habe Leukämie im fortgeschrittenen Stadium. Ich bekomme keine Chemo mehr, auch keine Bluttransfusionen. Das will ich nicht. Sie müssen wissen, mir geht's nicht wirklich schlecht, ich bin nur unendlich schwach und hab überall blaue Flecken. Die mag ich nicht sehen, deshalb ziehe ich die Vorhänge zu. Ich hoffe, dass ich bald einschlafe und nicht mehr aufwache.« Über Denises blasses Gesicht huschte ein zartes Lächeln. »Dann sehe ich dich wieder, meine Odette. Jetzt habe ich was, worauf ich mich freuen kann.«

Wie reagierte man auf einen solchen Krankheitsbericht? Man konnte ihr ja wohl kaum ein baldiges und möglichst schmerzfreies Ableben wünschen. Obwohl sie sich vielleicht genau das erhoffte.

»Mademoiselle Clément, das tut mir leid, Sie haben mein Mitgefühl. Darf ich Ihnen einige Fragen stellen?«

»Natürlich dürfen Sie. Wollen Sie was trinken? Ich habe mir gerade eine *camomille* aufgegossen.«

Kamillentee zählte nicht gerade zu Isabelles Lieblingsgetränken.

»Nein, vielen Dank.«

»Aber ich darf mir einen Tee eingießen.«

Isabelle nahm ihr die Kanne aus der Hand und half ihr.

»Lesen Sie eigentlich keine Zeitung und schauen nicht fern?«

»Seit einigen Wochen nicht mehr«, erklärte Denise. »Wenn man im Begriff steht, sich von dieser Welt zu verabschieden, erlahmt das Interesse an ihr. Egal, was da draußen geschieht, ich will es nicht mehr wissen, es ist für mich ohne Belang.«

Damit war klar, warum Denise nichts vom Tod einer Nonne, die ihre Schwester war, mitbekommen hatte.

»Ist Ihnen beim letzten Besuch Ihrer Schwester etwas an ihr aufgefallen? War sie wie immer oder vielleicht besonders nervös oder gar ängstlich?«

Denise runzelte die Stirn. »Warum sollte sie ängstlich sein? Ich glaube zwar, dass es eine Vorahnung gibt, aber Odette hat nichts dergleichen empfunden. Sie war sehr entspannt und hat versucht, mich mit kleinen Späßen aufzumuntern. Nächste Woche wollte sie wiederkommen. Ich musste ihr versprechen, dann noch am Leben zu sein.«

Dieses Versprechen war nunmehr hinfällig, dachte Isabelle. Gut möglich, dass Denise mit der Nachricht vom Tod ihrer Schwester den letzten Lebenswillen verlor. Isabelle verdrängte den Gedanken, denn in diesem Fall wäre ihr Besuch dafür mitverantwortlich.

»Mich interessieren die Vorkommnisse vor sechs Jahren und wie es dazu kommen konnte«, wechselte sie das Thema.

»Die schrecklichen und verabscheuungswürdigen Vorkommnisse vor sechs Jahren? Sechs Jahre? So lange ist das schon her? Doch, doch, natürlich. Wie schnell die Zeit vergeht. Die Zeit, sie ist ein kostbares Gut. Warum interessieren Sie sich dafür?«

»Damals musste sich Ihre Schwester eines gewissen Serge Blanc-Guerin erwehren«, antwortete Isabelle, ohne eine Begründung zu geben, warum sie sich dafür interessierte.

»Serge Blanc-Guerin? Dieser Luzifer in Menschengestalt«, erregte sich Denise, wurde dabei aber nicht laut, dafür schien sie zu schwach. »Er hat dein Leben fast zugrunde gerichtet. Aber du hast deine Haut verteidigt und zu Gott gefunden.«

Isabelle tat sich immer noch schwer, den Sprüngen in der Anrede zu folgen. Mal sprach Denise zu ihr als Kommissarin, dann wieder direkt zu ihrer Schwester, ohne aber den Blick von ihr zu wenden, als ob Isabelle zwei Personen zugleich wäre. Darüber hinaus fand sie die übertriebene Frömmigkeit befremdlich. Aber sie durfte sich kein Urteil anmaßen. Außerdem lag es vielleicht nahe, dass die Schwester einer Nonne tief im Glauben verwurzelt war. Ein Glaube, der ihr in ihrer schwierigen Lebenssituation Trost und Hoffnung spendete. Hoffnung auf baldige Erlösung und ein Leben nach dem Tod.

»Blanc-Guerin musste eine Haftstrafe absitzen«, fuhr Isabelle fort.

»Man hätte ihn auf dem Scheiterhaufen verbrennen sollen«, flüsterte Denise.

»Er ist wieder auf freiem Fuß.«

»Ich sag doch, man hätte ihn verbrennen sollen.«

»Wie konnte es dazu kommen, dass Odette einen solchen Mann überhaupt kannte? Und wie konnte es geschehen, dass sie Drogen nahm?«

»Wie oft habe ich dich das gefragt? Warum hast du an der Plage de Gigaro Badeferien gemacht und dich in der Strandbar seines Onkels von diesem ungehobelten Kerl ansprechen lassen? Du hättest gleich merken müssen, dass Serge kein guter Umgang für dich ist. Und wie konntest du dich von ihm verführen lassen, Drogen zu nehmen? Oft habe ich dich das gefragt, und nie hattest du eine Antwort.«

»Odette hat damals in Marseille gewohnt, richtig?«

Fast wäre ihr rausgerutscht: *Ich* habe damals in Marseille gewohnt. Bald hielt sie sich selbst für Odette, so eindringlich wurde sie von Denise als solche angesprochen.

»Aber natürlich, das müsstest du doch wissen.« Denise sagte dies fast vorwurfsvoll. Sie wischte sich über die Augen. »Tut mir leid, Madame le Commissaire. Woher sollen Sie das wissen?«, sprach sie weiter, plötzlich völlig klar und an Isabelle gerichtet. »Odette hatte einen ordentlichen Job als Verkäuferin in einem Kaufhaus in der Canebière. Sonntags ist sie regelmäßig in die Kirche gegangen. Meine Schwester war ein guter Mensch, das müssen Sie mir glauben. Leider stammte auch ihre Urlaubsbekanntschaft Serge aus Marseille. Das wurde ihr zum Verhängnis. Er hat ihr nachgestellt und versucht, sie mit Drogen gefügig zu machen. Sie wissen, wie es ausgegangen ist?«

»Ja, das weiß ich«, bestätigte Isabelle.

»Dass sie danach ins Kloster gegangen ist, war die beste Entscheidung ihres Lebens. Vielleicht war es ihre Bestimmung. Denn wisset, die Wege des Herrn sind unerforschlich.«

Isabelle überlegte, was sie noch fragen und wo Denise Aufschluss geben könnte. Womöglich lag es an der weltfernen Situation ihres Gesprächs und an der Rücksichtnahme, die sie ihr unwillkürlich entgegenbrachte, jedenfalls fiel ihr im Moment nichts mehr ein. Blieb die Verwunderung darüber, dass Denise nichts über den genauen Unfallhergang wissen wollte. Den Sturz ihrer Schwester nahm sie als gottgegeben hin. Auch schien sie sich nicht über Isabelles Fragen zu wundern. Was gut war, denn so musste sie keine Erklärung abgeben. Und sie konnte verschweigen, dass Odette einer Gewalttat zum Opfer gefallen war. Was brachte es, Denise damit zu belasten? Sie war nur noch ein Schatten ihrer selbst – und würde ihrer Schwester bald folgen.

Isabelle stand auf. Zum Abschied umarmte sie Denise. Ganz behutsam, denn sie war nur Haut und Knochen. Sie spürte, dass es ein Abschied für immer sein könnte.

21

Auf der Rückfahrt nach Fragolin verwarf sie ihren ursprünglichen Plan, nämlich an ihrem Lieblingsstrand zu schwimmen und anschließend in der Crêperie von Laurent Mittag zu essen. Die Lust darauf war ihr vergangen.

Zurück im Kommissariat, traf sie auf einen völlig konfusen Apollinaire.

Gerade beendete er ein Telefonat mit der empörten Feststellung, dass sein Gesprächspartner ein veritabler Schwachkopf sei. *Un crétin, débile, stupide …*

Das war heftig. So hatte sie ihren Assistenten noch selten erlebt. Sie war gespannt, wen er gerade so beschimpft hatte. Bruno, den Jäger? Den Lebensmittelhändler Nicolas Bertrand? Den Hausmeister Jérôme? Oder gar einen Polizeikollegen, der ihn wegen mangelnder Kooperationsbereitschaft und erwiesener Inkompetenz zur Weißglut brachte?

Apollinaire musste sich erst abkühlen, bevor er Auskunft geben konnte. Tatsächlich habe er gerade mit einem Volltrottel der Gendarmerie gesprochen, aber das habe nichts mit ihrer Arbeit und auch nichts mit dem aktuellen Fall zu tun. Er griff zu seiner Jacke und fragte, ob er sich den restlichen Tag freinehmen dürfe.

Isabelle wollte wissen, worum es ging und was ihn so in Rage versetzt hatte.

Es gehe um seine Freundin Shayana, erklärte er. Die sei heute Vormittag mit dem Bus in ein Einkaufszentrum an der Küste gefahren. Dort habe man ihre Handtasche geklaut. Shayana sei daraufhin zur nächsten Station der Gendarmerie und habe den Diebstahl gemeldet.

Isabelle fragte, ob viel Geld in der Handtasche gewesen sei oder Wertsachen.

Apollinaire winkte ab. Nein, das sei ja gar nicht der springende Punkt. Übrigens sei die Handtasche eine gefälschte Louis Vuitton gewesen, also sei auch dieser Verlust verschmerzbar. Aber Shayana habe ihre *carte bancaire* in der Tasche gehabt. Die Bankkarte sei jetzt weg.

»Sofort sperren lassen«, empfahl Isabelle.

»Das hat sie in der ersten Aufregung vergessen«, erklärte er. »Ach so, außerdem war auch ihr *portable* in der Handtasche. Wie hätte sie also telefonieren sollen? Na egal, sie ist ja wieder da.«

Ihr Assistent, dachte Isabelle, hatte es mal wieder geschafft: Sie konnte ihm geistig nicht folgen.

»Wer ist wieder da? Die Bankkarte?«

»Nein, die Handtasche. Sie wurde in einem Abfalleimer gefunden. Sogar mit dem *portable*.«

»Aber?«

»Aber die Bankkarte fehlt.«

»Wenn sie mittlerweile gesperrt ist, kann doch nichts passieren. Wo ist das Problem?«

»Das Problem? In den Minuten nach dem Diebstahl wurde an einem Bankautomaten in der Nähe sofort der Höchstbetrag abgehoben. Der oder die Diebe mussten also ihren PIN-Code gekannt haben. Jetzt unterstellen die Idioten von der Gendarmerie meiner Shayana, dass sie den PIN-Code auf einem Zettel in der Handtasche notiert hatte. Damit hätte sie grob fahrlässig gehandelt und wäre in der Haftung. Aber es kommt noch schlimmer.«

Apollinaire suchte hektisch in seiner Jacke nach dem Autoschlüssel. Sie konnte den Schlüssel sogar von hier sehen. Er lag mitten auf seinem Schreibtisch.

»Noch schlimmer?«, half sie ihm auf die Sprünge.

»Viel schlimmer. Dieser *crétin* von Gendarm hält es für möglich, dass Shayana mit den Dieben gemeinsame Sache macht. Das hat er ihr an den Kopf geworfen. Er hat sich außerdem abfällig über Zuwanderer aus Tunesien geäußert und Shayana mit einem Schimpfwort bedacht, das sie leider nicht richtig verstanden hat. Es gebe seiner Meinung nach also nur zwei Möglichkeiten: Entweder sei sie so naiv, die PIN-Nummer aufgeschrieben zu haben, was sie natürlich nicht getan hat, dafür ist sie zu intelligent, oder sie sei wie alle Araber kriminell und würde mit Diebesgesindel aus ihrer Heimat zusammenarbeiten. Daraufhin hat mich Shayana weinend angerufen und mich mit dem Idioten verbunden. So, jetzt wissen Sie Bescheid. Das ist doch ein Skandal, finden Sie nicht?«

Isabelle konnte seine Aufregung verstehen. Weniger, was die Schlussfolgerungen der Gendarmerie anging, die waren sogar naheliegend, aber es ging nicht an, dass Shayana aufgrund ihrer tunesischen Herkunft diskriminierend behandelt wurde.

»Natürlich können Sie freinehmen«, sagte sie. »Aber zügeln Sie Ihr Temperament.«

»Mein Temperament? Ich bin doch die Ruhe selbst. Wo verdammt noch mal ist mein Autoschlüssel.«

Sie deutete wortlos zu seinem Schreibtisch.

»Wie kommt denn der Schlüssel auf meinen Tisch? Sind denn heute alle verrückt. So, jetzt fahr ich hin und mache den Typen einen Kopf kürzer.«

»Haben Sie nicht zugehört? Sie sollen sich beherrschen! Das müssen Sie mir versprechen, sonst ziehe ich meine Genehmigung eines freien Nachmittags zurück und befehle Ihnen, hierzubleiben.«

»Madame, Sie können ganz schön streng sein.«

»Ich meine es nur gut mit Ihnen. Versprochen?«

»Mich beherrschen? Okay, ich verspreche es. Bis ich dort bin, habe ich mich beruhigt, und mein Verstand wird über meine Emotionen obsiegen.«

»Und fahren Sie nicht zu schnell!«

»Mit meinem alten 2CV? Das ist ein gutes Stichwort. Könnte ich vielleicht unseren Polizeiwagen nehmen?«

Isabelle schüttelte den Kopf. »Ich kenne Sie zu gut. Sie könnten der Versuchung nicht widerstehen und würden mit Blaulicht und Sirene fahren. Nein, kein Dienstfahrzeug. Außerdem ist das eine private Fahrt. Eigentlich müssten Sie sogar Ihre Uniform ausziehen.«

Er sah sie entsetzt an. »Bitte nicht. In Uniform fühle ich mich stärker.«

»Wirklich? Ich trage nie Uniform.«

»Aber Sie sind auch die Madame le Commissaire. Ich dagegen bin nur ein kleiner, komplexbeladener Sous-Brigadier. Bitte, darf ich die Uniform anbehalten?«

Nun, klein war er gewiss nicht. Apollinaire hatte zwar die Gestalt einer Zaunlatte, war aber himmellang. Doch er sah sie so treuherzig an, dass es sie fast rührte.

»Natürlich dürfen Sie keine Uniform tragen«, antwortete sie und fügte mit einem Lächeln hinzu: »Aber ich an Ihrer Stelle würde mich über mein Verbot hinwegsetzen.«

»Über Verbot hinwegsetzen? Sehr wohl, ich habe verstanden.« Er deutete mit den gestreckten Fingern der rechten Hand einen militärischen Gruß an. »*Merci, Madame, et au revoir.*«

»*Bonne chance!*«

22

Beim überhasteten Verlassen des Kommissariats ließ Apollinaire die Tür ins Schloss krachen. Sekunden später ging sie wieder auf, und er steckte den Kopf ins Zimmer. »Pardon, Madame«, sagte er mit schuldbewusster Miene. Dann zog er die Tür leise hinter sich zu.

Nach seinem Abgang war es gespenstisch ruhig im Büro. Isabelle hoffte, dass sich seine Erregung auf der Fahrt wirklich legen würde. Wenn jemand auf Araber schimpfte und seine Freundin beleidigte, rastete er verständlicherweise aus. Nur war das in einer Auseinandersetzung mit einem *xénophobe* der Gendarmerie wenig hilfreich. Sogar die Uniform der *Police nationale* mochte von Nachteil sein, denn die beiden Polizeieinheiten standen sich traditionell wenig freundschaftlich gegenüber.

Sie dachte über die gestohlene Bankkarte nach und über die unmittelbar danach erfolgte Barauszahlung an einem Geldautomaten. Das war tatsächlich merkwürdig. Woher hatte der Dieb den PIN-Code? Vielleicht hatte Shayana zuvor irgendwo mit der Karte bezahlt und war dabei beobachtet worden? Aber auf diese Idee wäre selbst die Gendarmerie gekommen. Das war also wohl nicht der Fall, sonst hätte es Apollinaire erwähnt. Sie war gespannt, was er nach seiner Rückkehr zu berichten hatte.

Blieb die Frage, wie sie den restlichen Tag gestalten sollte. Ob und inwieweit Apollinaire bei seinen Recherchen rund ums Kloster weitergekommen war, wusste sie nicht. Auch nicht, ob er einen Hinweis zum aktuellen Aufenthaltsort von Serge Blanc-Guerin gefunden hatte. Sie könnte erneut zum Kloster fahren und hoffen, dass sie den Hausmeister Jérôme antraf. Große Lust verspürte sie nicht. Außerdem hatte sie Hunger. Sie beschloss, zu Jacques zu gehen und das Tagesgericht zu bestellen – egal, was es war. Dann würde sie weitersehen.

Isabelle glaubte nicht an Gedankenübertragung, schon eher an Zufälle und daran, dass das Unerwartete oft zur rechten Zeit geschah. Denn gerade als sie das Büro verlassen wollte, klingelte ihr Handy. Rouven Mardrinac war dran. Er fragte, ob er sie zu einem verspäteten Mittagessen einladen dürfe.

Sie wähnte ihn noch in London und unterstellte ihm, zu viel getrunken zu haben.

Mit einem dröhnenden Lachen erklärte er, nicht mehr auf der Insel zu sein. Das regnerische Wetter habe ihn deprimiert. Er habe alle Termine abgesagt und sei gerade in Nizza gelandet. Ob sie in einer Stunde in Saint-Tropez sein könne? Er schlug vor, sich bei Pierre-André de Suffren zu treffen.

Er konnte es nicht sehen, aber Isabelle zeigte ihm grinsend den Vogel. Nicht weil sie ihm einen Korb geben wollte, vielmehr aus gespielter Verzweiflung. Er würde sich wohl nie ändern. Gerade in Nizza gelandet? In einer Stunde in Saint-Tropez? Sie würde sich beeilen müssen und es mit Glück gerade mal so schaffen. Rouven dagegen würde Kopfhörer aufsetzen und entspannt klassische Musik hören – während er mit dem Helikopter von Nizza einschwebte. Als Treffpunkt hatte er den Vizeadmiral Suffren vorgeschlagen. Der war schon über zweihundert Jahre tot. Den wenigsten Besuchern von Saint-Tropez dürfte der Comte ein Begriff sein, dabei stand seine Statue unübersehbar an der Hafenmole, gegossen aus gekaperten Kanonen. Rouven wusste, dass sie das Denkmal kannte. Sie hatten mal auf dem Balkon des Hotels *Sube* einen

Drink genommen. Bei der Gelegenheit hatte er ihr die bewegte Geschichte des direkt vor ihnen stehenden Seefahrers erzählt. Suffren hatte ihnen dabei den Rücken zugekehrt, denn natürlich richtete er seinen Blick auf den Hafen.

Isabelle überlegte nicht lange und sagte zu. Ob es daran lag, dass sie Hunger hatte? Sie lächelte. Sie wusste genau, dass das nicht der Grund war.

Nachdem sie das Fenster zugemacht hatte, sperrte sie das Kommissariat ab und eilte durch die Vorhalle aus dem *Hôtel de ville*. Wie es der Teufel wollte, kam ihr Thierry entgegen. Was sein gutes Recht war, denn es war *sein* Rathaus. Doch der Augenblick war schlecht gewählt. Prompt wollte er wissen, wohin sie so eilig unterwegs war. Obwohl es ihre Devise war, sowohl Thierry als auch Rouven gegenüber immer mit offenen Karten zu spielen, denn nur so ließen sich überflüssige Konflikte vermeiden, wich sie aus. Sie habe einen wichtigen Termin, behauptete sie, was ja in gewisser Weise auch stimmte. Sie versprach, sich nach ihrer Rückkehr zu melden, setzte ihre dunkelgrüne Pilotenbrille auf und lief weiter. Isabelle spürte, dass ihr Thierry hinterhersah. Leider neigte er zur Eifersucht und wollte deshalb immer alles ganz genau wissen. Aber da hätte er sich eine Wurstverkäuferin zur Freundin nehmen müssen. Eine Kommissarin der *Police nationale* hatte schon berufsbedingt ihre Geheimnisse. Und in ihrem Fall sogar darüber hinaus – zum Beispiel am heutigen Nachmittag. Vielleicht beruhigte es ihn, wenn er sah, dass sie im Polizeiwagen wegfuhr.

Isabelle traf am Hafen von Saint-Tropez zehn Minuten zu spät ein. Aber auch das war nur zu schaffen gewesen, weil sie diverse Verkehrsregeln missachtet hatte. Doch auf Blaulicht und Sirene hatte sie standhaft verzichtet. In diesem Punkt wollte sie Apollinaire ein Vorbild sein. Während der Fahrt hatte sie sich die Haare nach hinten gegelt und sich dezent geschminkt. Mehr war auf die Schnelle nicht drin. Auch hatte sie keine schickeren Klamotten im Auto, nur schusssichere Westen im Kofferraum.

Sie sah Rouven schon von Weitem. Was nicht schwerfiel, denn er war nicht nur einen Kopf größer als alle anderen und von kräftiger Statur, sondern auch extravagant gekleidet. Kanariengelbes Sakko zu roten Hosen, schwarzes Leinenhemd und Flipflops an den nackten Füßen, Panamahut, dunkle Hornbrille – und eine dicke Zigarre. Jeder andere würde in dieser gewagten Kostümierung albern aussehen, Rouven dagegen stand da wie ein Monument, selbstbewusst und über jeden Spott erhaben. Nur die Bronzestatue des Vizeadmirals Suffren war imposanter – aber fiel weniger auf.

Rouven begrüßte sie mit einer herzlichen Umarmung – weil er wusste, dass sie was vertrug, drückte er kräftig zu – und mit einem brummigen Lachen. *»Hello Isa-Darling, nice to meet you.«*

»Ich freu mich auch, du alter Globetrotter. Das nächste Mal rufst du bitte etwas eher an.«

»Pourquoi, ma chère? Hat doch prima geklappt.«

»Glück gehabt. Und jetzt?«

»Appetit auf ein kleines Mittagessen?«

»Ich habe sogar brüllenden Hunger. Wo gehen wir hin?«

Er hakte sie unter. »Lass dich überraschen.«

Ihr schwante Schlimmes. Rouven hatte oft unkonventionelle Einfälle. Hoffentlich dauerte es nicht allzu lange. Sie hatte wirklich Hunger. Umso erstaunter war sie, als er am Quai Jean Jaurès auf das nahe gelegene Szenecafé *Sénéquier* zusteuerte. Unter der roten Markise traf sich Gott und die Welt. Das sollte seine Überraschung sein? Eigentlich bevorzugte er diskretere Plätze. Hier würden ihn auch sein Panamahut und die dunkle Brille nicht davor bewahren, erkannt zu werden.

Doch er ging achtlos am *Sénéquier* vorbei.

Einige Schritte weiter verspürte Isabelle plötzlich ein Stechen im linken Oberschenkel. Sekunden später gab ihr Bein nach. Sie wäre gestürzt, hätte Rouven sie nicht untergehakt.

Er blieb stehen und hielt sie fest.

»Was ist los?«, fragte er erschrocken.

Das würde sie selbst gerne wissen, dachte Isabelle. Das war ihr noch nie passiert. Ihr schossen Erinnerungen an das Pariser Bombenattentat durch den Kopf, bei dem sie vor gut zwei Jahren fast draufgegangen wäre. Nach der Notoperation hatte sie viele gesundheitliche Probleme gehabt – auch mit dem linken Bein. Aber das war längst vorbei. Heute konnte sie schmerzfrei joggen, ihre morgendlichen Kniebeugen machen und auf der Treppe im Rathaus zwei Stufen auf einmal nehmen.

»Weiß auch nicht«, antwortete sie. »Ist bestimmt gleich wieder vorbei.«

Sie lehnte sich gegen einen großen Betonkasten mit Blumen und massierte sich das taube Bein. Langsam kehrte das Gefühl zurück.

»Brauchst du einen Arzt?«

»Nein, ich hasse Ärzte.« Isabelle versuchte zu lachen. »Außerdem habe ich Hunger. Für einen Arzt habe ich keine Zeit. Müssen wir noch weit laufen?«

»Nur noch ein paar Meter. Die Strecke könnte ich dich auch tragen.«

»Kommt nicht infrage.«

Sie versuchte, das Bein zu beugen und den Fuß zu bewegen. Es funktionierte ganz gut – und fast schmerzfrei. Gestützt von Rouven ging sie einige Schritte, zuerst hinkend, dann bereits wieder fast normal. Sie konnte sich keinen Reim darauf machen. Schon kam es ihr vor wie ein dummer Spuk. Sie fasste den Entschluss, den Zwischenfall auch genau so zu behandeln, ihn nämlich nicht ernst zu nehmen und ganz schnell wieder zu vergessen. Bei ihrer medizinischen Vorgeschichte war es ein Wunder, dass sie abgesehen von gelegentlichen Kopfschmerzen und Schlafstörungen keine Beschwerden mehr hatte. Da durfte sie ihrem linken Bein schon mal eine kurze Betriebsstörung zubilligen. So was passierte auch Menschen, die nie der Druckwelle einer Bombe ausgesetzt waren und keine Splitter abbekommen hatten. Noch ein Schritt. Alles vorbei. Nicht der Rede wert.

Sie schenkte Rouven ein befreites Lächeln. »Alles gut«, sagte sie. Und mit einem suchenden Blick: »Aber wo gibt's hier was zu essen?«

Er machte eine Geste nach links, zum Becken des *vieux port*, wo an der Mole ein relativ kleines, aber überaus elegantes Motorboot aus Mahagoni festgemacht war. Ein Tourist fotografierte es gerade. Offenbar ein Kenner, der wusste, dass es sich um eine klassische Riva Aquarama handelte. Womöglich dachte er dabei an Filme mit Brigitte Bardot, Grace Kelly, Cary Grant oder Sophia Loren.

Isabelle dagegen dachte an eine Privatjacht mit dem schönen Namen *Dora Maar*, benannt nach der langjährigen Muse von Pablo Picasso. Die Riva war eines ihrer Beiboote: *Tender to Dora Maar*. Sie war erst vor wenigen Wochen an Bord der Jacht gewesen, vor Saint-Barthélemy auf den französischen Antillen.

Sie zog ihre Schuhe aus. Rouven half ihr aufs Boot. Das mochte sie gar nicht. Sie war ja keine alte Frau, oder schlimmer noch, eine dumme, unbeholfene Göre. Aber mit ihrem komischen Bein war es vielleicht sicherer so.

Leinen los. Im tiefen Sound der schweren Innenborder glitten sie entlang der großen Mole hinaus auf den *Golfe de Saint-Tropez*. Schon erkannte sie die typische Silhouette von Rouvens Jacht. Nostalgisch wie ein Dampfer aus den Zwanzigerjahren und gleichzeitig so modern, dass die Überquerung des Atlantiks in so kurzer Zeit kein Problem darstellte.

Rouven gab Gas. Vom Heck der Aquarama stob die weiße Gischt davon. Und mit ihr die Erinnerung an ihren gerade erlittenen Schwächeanfall. Ihr linkes Bein? War da was? *Mais non, rien!* Routiniert steuerte Rouven die Aquarama längsseits. Dort hatte die *Dora Maar* ein Tor wie bei einer Garageneinfahrt. Zwei Matrosen standen auf einer Plattform bereit. Und Rouvens Capitaine Josbert, der sie herzlich begrüßte.

»*Bonjour*, Madame, schön, Sie wieder an Bord zu haben.«

Isabelle ging es wie immer, wenn sie mit Rouven unterwegs war. Ihr kam alles unwirklich vor. Heute war der Kontrast besonders groß. Erst vor gut einer Stunde war sie in Fragolin losgefahren, wo über Mittag die meisten Läden geschlossen hatten und der alte Alain wie üblich vor seinem Korkgeschäft im Schatten einer Platane ein Nickerchen hielt. Heute Vormittag hatte sie in Hyères in einem abgedunkelten Raum mit einer todkranken Frau über ihre verstorbene Schwester gesprochen, die eine Nonne war. Apollinaire hatte sich zur Mittagszeit in seinen alten 2CV gesetzt, um seiner Freundin Shayana gegen einen fremdenfeindlichen Gendarm beizustehen. Und sie selbst wurde gerade in der Bucht von Saint-Tropez auf einer Jacht empfangen, wo auf dem Achterdeck der Tisch für ein feudales Mittagessen gedeckt war. Fand das alles auf ein und derselben Welt statt? Bei Denise in Hyères hätte es Kamillentee gegeben. Gleich würde ihr der Stewart ein Glas Champagner anbieten. War das real? War das pervers? Vielleicht, aber so war das Leben. Was hatte sie sich in den Gärten von Rayol vorgenommen? *Vivre le moment présent!* Ging es irgendjemandem besser, wenn sie den viel beschworenen Augenblick nur unter einem verblichenen Sonnenschirm auf ihrer kleinen Dachterrasse genoss? Oder war es genauso in Ordnung, sich von Rouven auf seiner *Dora Maar* verwöhnen zu lassen?

»Ich denke, du hast Hunger?«, riss Rouven sie aus ihren Gedanken. Er klatschte in die Hände. »*On y va,* auf geht's!«

Einige Zeit und ein Dessert – *mascarpone et framboises* – später wurde sie an Deck von einem Docteur Léo Lambart überrascht, der sich ihr Bein anschauen wollte. Rouven hatte ihn heimlich verständigen und aufs Schiff bringen lassen. Das war zwar nett von ihm, wäre aber nicht nötig gewesen. Im Gegenteil, sie wollte nicht mehr an den Vorfall erinnert werden. So aber blieb ihr nichts anderes übrig, als dem Arzt ihre Vorgeschichte zu erzählen. Nicht *en détail,* aber in groben Zügen. Docteur Lambart erinnerte sich an das Bombenattentat am Arc de Triomphe. Er stellte keine weiteren Fragen und untersuchte ihr Bein. Wie von ihr nicht anders erwartet, konnte er nichts feststellen. Dass sie am Oberschenkel eine lange Narbe hatte, wusste sie selbst – nicht nur dort. Dann überprüfte der Arzt ihre Pupillenreaktion. Er kontrollierte ihre Halswirbelsäule und testete an einigen Körperstellen ihre Druckschmerzempfindlichkeit. Halt das übliche neurologische Prozedere, das sie von früher zur Genüge kannte. Immerhin schien er zu wissen, was er tat. Außerdem nahm sie zur Kenntnis, dass er ausgesprochen gut aussehend war, groß, schlank und braun gebrannt, mit schönen Händen, von denen sie sich gerne abtasten ließ.

Isabelle gab sich einen Ruck. War sie jetzt total verblödet? Ob der Mann gut aussehend war oder hässlich wie eine Fledermaus, spielte nun wirklich keine Rolle.

Rouven, der sie diskret alleine gelassen hatte, kam zurück und bot seinem *cher ami* Léo ein Glas Wein an. Der lehnte ab und gab sich mit Wasser zufrieden. Er riet Isabelle, den Vorfall nicht auf die leichte Schulter zu nehmen. Sie behielt für sich, dass sie genau dies zu tun beabsichtigte. Dann schlug er vor, dass sie sich baldmöglichst einer genaueren Untersuchung unterziehen solle, gerne auch in seiner Privatklinik in Sainte-Maxime, von wo ihn Josbert mit dem Boot abgeholt hatte. Dort verfüge er über die nötigen medizintechnischen Einrichtungen. Lächelnd stellte er fest, dass die ärztlichen Möglichkeiten an Deck der *Dora Maar* doch sehr begrenzt seien. Jedenfalls könne er hier und jetzt keine seriöse Diagnose stellen und ihr nur wünschen, dass es bei diesem einmaligen Zwischenfall bleibe, um nach einer Pause überflüssigerweise hinzuzufügen, dass er daran nicht glaube. Er gab ihr seine Visitenkarte.

Zum Abschied deutete er auf die leere Flasche im Weinkühler und auf Rouvens Zigarrenetui. Zum Spaß drohte er ihm mit dem Finger. Er solle sich mäßigen, sonst sei er womöglich der nächste Patient auf diesem Schiff. Rouven winkte grinsend ab. Seine Großmutter sei fast hundert Jahre alt geworden, habe Pfeife geraucht und in ihren Adern mehr Gin als Blut gehabt. Er habe deshalb eher die Sorge, zu enthaltsam zu leben.

Es war schon am frühen Abend und Isabelle fest entschlossen, bald aufzubrechen, da bat Rouven, ihm von ihrem aktuellen Kriminalfall zu erzählen. Er lehnte sich entspannt zurück und lächelte. Er lese nun mal keine Krimis und schaue sich auch im Fernsehen keine an. Dafür genieße er das besondere Privileg, von ihr mit wahren Geschichten unterhalten zu werden. Die Krönung sei es, wenn er in diesen eine Nebenrolle bekäme, das schätze er ganz besonders. Wie etwa bei ihrem letzten Fall mit dem gefälschten Matisse. Da habe er ihr mit seiner Expertise zur Seite stehen können.

Isabelle lachte. Nun, daraus werde diesmal nichts werden, denn sie gehe doch recht in der Annahme, dass er bei Klöstern und deren Ordensgemeinschaften über keinerlei Spezialwissen verfüge.

Er schüttelte den Kopf. Leider nein, da müsse er wirklich passen.

Sie überlegte, dass dennoch nichts dagegen sprach, ihm etwas ausführlicher von der toten Nonne zu erzählen. Damit plauderte sie keine Dienstgeheimnisse aus. Die dramatische Vorgeschichte der Nonne würde sie für sich behalten.

Rouven schwenkte ein Glas Cognac und hörte interessiert zu. Das Kloster *Monastère des bonnes sœurs?*

Nein, noch nie gehört!

Die Dominikanerinnen von Bethanien? Pater Jean-Joseph Lataste und seine seelsorgerische Mission im Frauenzuchthaus von Cadillac?

Rouven grinste. Cadillac? Er kenne nur die gleichnamige Automarke, aber die sei hier wohl nicht gemeint.

Isabelle fand bestätigt, dass er auf diesem Gebiet wirklich ahnungslos war. Immerhin schien ihn die Geschichte von der toten Nonne zu fesseln. Er wollte mehr darüber wissen. Ihr fiel ein, dass sie sich über die Familie Falcon-Fontallier informieren wollte, der das Kloster *Monastère des bonnes sœurs* gehörte und die über eine Stiftung den Orden mit einer großzügigen Apanage finanzierte.

Der Zirkel der Geldaristokratie war in Frankreich recht klein. Man kannte sich untereinander. Und so überraschte es sie nicht, dass Rouven ihre Frage sofort bejahte. Natürlich kenne er die Falcon-Fontalliers. Sein Vater habe mit dem alten

Thaddeus-Baptiste dieselbe Hochschule besucht und seine Leidenschaft für Rennpferde geteilt. Leider sei er früh verstorben. Nein, nicht Thaddeus-Baptiste, sondern sein Vater. Es gebe eine leichtlebige, aber nett anzusehende Tochter, deren Name ihm gerade nicht einfalle. Die habe einen griechischen Reeder geheiratet, um sich nach einem Jahr wieder scheiden zu lassen. Übrigens sehr zum Missfallen ihres streng katholischen Vaters. Dann gebe es noch einen Sohn namens André-Baptiste, dem er gelegentlich bei gesellschaftlichen Anlässen begegne. Der sei ganz nett und nicht so verklemmt wie sein Alter.

Rouven sah sie fragend an. Warum sie sich für die Falcon-Fontalliers interessiere? So aufregend seien sie nun auch nicht. Die Familie war ihr tatsächlich egal, dachte Isabelle. Sie hatte mit ihrem aktuellen Fall nichts zu tun. Nur indirekt, indem der von ihr unterstützte Orden gerade auf tragische Weise eine Schwester verloren hatte. Was sie wahrscheinlich gar nicht wusste. Dennoch war Isabelle neugierig. Es war ihr nicht bewusst gewesen, dass es Familienstiftungen gab, die über Generationen hinweg völlig selbstlos und nur aus einem tiefen Glauben heraus Projekte wie ein Kloster unterstützten. Das fand sie beeindruckend und spannend.

Als Rouven vom christlichen Mäzenatentum der Falcon-Fontalliers erfuhr, schien er nicht überrascht. Das passe zur Geschichte der Familie. Jean-Baptiste, der Gründer der Dynastie, sei bekannterweise ebenso geschäftstüchtig wie fromm gewesen. In Paris habe er Anfang des vorigen Jahrhunderts sogar den Bau einer Kirche finanziert. Rouven lächelte. Vielleicht habe er sich auf diese Weise von seinen Sünden freikaufen wollen. So eine Art moderner Ablasshandel. Thaddeus-Baptiste und sein Sohn André-Baptiste – Isabelle amüsierte sich über die dynastische Fortführung der Doppelnamen mit

Baptiste – würden das sicherlich nicht mehr so streng sehen. Aber es sei ehrenwert, dass sie sich dem Auftrag ihrer Stiftung verpflichtet fühlten. Was wahrscheinlich eh nicht zu ändern sei. Rouven merkte an, dass auch die von ihm selbst ins Leben gerufene *Fondation Mardrinac* über seinen Tod hinaus gemäß den Statuten weitergeführt werde. Nur bekomme er für die Stiftung an der Himmelspforte keine Bonuspunkte. In seiner Sammlung gebe es sehr unchristliche Motive, einige seien sogar ausgesprochen blasphemisch – aber von hoher künstlerischer Qualität.

23

Sie hatte eine unruhige Nacht hinter sich. Aber jetzt war sie vorbei. Isabelle schlug die Bettdecke zurück und betrachtete ihr linkes Bein, von dem sie geträumt hatte. Es sah aus wie immer. Sie bewegte ihre Zehen. Keine Probleme. Sie hob ihr Bein, was weder schwerfiel noch Schmerzen bereitete. Jetzt wollte sie es wissen. Nicht vorsichtig, sondern mit Schwung sprang sie aus dem Bett. Perfekt. Kein Moment der Unsicherheit. Mit immer größerer Freude begann sie wie ein kleines Kind im Zimmer hin und her zu hüpfen. Sie nahm ein Springseil vom Haken an ihrem Kleiderschrank. Vorwärts, rückwärts, über Kreuz. Noch nie hatte ihr das Springen so viel Spaß gemacht. Sie hörte erst auf, als die Luft knapp wurde.

Unter der Dusche fasste sie den Entschluss, keine Sekunde mehr an den gestrigen Zwischenfall am *vieux port* zu denken. Dieser Docteur Léo Lambart aus Sainte-Maxime war zwar ein netter Kerl, aber sie legte keinen Wert darauf, ihn je wiederzusehen. Erst recht würde sie keinen Fuß in seine Privatklinik setzen.

Im Vergleich zu gestern war Apollinaire die Ruhe selbst, geradezu entspannt. Sie setzte sich mit übergeschlagenen Beinen auf ihren Schreibtisch und hörte ihm zu. Apollinaire berichtete in epischer Breite, wie er gestern Shayana aus den Fängen der Gendarmerie befreit hatte. Zwar habe sich der Fettsack von Gendarm nicht für seine fremdenfeindlichen Äußerungen entschuldigt, aber er habe sich von der Unterstellung distanziert, dass Shayana womöglich mit einer tunesischen Bande zusammenarbeiten könnte. Er habe ja nicht ahnen können, dass die junge Frau mit einem Sous-Brigadier der *Police nationale* liiert sei. Da verbiete sich selbstredend ein solcher Gedanke.

»War also doch richtig, dass Sie die Uniform anbehalten haben«, stellte Isabelle fest.

»Definitiv. Sie ist auch viel schöner als die der Gendarmerie.« Nach ihrem Geschmack war zwar das Gegenteil zutreffend, ansonsten teilte sie Apollinaires Überlegenheitsgefühl. Ob es statthaft war, zur Uniform notorisch verschiedenfarbige Socken zu tragen, durfte hingegen in Zweifel gezogen werden.

»Was ist mit dem Vorwurf, dass Shayana den aufgeschriebenen PIN-Code in ihrer Handtasche hatte?«, fragte sie.

Er winkte ab. »Ist auch vom Tisch. Die Freundin eines Polizisten macht so was nicht. Das begreift wohl jeder. Bleibt die Frage, wie die Diebe mit der geklauten *carte bancaire* so einfach Geld aus dem Automaten leiern konnten. Darauf haben die lieben Kollegen von der Gendarmerie keine Antwort.«

»Der Verlust ist versichert, richtig?«

»*Heureusement.* Shayana bekommt die Summe wieder gutgeschrieben. Wäre ja noch schöner. Sie kann ja nichts dafür.«

»Dann ist ja alles wieder in bester Ordnung, also können wir …«

»Mich würde aber schon interessieren, wie das die Diebe gemacht haben«, murmelte Apollinaire vor sich hin. »Vielleicht war's auch nur einer?«

»… also können wir uns unserem Fall zuwenden«, führte sie ihren Satz zu Ende. »Die Bankkarte fällt nicht in unseren Zuständigkeitsbereich.«

Er nickte. »Natürlich, unser Fall«, wiederholte er. »Ich rekapituliere, die tote Nonne, Albertine alias Odette. Selbstverständlich bin ich in dieser Angelegenheit nicht untätig geblieben.«

»Ich auch nicht«, sagte Isabelle. Dann erzählte sie ihm von ihrem Besuch bei Odettes Schwester Denise Clément. Auch dass diese wohl nicht mehr lange zu leben habe und Odettes Widersacher Serge Blanc-Guerin für eine Ausgeburt des Teufels hielt.

»Leider habe ich seinen Aufenthaltsort noch nicht ermitteln können«, erklärte Apollinaire. »Könnte schwierig werden.«

»Oder ganz einfach«, entgegnete sie nach kurzem Nachdenken. »Checken Sie doch mal, ob es an der Plage de Gigaro eine Strandbar gibt, die ein Onkel von Serge Blanc-Guerin betreibt. Der Mann könnte uns weiterhelfen.«

»Strandbar, Plage de Gigaro, Onkel. Ich habe verstanden. Wieso weiterhelfen?«

»Weil sich dort vor sechs Jahren Odette und dieser Serge kennengelernt haben. Das weiß ich von Denise.«

»An einer Strandbar? Als Nonne?«

»Apollinaire, Sie sind nicht bei der Sache. Ich sagte vor sechs Jahren.«

Er schlug sich an die Stirn. »Pardon, Madame, aber natürlich, da war sie noch keine Nonne. Es fällt mir wirklich schwer, mich zu konzentrieren. Shayana und die Bankkarte, Sie verstehen?«

»Nein, verstehe ich nicht«, sagte sie etwas schärfer als beabsichtigt.

Er langte sich mit beiden Händen an die Schläfen und schloss kurz die Augen. »So, jetzt bin ich total fokussiert«, stellte er fest. »Sie können mich alles fragen.«

»Wie spät ist es?«

»Äh, wie bitte?« Er sah auf sein Handgelenk, erst auf das linke, dann auf das rechte. »Na so was, ich habe meine Armbanduhr vergessen.« Er begann auf dem Schreibtisch nach seinem Handy zu suchen, um dort die Zeit abzulesen.

Sie lächelte. »Lassen Sie es gut sein. Ich weiß, wie spät es ist. Mir war nur aufgefallen, dass Sie keine Uhr tragen.«

»So etwas fällt Ihnen auf? *Je suis impressionné!* Ich muss dringend an meiner Beobachtungstechnik feilen. Was wollte ich sagen?«

»Keine Ahnung. Wollten Sie was sagen?«

»Natürlich. Ach so, ich habe leider eine schlechte Nachricht.«

»Die wäre?«

»Der gentechnische Vergleich, Sie wissen schon, also der unappetitliche Cordhut des Jägers Bruno und die Hautpartikel unter den Fingernägeln unserer Nonne. Nun, da gibt es nach Auskunft des Labors in Toulon keine Übereinstimmung. Das ist sehr enttäuschend.«

Enttäuschend? Isabelle war nicht wirklich überrascht.

»Wäre auch zu einfach gewesen. Wobei wir ihn trotzdem nicht von der Liste der potenziell Tatverdächtigen streichen sollten. Die Hautpartikel unter Albertines Fingernägeln müssen nicht zwingend vom Täter stammen.«

»Von wem sonst?«

Isabelle zuckte mit den Schultern. »Weiß ich auch nicht. Vielleicht von ihr selbst? Hat man das überprüft? Hat sie irgendwo Kratzspuren? Vielleicht an den Armen?«

»Davon stand nichts im Protokoll. Außerdem hätte man bei der gentechnischen Untersuchung doch gemerkt, dass die gefundene DNA mit ihrer eigenen übereinstimmt.« Er raufte sich nachdenklich die Haare. »Oder auch nicht«, stellte er dann fest. »Das Naheliegende wird allzu gerne übersehen.«

Isabelle schmunzelte. »Das ist wohl wahr. Zum Beispiel haben Sie übersehen, dass Ihre vermisste Armbanduhr auf dem Aktenschrank neben der Kaffeemaschine liegt.«

»Wirklich?« Er sprang auf und rannte hin. »Unglaublich. Sie haben recht. Wie kommt sie denn dahin? Ich glaube, hier spukt es.«
»Ganz bestimmt, eine andere Erklärung gibt es nicht. Zurück zu Bruno. Haben Sie seinen Jagdausweis überprüft?«
Er legte kopfschüttelnd seine Uhr an. »Ja, natürlich«, antwortete er. »Sein Jagdausweis ist echt. Sonst habe ich über ihn noch nichts herausbekommen. Gleiches gilt für den Lebensmittelhändler Nicolas Bertrand und den Hausmeister Jérôme. Aber ich bin dran.«
»Gut so. Doch vorher checken Sie bitte den Onkel von Serge Blanc-Guerin an der Plage de Gigaro.«

Auf ihrem Handy waren einige Textnachrichten. Thierry fragte, ob sie am Nachmittag Zeit für Boule habe. Die übliche Runde mit Jules und den anderen Pappnasen. Sie überlegte nur kurz, dann sagte sie zu. War es pikant, dass ausgerechnet die nächste SMS von Rouven stammte? Nein, war es nicht. Er wollte wissen, ob sie gut heimgekommen sei und wie es ihrem Bein gehe. Sie antwortete ihm mit einem herzlichen *Merci* für seine gestrige Einladung auf die *Dora Maar*. Natürlich sei sie gut heimgekommen, und ihrem Bein gehe es so gut, dass sie ab morgen wieder mit dem Kickboxen beginne. Danach ein Smiley – und zwei Herzchen. Kaum hatte sie auf Senden gedrückt, fiel ihr auf, dass Thierry als bestätigendes Emoji nur eine unpersönliche Hand mit gestrecktem Daumen bekommen hatte. Keine Herzchen. Sollte ihr das zu denken geben? Quatsch, das hatte nichts zu bedeuten. Nächste Textnachricht: Ihre Freundin Jacqueline fragte nach der toten Nonne und ob sie mit ihren Ermittlungen schon weitergekommen sei?
Isabelle griff zum Telefon und erreichte Jacqueline an ihrem Arbeitsplatz im Vorzimmer von Balancourt. Ihr gegenüber konnte sie offen sein. Also brachte sie ihre Freundin auf den neuesten

Stand – bis hin zur todkranken Schwester Denise Clément und dem womöglich tatverdächtigen Serge Blanc-Guerin.

Jacqueline hatte keinen Zweifel. Natürlich sei er der Mörder, stellte sie fest. Er habe ein Motiv, nämlich jenes der Rache, er sei nachweislich gewaltbereit und triebgesteuert, zudem sei er nach Verbüßung seiner Haftstrafe wieder auf freiem Fuß, habe also die Gelegenheit zur Tat gehabt.

Isabelle bremste sie. In ihrem Job sei man gut beraten, jemanden nicht vorschnell zu verurteilen. Zunächst gelte wie immer die Unschuldsvermutung.

Jacqueline bot ihr eine Wette an.

Nicht schon wieder. Das wurde, dachte Isabelle, langsam zur Manie. Natürlich lehnte sie ab. Stattdessen ließ sie sich mit Balancourt verbinden.

Ihr Chef war bester Laune. Es gehe ihm ausgezeichnet, und er habe von seinem Arzt grünes Licht bekommen, wieder seinen alten Lastern zu frönen.

Isabelle zog diesen Freibrief lachend in Zweifel. Kein seriöser Arzt könne seine Zigarren und den Rotwein gutheißen.

Doch, doch, beharrte Balancourt auf seiner Aussage, um dann kichernd hinzuzufügen, dass der Medikus wohl von homöopathischen Mengen ausgehe. In diesem Punkt gebe es womöglich einen gewissen Dissens.

Sie überlegte, dass es wenig Sinn machte, ihm ins Gewissen zu reden. Balancourt war zu alt, um sich zu ändern. Außerdem würde ihm die Enthaltsamkeit jede Lebensfreude nehmen.

»Was macht die tote Nonne?«, fragte er unvermittelt.

»Ich bin dran, es gibt erste Verdächtige.«

»Am letzten Sonntag war ich im Gottesdienst und habe fortwährend an die ermordete Ordensschwester denken müssen. Wir leben in schlimmen Zeiten, es gibt so viel religiös motivierte Gewalt, nicht nur in Form extremistischen Terrors, sondern auch im Verborgenen. Hast du mal in Erwägung gezogen, dass es sich beim Mord an der Nonne um einen christenfeindlichen Akt handeln könnte? In diesem Fall wäre die Nonne nicht persönlich gemeint gewesen, sondern quasi stellvertretend für die katholische Kirche und unser christliches Wertesystem gestorben.«

Isabelle war überrascht, dass Balancourt über ihren Fall nachdachte, und erst recht, dass er solche Überlegungen anstellte. Sie musste zugeben, dass sie auf diese Idee noch nicht gekommen war. Wohl deshalb, weil sie dieses Szenario für reichlich abwegig hielt. Ein religiös motiviertes Exempel an einer x-beliebigen Nonne zu statuieren, quasi unter Ausschluss der Öffentlichkeit und ohne Bekennerschreiben, entbehrte jeder Logik. Wobei zu berücksichtigen war, dass man mit der Logik auf diesem Feld nicht unbedingt weiterkam. Fanatisierte Täter hatten ihr eigenes fehlgeleitetes Verständnis von Vernunft.

»Nein, diese Möglichkeit habe ich bislang nicht in Betracht gezogen«, antwortete sie. »Aber ich danke dir für diese Anregung. Ich halte dich auf dem Laufenden.«

»Darum bitte ich dich. Der Tod der Nonne beschäftigt mich. Nicht beruflich, wenn du verstehst, sondern emotional.«

»Ich habe dich immer für einen abgeklärten alten Haudegen gehalten ...«

»Das *alt* nimmst du zurück!«

Sie lachte. »Okay, für einen *jung gebliebenen* alten Haudegen, dem nicht so schnell etwas an die Nieren geht.«

»Meine Nierenwerte sind ausgezeichnet. Doch du hast recht, wir beide haben schon so viel Schlimmes erlebt, dass eine tote Nonne einem nicht den Schlaf raubt. Aber so verhärtet bin ich nun doch nicht, dass mich alles kaltlässt. Und weißt du was, liebe Isabelle? Darüber freue ich mich. So kann ich mich jeden Morgen im Spiegel ansehen.«

24

Das *Café des Arts* oder das Bistro *Chez Jacques* mussten heute Mittag auf sie verzichten. Ihre Freundin Clodine hatte sie spontan zu einem kleinen Imbiss vor ihrem Geschäft *Aux saveurs de Provence* eingeladen. An der offen stehenden Ladentür hing das Schild *Fermé*. Unter der Markise, zwischen den Auslagen mit den Seifen und einem Ständer mit Postkarten, saßen sie an einem runden Bistrotisch – mit Baguette, Olivenpaste, in Öl eingelegtem Ziegenkäse, Lavendelhonig, Tomaten, luftgetrocknetem Schinken … Dazu eine Flasche Côtes du Ventoux. Isabelle war überrascht, was Clodine so alles aufgetischt hatte. Sie fanden kaum mehr Platz für ihre Teller. Clodine war aufgekratzt, und wenn Leute vorbeikamen, prostete sie ihnen fröhlich zu.

Weil Isabelle ihre Freundin kannte, ahnte sie den Grund für ihre Ausgelassenheit. Blieb nur die Frage, wer es diesmal war. Auf die Antwort musste sie nicht lange warten. An der Ecke tauchte Lucas auf, der junge Aushilfskellner aus Jacques' Bistro, und steuerte mit einem verlegenen Grinsen auf sie zu. In der Hand hielt er eine Blume. Wie rührend.

»Hattest du nicht gesagt, er wäre noch grün hinter den Ohren?«, flüsterte Isabelle.

Clodine kicherte. »Da habe ich mich getäuscht. Außerdem ist er sehr talentiert.«

Auf welchem Gebiet? Die Frage erübrigte sich.

Lucas begrüßte Clodine mit einem Küsschen, Isabelle gab er etwas linkisch die Hand. Offenbar wusste er nicht so recht, wie viel Respekt er der Madame le Commissaire entgegenbringen sollte. Außerdem war sie ein bevorzugter Gast im Bistro, wo er heute seinen freien Tag hatte.

Clodine zog einen weiteren Stuhl an den Tisch und reichte Lucas ein Weinglas. Dann steckte sie ihm eine Olive in den Mund und bestrich ihm ein Stück Baguette mit Tapenade. Dazu quasselte sie unablässig. Isabelle amüsierte sich über ihre Freundin, die sich aufführte wie ein junges Mädchen. Lucas kam nicht dazu, viel zu sagen. Aber er war zweifellos nett – und wie es schien, hatte er gute Nerven. Die brauchte er, um die aufgedrehte Clodine zu ertragen.

Gerade überlegte Isabelle, wie groß die Chancen standen, dass ihre Freundin das Geschäft am Nachmittag wieder öffnen würde, da kam Apollinaire vorbeigeschlendert, in Uniform und Händchen haltend mit Shayana. In Fragolin verstieß das nicht gegen die Dienstvorschriften, und außerdem war Mittagspause. Aus den Augenwinkeln glaubte sie zu sehen, dass Lucas beim Anblick der beiden zusammenzuckte. Oder hatte ihn Clodine gerade unter dem Tisch gezwickt?

Apollinaire und Shayana winkten ihnen zu und liefen weiter. Seine Freundin machte einen entspannten Eindruck. Den gestrigen Zwischenfall mit ihrer Bankkarte schien sie gut überstanden zu haben.

Eine Stunde später dachte Isabelle, dass sie erstens genug gegessen und getrunken hatte und dass sie zweitens Clodine Gelegenheit geben sollte, sich eingehender und vor allem ungestört mit Lucas zu beschäftigen. Denn eines stand mittlerweile außer Frage: Der hübsche Laden *Aux saveurs de Provence* würde heute Nachmittag definitiv nicht mehr öffnen. Clodine musste nur noch abräumen und die Auslagen ins Geschäft schaffen, dann würde sie Lucas in ihre nahe gelegene Wohnung verschleppen und sich an seinen Talenten erfreuen.

Zurück im Büro, traf sie Apollinaire telefonierend an. Er deutete mit dem Zeige- und Mittelfinger ein Victory-Zeichen an und brachte sein Gespräch zu Ende. Währenddessen zog sie die Sandaletten aus und lief zum Aktenschrank mit der Kaffeemaschine, um sich einen *petit noir* aufzubrühen. Nach dem ausgiebigen Mittagsimbiss konnte sie einen Muntermacher vertragen. Sie dachte an den jungen Lucas, der in Clodines Fänge geraten war. Der Altersunterschied schien ihm nichts auszumachen. Clodine war eine erotische Frau, warum also nicht. Das Abenteuer war ihm zu gönnen, und ihr sowieso. Was die Leute redeten, war Clodine schon immer egal. Jeder im Dorf wusste, dass sie wechselnde Beziehungen und Affären hatte. Manche Frauen beneideten sie dafür, andere waren weniger gut auf sie zu sprechen, weil Clodine ungeniert mit ihren Ehemännern flirtete. Dabei meinte sie es häufig gar nicht ernst, für sie war es ein Spiel. Lucas dagegen war sozusagen Freiwild. Er war nur vorübergehend in Fragolin, bis er in irgendeiner Stadt einen neuen Job bekam. Lucas war IT-Spezialist. Solche Leute waren gefragt, er würde nicht lange bei seiner Tante in Fragolin bleiben und bei Jacques als Kellner aushelfen. Er war also prädestiniert für Clodines Trophäen-Sammlung – seinem jungen Alter zum Trotz.

Apollinaire legte auf und drehte sich auf seinem Bürostuhl zu ihr. »*Et voilà!* Das wäre geklärt. Sie hatten mich doch gebeten, an der Plage de Gigaro nach einer Strandbar zu forschen, die von einem Onkel unseres Hauptverdächtigen geführt wird.«

»Sie meinen Serge Blanc-Guerin? Ob er unser Hauptverdächtiger ist, muss sich erst noch herausstellen.«

Apollinaire grinste. »Wir haben doch eine Wette laufen, schon vergessen?«

»Ich vergesse selten etwas. Deshalb erinnere ich mich auch noch genau an unseren Wetteinsatz. Was ist mit der Strandbar?«

»Der Onkel hat's uns leicht gemacht. Er heißt wie Serge mit Nachnamen Blanc-Guerin und ist weiterhin als Pächter eingetragen. Das hat mir gerade ein Mitarbeiter vom zuständigen Amt in La Croix-Valmer bestätigt. Ich habe alles notiert: Name der Strandbar, Adresse, Telefonnummer. Soll ich anrufen und fragen?«

»Was wollen Sie fragen? Ob er weiß, wo Serge steckt?«

»Ganz genau, das wollen wir doch wissen, oder?«

Sie sah ihn lächelnd an. »Richtig, aber ein solcher Anruf könnte dazu führen, dass wir genau das nicht in Erfahrung bringen werden. Schlimmer noch, Serge wäre gewarnt und würde auf Tauchstation gehen.«

Er zog die Luft durch die Zähne. »Anrufen ist also keine so gute Idee. Ich verstehe, wir müssen subtiler vorgehen.«

Isabelle überlegte, dass sie die Badesachen einpacken und zur Plage de Gigaro fahren könnte. Allerdings war sie mit Thierry zum Boule verabredet und wollte ihm nicht schon wieder absagen.

»Wie lange hat die Strandbar geöffnet?«, fragte sie.

Apollinaire informierte sich im Internet. Er sah auf die Uhr und zog eine Grimasse. »Kaum zu schaffen. Ausgerechnet heute macht sie eher zu.«

Damit war ihr die Entscheidung abgenommen. Sie würde morgen Vormittag zum Baden gehen. Heute war Boule angesagt. Hatte sie ein schlechtes Leben? Nicht wirklich!

Apollinaire entdeckte einen Notizzettel auf seinem Schreibtisch.

»Das hätte ich fast vergessen«, sagte er. »Wir haben ein gravierendes Problem. Die Kollegen in Toulon haben Fakten geschaffen.« Er hüstelte verlegen. »Fakten, die meines Wissens der katholischen Glaubenslehre widersprechen und am

Jüngsten Tag Albertines Auferstehung zum ewigen Leben erschweren könnten.«

Sie sah ihn verständnislos an.

»Was ich sagen will«, fuhr er fort. »Albertines Leichnam sollte doch in einem Sarg in das *Monastère des bonnes sœurs* überführt werden. Nun ist sie durch einen behördlichen Irrtum versehentlich eingeäschert worden. Ihre Urne liegt in Toulon zur Abholung bereit.«

»Auch das noch. Hortensia trifft der Schlag. Sie hat die Feuerbestattung ausdrücklich abgelehnt.«

»Ich weiß, aber der Vorgang ist nicht umkehrbar. Wir können uns ja keine andere Frau aus den Kühlschubladen der Rechtsmedizin besorgen und als Albertine in einen Sarg legen.«

Sie schüttelte empört den Kopf. »So etwas dürfen Sie nicht einmal denken.« Und nach einer kurzen Pause: »Dann ist es so, wie es ist. Ich werde versuchen, es der Mutter Oberin schonend beizubringen.«

Thierry holte sie zum Spiel im Büro ab. Apollinaire wünschte ihnen viel Erfolg. Jules und die anderen warteten schon auf dem Platz vor dem Rathaus und begrüßten sie mit den üblichen Frotzeleien. Isabelle war sich der besonderen Ehre bewusst, hier mitspielen zu dürfen. Sie war die einzige Frau unter Männern. Warum gerade sie? So genau wusste sie es auch nicht, aber sie erfüllte schon mal ein entscheidendes Kriterium: Sie war in Fragolin geboren. Zugereiste waren zeitlebens ausgeschlossen, Pech gehabt. Zudem war ihr Vater Bürgermeister von Fragolin gewesen, im Rathaus hing sein Porträt in Ölfarben. Das wog ihren Makel auf, dass sie nach dem frühen Unfalltod ihrer Eltern lange Zeit in Lyon und Paris verbracht hatte. Aber sie war nach Fragolin zurückgekehrt. Und man hatte sie wieder aufgenommen – wie einen verlorenen

Sohn. Natürlich, sie war eine Frau, aber als Kommissarin der *Police nationale* hatte sie einen Männerberuf. Und wie Thierry und ihre Boule-Clique wussten, hatte sie zuvor eine geheime Spezialeinheit geleitet – lauter harte Jungs, mit Isabelle als Kommandeurin. Damit war sie auch für die alten Machos von Fragolin keine wirkliche Frau mehr. Sie musste schmunzeln. In ihrem besonderen Fall war das ein Kompliment.

Thierry war schon dabei, mit einem alten Geschirrtuch seine Kugeln zu reinigen, da nahm Jules seine Mütze ab und kratzte sich am unrasierten Kinn.

»*Ça ne me plaît pas!*«, stellte er fest.

»Was gefällt dir nicht?«, fragte Thierry.

Jules deutete auf einen Laternenmast, an dem eine der neuen Videokameras montiert war.

»Ist die in Betrieb?«, fragte er.

»Ich hoffe doch sehr«, antwortete Thierry. »Sie überwacht den Vorplatz vom Rathaus. Das ist einer der neuralgischen Punkte in Fragolin.«

Wieder kratzte sich Jules am Kinn. »*Mais non*, das geht so nicht.«

»Wieso?«

»Die Kamera zielt genau auf unseren Bouleplatz.«

Thierry sah zwischen der Kamera und dem Rathaus hin und her.

»Nein, sie erfasst unser *Hôtel de ville* und den gesamten Vorplatz.«

»Sag ich doch. Damit ist auch unser Bouleplatz auf dem Bild.«

Isabelle hielt sich aus der Diskussion raus. Die Videoüberwachung von Fragolin war Thierrys persönliches Steckenpferd. Er hatte sie in der Bürgerversammlung durchgesetzt. Abgesehen davon hatte Jules recht. Aber was spielte das für eine Rolle?

Richard, der Apotheker, lachte. »Gut so, dann können wir hinterher kontrollieren, ob du geschummelt hast.«

Jules zeigte ihm einen Vogel. »Kapiert ihr nicht? Wer schaut sich die Videos an? Die Gendarmerie! Also zum Beispiel der einfältige Albertin oder der dicke Capitaine Briand. Wollt ihr wirklich, dass uns die Gendarmerie beim Boulespielen zusieht? Die blöden Kommentare kann ich mir vorstellen.«

»Die hängen vor den Monitoren und machen sich lustig, da hast du recht.«

»Dabei haben sie bei der letzten *compétition* haushoch verloren.«

Isabelle schmunzelte. Das stimmte. Die Mannschaft der Gendarmerie war weit abgeschlagen auf dem letzten Platz gelandet. Natürlich hatten sie Pech gehabt, so schlecht waren sie auch wieder nicht.

Thierry legte seine Kugeln ab. »Ihr habt recht«, stellte er fest. »Die Vorstellung, dass uns Briand und seine Leute beim Spielen zusehen können, behagt auch mir nicht. Isabelle, könnte Apollinaire bitte die Leiter aus dem Keller holen, er ist von uns der größte. Ich rufe in der Zwischenzeit bei der Gendarmerie an und teile ihnen mit, dass wir den Blickwinkel der Kamera verstellen. Nicht dass sie eine Sabotage vermuten und mit einem Einsatzkommando anrücken.«

Mit einer Verspätung von einer halben Stunde starteten sie schließlich ihre Partie. Die Kamera war jetzt so ausgerichtet, dass noch immer der Eingang zum Rathaus erfasst wurde, aber nicht mehr der Bouleplatz. Apollinaire hatte sich bereit erklärt, der Dienststelle der *Gendarmerie nationale* einen Besuch abzustatten, um sich vom korrekten Blickwinkel zu überzeugen. Isabelle dachte amüsiert, dass die vorangegangene Aktion für Fragolin von geradezu herausragender Bedeutung war. Reibungslos hatte der Bürgermeister des Ortes in einer Art konzertierten Aktion die beiden Polizeibehörden koordiniert und eine sicherheitsrelevante Einrichtung betriebsoptimiert. Dies mit dem Ziel, die schutzwürdige Privatsphäre der Bürger zu wahren.

»Isabelle, du bist dran!«

Sie nahm ihre Position ein und konzentrierte sich. Während sie in die Knie ging, fühlte sie plötzlich, dass ihr linkes Bein nachgab. Sie verlor die Balance, konnte ihren Wurf aber dennoch ausführen.

»Was war das denn?«, fragte Thierry angesichts des miesen Resultats.

Dass sie fast gestürzt wäre, hatte keiner bemerkt, zu sehr war die Aufmerksamkeit auf die Kugel gerichtet.

»Das war ein schlechter Wurf«, konstatierte sie mit einem gequälten Lächeln. Wenn er wüsste, wie egal ihr das war. Sobald sie wieder an der Reihe war, würde sie ihr Gewicht aufs rechte Bein verlagern. Und nach der Partie würde sie ihre Krankengymnastin anrufen und einen Termin vereinbaren.

25

Die Plage de Gigaro ist ein schöner Naturstrand im Süden von La Croix-Valmer, der im Osten bis zum Cap Taillat und dem Col de Collebasse reicht, mit angrenzenden Aleppo-kiefern und Korkeichen und einem weiten Blick auf die der *Côte des Maures* vorgelagerten Inseln von Hyères mit Por-querolles, Port-Cros und der Île du Levant. Isabelle war schon häufiger hier gewesen, weniger zum Schwimmen, da bevorzugte sie ihren kleinen »Geheimstrand« weiter im Westen, aber sie liebte es, an der Plage de Gigaro zu laufen. *Pieds dans l'eau* – mit den nackten Füßen im Wasser. Auch mochte sie den romantischen Küstenwanderweg *Sentier Littoral,* der von hier um die Halbinsel nach Saint-Tropez führt.

Sie wusste also, wo sie am besten parken konnte. Und zwar ihren privaten Renault, denn sie wollte jegliches Aufsehen vermeiden und wie ein ganz normaler Badegast auftreten – jedenfalls vorläufig. Sie hatte einen Bikini-Slip an und eine lockere weiße Bluse. Vom Meer kam eine warme Brise. In ih-rer Umhängetasche verstaute sie ihre Badesachen und die Sandaletten, aber auch ihren Polizeiausweis. Sie setzte ihre dunkelgrüne Pilotenbrille auf und spazierte los. Die Strand-bar von Serges Onkel war nur wenige hundert Meter entfernt. Hoffentlich war er da. Sie war unschlüssig, wie sie taktieren sollte. »Wir müssen also subtiler vorgehen«, hatte Apollinaire festgestellt. Fragte sich nur, wie. Auf irgendeine Weise musste sie herausbekommen, wo sich Serge Blanc-Guerin aufhielt, und zwar so, dass der Onkel nicht merkte, dass sich die Polizei für seinen Neffen interessierte. Wahrscheinlich musste sie sich wieder irgendeine Lügengeschichte einfallen lassen. Noch hatte sie keinen kreativen Einfall. Am besten würde sie erst mal einen *café au lait* bestellen.

Aber erstens kommt es anders, und zweitens als man denkt. Isabelle ging die drei Stufen hinauf zur Holzterrasse, setzte sich im Schatten eines vom Wind zerzausten Strohschirms auf einen Korbstuhl – und sah mit einem Blick, dass sie den Onkel nicht würde fragen müssen. Sie wusste aus den Polizeiprotokollen, wie Serge aussah, und zwar genauso wie der Ober, der gerade auf sie zukam.

Der Mann war groß und muskelbepackt, mit tätowierten Armen und langen, strähnigen Haaren. Unwillkürlich stellte sie sich vor, wie sich dieser grobe Klotz auf die zarte Odette Clément stürzte, um sie zu vergewaltigen. Kein Wunder, dass es mehrerer Messerstiche bedurfte, ihn aufzuhalten. Auch brauchte sie nicht viel Fantasie, ihn in den Gärten von Rayol zu sehen, wie er eine Nonne von den Felsen stieß. Was aber nicht erwiesen war.

Er lächelte sie an. In einem Schneidezahn schimmerte ein Diamant.

»*Que puis-je faire pour vous?* Was kann ich für Sie tun?«

»Ich hätte gerne einen Whisky«, sagte sie, »mit Eis, ohne Soda.«

»Wow, um diese Zeit? Madame, Sie gefallen mir.«

»Warum? Ich trinke immer erst nach Sonnenuntergang«, stellte sie fest.

Er deutete grinsend zur hochstehenden, gleißenden Sonne.

»Die Welt ist rund«, erklärte sie, »und irgendwo ist immer Sonnenuntergang. Bringen Sie mir einen Doppelten.«

Sie sah ihm hinterher und dachte, dass sie ursprünglich einen *café au lait* bestellen wollte. Auch den hätte sie eigentlich weglassen können und ihm gleich den Polizeiausweis unter die Nase halten sollen. Mit ihm hatte sie einen möglichen Tatverdächtigen. Sie musste ihn nicht lange suchen, er stand direkt vor ihr. Ihn galt es, knallhart zu befragen. Was brachte ein erneutes Theaterspielen?

Während sie über die weitere Vorgehensweise nachdachte und darüber, dass sie keine Strategie hatte, kam Serge mit einem Tablett zurück an ihren Tisch, darauf zwei Gläser mit Whisky.

»Darf ich mich kurz zu Ihnen setzen? Ist gerade nicht viel los.«

Sie zog aufreizend langsam die Sonnenbrille nach unten und musterte ihn über die dunklen Gläser hinweg.

»Warum nicht?«, sagte sie schließlich. »Alleine trinken macht depressiv.«

Sie zündete sich einen Zigarillo an. Zufällig hatte sie welche dabei. Thierry hatte sie beim letzten gemeinsamen Badeausflug vergessen.

Er legte sein Handy auf den Tisch und reichte ihr die Hand.

»Mein Name ist Serge. Die Bar hier gehört meinem Onkel.«

»Ich bin Zoé. *Salut!*«

Der Name war ihr spontan eingefallen. Bei ihrem ersten Kriminalfall in der Provence gab es eine Nutte, die so hieß. Tragischerweise wurde sie umgebracht.

Serge schien erkältet. Er musste sich schnäuzen. Dann stieß er mit ihr an.

»Machen Sie hier Urlaub?«

Männern fielen, dachte sie, meist keine klugen Fragen ein, wenn sie ein Gespräch in Gang bringen wollten, selbst intelligenteren Vertretern ihres Geschlechts. Von Serge hatte sie sowieso nichts Gescheites erwartet.

»Nein, ich bin bei der Arbeit«, sagte sie. Dann leerte sie den restlichen Whisky in einem Zug.

Er grinste. »Bei der Arbeit? Ich verstehe.«

Innerlich musste sie schmunzeln. Er hatte ihre Antwort für einen Scherz gehalten. Sie fischte ihr Handy aus der Badetasche und tat so, als ob sie auf dem Display eine eingehende Nachricht läse. Stattdessen aktivierte sie eine App, die ihr Apollinaire installiert hatte. Dann legte sie ihr Handy auf den Tisch neben ihr Whiskyglas, nicht weit entfernt von seinem, und sah ihn fragend an.

»Sie helfen hier nur aus, oder? Sie sehen nicht aus wie ein Kellner, dem es Spaß macht, Touristen mit Sonnenbrand und schreienden Kindern Coca-Cola und Pizza zu servieren.«

Wieder musste sich Serge schnäuzen. Das zusammengeknüllte Papiertaschentuch warf er unter den Tisch zu ihren nackten Füßen. Sehr appetitlich.

Unter dem knapp sitzenden T-Shirt spannte er seine Muskeln und lachte. »Nein, die Tabletts sind mir zu schwer. Ich könnte mir ja einen Bruch heben.«

Sie tat so, als ob sie seine schwellenden Bizepse bewundern würde. In Wahrheit fand sie diese lächerlich.

Isabelles Handy piepte. Auf dem Display war ein grüner Punkt zu sehen.

»Haben Sie eine Nachricht bekommen?«

»Sieht ganz so aus«, antwortete sie. »Gibt aber gerade Wichtigeres.« Sie fuhr mit dem Zeigefinger über seinen Unterarm. Kratzer hatte er keine, die von Albertines Fingernägeln stammen könnten. »Sie haben schöne Tattoos.«

»Nicht nur hier, *mon amour*.«

Sie ließ sich gerade wieder mal auf ein gefährliches Spiel ein, dachte Isabelle. Warum tat sie das? Aus einer Laune heraus? Ganz bestimmt nicht. Der Mann war ihr von Grund auf zuwider. Nein, es gab handfeste Gründe. Serge war nun mal kein braver Bürger mit festem Wohnsitz und Arbeitsplatz, den man mal einfach so fragen konnte, ob er vielleicht eine Nonne ermordet hatte. Er würde die Tat wütend abstreiten – und abhauen. Sie hatte keinen rechtskräftigen Grund, ihn aufzuhalten oder gar festzunehmen. Als vorbestrafter Drogenhändler und Gewalttäter kannte sich Serge im Milieu aus. Er würde untertauchen und nur schwer wieder zu finden sein. Sie spielte mit dem Gedanken, ihn nach Rauschgift zu fragen. Falls er darauf einstieg, hätte sie eine Handhabe. Aber so blöd war er nun doch nicht. Außer, sie machte ihn weiter an und verabredete ein Date mit ihm, verbunden mit dem Wunsch, sich mit Drogen aufzuputschen. Das könnte funktionieren. Serge war alt genug, um auf sie abzufahren. Was er offensichtlich gerade tat. Auf eine Frau, die am Vormittag Whisky trank, Zigarillos rauchte und seine Tattoos schön fand. Isabelle war wandlungsfähig. Das hatte sie in ihrem früheren Job gelernt. Sie konnte sich so verstellen, dass sogar Proleten an ihr Gefallen fanden. Falls Serge zum Date Drogen mitbrachte, hatte sie ihn. Und steckte er erst mal in Untersuchungshaft, konnte sie ihn nach allen Regeln der Kunst in die Mangel nehmen.

Noch zögerte sie. Es gab andere Optionen. Und es gab keinen Grund, eine Entscheidung übers Knie zu brechen. Außerdem würde Serge nur heißer werden, wenn sie ihn etwas zappeln ließ.

»Wow, du hast Tattoos auch woanders?«, sagte sie. »Die würde ich gerne mal sehen.«

Der Diamant in seinem Schneidezahn blitzte.

»Wirklich? Ich kann mir freinehmen, sofort.«

Sie tätschelte seinen Unterarm, was sie einige Überwindung kostete. »Nicht jetzt, leider. Aber ich komme wieder, versprochen. Bist du morgen hier?«

»Na klar, den ganzen Tag.« Er grinste schief. »Und auch morgen kann ich mir jederzeit freinehmen.«

»Klingt doch großartig. Hoffentlich bist du so stark, wie du aussiehst.«

Ein grauhaariger Mann hinter der Theke pfiff durch die Finger. Er gab Serge ein Zeichen, an einem anderen Tisch zu bedienen.

»Mein Onkel«, erklärte Serge. »Er hat einen Vogel. Aber sonst ist er ganz nett.«

»Was kostet der Whisky?«

»Bist eingeladen.«

»*Merci.*«

»Wir sehen uns morgen?«

Sie lächelte. »Ganz sicher sogar.«

Serge hauchte ihr einen Kuss zu. Ihr lief es kalt den Buckel runter, aber sie schaffte es, erneut zu lächeln.

Er räumte die leeren Whiskygläser ab, nahm sein Handy und eilte davon.

Isabelle blickte ihm hinterher. Dann bückte sie sich unter den Tisch und hob Serges weggeworfenes Papiertaschentuch auf, mit spitzen Fingern, nicht nur aus Ekel.

Sie steckte ihr Handy ein und drückte ihr Zigarillo in den Aschenbecher. Im Aufstehen sah sie, dass Serge ihr zuwinkte. Es gab keinen Grund, den Gruß nicht zu erwidern. Er konnte ja nicht ahnen, was ihr dabei durch den Kopf ging.

26

Isabelle betrat das Rathaus mit einer großen Plastiktüte von Lafayette. Thierry, der ihr zufällig über den Weg lief, begrüßte sie hastig mit Wangenküsschen.

»Tut mir leid, ich habe gerade wenig Zeit.« Und mit einem Blick auf ihre Einkaufstüte: »Warst du beim Shoppen?«

Sie runzelte die Stirn. Er hatte wenig Zeit, war aber trotzdem neugierig.

»Beim Shoppen? Nein, der Eindruck täuscht. Ich habe für einen dienstlichen Zweck die Tüte zweckentfremdet.«

Weil sie ausgebeult war und offenbar etwas Großes, womöglich Rundes enthielt, sah er sich zu einem Scherz veranlasst.

»Hast du da den Kopf eines Mörders drin?«

Das war makaber. Er konnte nicht wissen, weshalb.

»Nein, aber sein Opfer«, rutschte ihr raus. »Und zwar komplett, nicht nur den Kopf.«

»Äh, wie? Eine tote Katze?«

Sie atmete tief durch. »Thierry, sei mir nicht böse, ich will gerade nicht darüber reden. Außerdem bist du in Eile.«

»Heute Abend nach der Arbeit? Im *Café des Arts*?«

»Okay, erwarte dir nicht zu viel.«

»Aber ich würde schon gerne wissen, woran du gerade arbeitest.«

Erst jetzt wurde ihr bewusst, dass sie ihm nichts erzählt hatte. Es gab keinen Grund, ihn völlig im Unklaren zu lassen. Sie klopfte gegen die Tüte. Es klang blechern.

»Da ist eine Urne drin«, erklärte sie, »mit der Asche eines Mordopfers.«

»Ist nicht dein Ernst.«

»Doch.«

Er schlug entsetzt die Hand vor den Mund. »*Oh mon Dieu. Ich konnte ja nicht ahnen …*«

»Nein, konntest du nicht. Zugegeben, die Plastiktüte ist ziemlich pietätlos, aber in Toulon hatten sie keinen passenden Karton.«

Isabelle ließ ihn ohne weitere Erklärung stehen und eilte ins Büro. Sie konnte sich vorstellen, dass er ihr fassungslos hinterherblickte.

Apollinaire sah fast andächtig zur Urne, die auf dem Fensterbrett neben ihrem Kaktus stand. Sie war schwarz und mit einem großen Kreuz verziert. Genau genommen handelte es sich um das dekorative Urnenbehältnis. Die eigentliche Aschekapsel befand sich im Inneren, verlötet und ordnungsgemäß beschriftet. Apollinaire stellte fest, dass sie noch nie eine tote Nonne im Kommissariat hatten, wenngleich in komprimierter Form. Er hüstelte verlegen. Nun, das sei eine unglückliche Formulierung, die er bedaure. Es handle sich hier um die heilige Asche einer Ordensschwester, die ihr Leben Gott geweiht habe. Er bekreuzigte sich. *Requiescat in pace.*

Isabelle berichtete, dass sie nach ihrem Termin an der Plage de Gigaro nach Toulon gefahren sei, wo man ihr ohne Vorankündigung die Urne übergeben habe. Jetzt müsse sie diese zum *Monastère des bonnes sœurs* bringen und der Mutter Oberin das Missgeschick der Einäscherung beichten. Darauf freue sie sich nun wirklich nicht.

Apollinaire nickte. Das sei ein Gang nach Canossa. Es sei ihm eine Ehre, Madame auf dieser Fahrt begleiten zu dürfen.

Seine Ergriffenheit überraschte sie. Dennoch würde sie wohl alleine zum Kloster fahren.

»Warum waren Sie eigentlich in Toulon?«, fragte er nach einer Weile. »Wenn nicht wegen der Urne, weshalb dann? Ach so, und wie ist es mit Serges Onkel gelaufen? Wissen Sie, wo sich der Nonnenmörder aufhält?«

Isabelle hob warnend den Zeigefinger. »So sollten Sie nicht sprechen, nicht einmal denken. Noch gibt es keinen gesicherten Anhaltspunkt für seine Schuld.«

»Pardon, ist mir so rausgerutscht.«

»Außerdem waren das etwas viele Fragen auf einmal«, stellte sie fest. »Ich war in Toulon in unserer Forensik und habe dort ein benutztes Papiertaschentuch abgegeben mit der Bitte, einen gentechnischen Vergleich durchzuführen.«

»Muss ich das verstehen?«

Sie lächelte. »Nein, müssen Sie nicht. Das Taschentuch stammt von Serge Blanc-Guerin. Er hat mehrfach reingeschnäuzt und es mir dann freundlicherweise vor die Füße geworfen. Jetzt will ich wissen, ob seine DNA mit jener unter Albertines Fingernägeln identisch ist. Sollte das der Fall sein, können Sie gerne wieder das Wort *Nonnenmörder* in den Mund nehmen.«

»Serge Blanc-Guerin hat Ihnen sein Taschentuch vor die Füße geworfen? Das würde ja bedeuten, dass Sie ihm begegnet sind. Also hat Ihnen der Onkel seinen Aufenthaltsort verraten?«

Amüsiert stellte sie fest, dass sie im Moment genau das machte, was sie bei Apollinaire immer wieder nervte: Sie ließ sich alles einzeln aus der Nase ziehen.

»Mit dem Onkel habe ich überhaupt nicht gesprochen. Das Schicksal hat mir in die Hände gespielt. Serge jobbt in der Strandbar als Kellner. Er hat mich nicht nur bedient, sondern auch versucht, mich anzubaggern …«

»Er baggert eine Kommissarin der *Police nationale* an? Der ist wohl nicht ganz richtig im Kopf.«

»Ich habe mich nicht zu erkennen gegeben. Und ich gestehe, ich habe es ihm leicht gemacht. Zum Dank hat er mir unachtsamerweise sein Taschentuch überlassen. Er hofft, dass ich morgen wiederkomme.«

»Jetzt verstehe ich. Sie haben wieder eines Ihrer Spiele gespielt. Was ist das für ein Typ, dieser Serge? Stimmt seine Beschreibung in den Polizeiprotokollen?«

»Sagen wir so, er ist ein primitiver Muskelprotz, der auf eine merkwürdige Art auch charmant sein kann. Ihm ist all das zuzutrauen, wofür er verurteilt wurde. Und vielleicht auch einiges mehr.«

»Aber Sie haben ihn nicht gefragt? Zum Beispiel, ob er ein Alibi hat?« Apollinaire überlegte kurz. »Natürlich nicht«, beantwortete er sich die Frage selbst. »Sie wollen ja erst den gentechnischen Vergleich abwarten, richtig?«

»Ganz genau. Das Ergebnis bekommen wir morgen früh.«

Apollinaire kratzte sich am Kinn. »Madame, entschuldigen Sie meine dumme Frage: Was machen wir, wenn Serge morgen nicht mehr da ist und abtaucht?«

»Dann orten wir sein *portable* und haben ihn schon wieder.«

»Geht nicht, das habe ich überprüft, auf ihn ist kein Handy angemeldet. Wahrscheinlich hat er eine Prepaid-Karte. Wir müssten seine Nummer wissen, aber das tun wir nicht.«

»Falls die App was taugt, die Sie auf meinem Handy installiert haben, wissen wir sie doch.«

Er machte große Augen. »Sagen Sie bloß, Sie haben die Spionage-Funktion aktiviert? Wie weit war sein Gerät entfernt?«

»Vielleicht dreißig Zentimeter plus ein Whiskyglas. Nach kurzer Zeit hat es gepiept, und auf dem Display erschien ein grüner Punkt.«

»Wow, das hört sich gut an. Ab und zu denken sich die Freaks aus unserer Cyber-Abteilung doch was Sinnvolles aus. Kann ich mal Ihr Handy haben?« Er schloss es an seinen Computer an. Es dauerte eine Weile. Der erhoffte Freudenjuchzer blieb aus. »*Merde.* Die Synchronisation hat geklappt, mehr aber auch nicht. Von wegen, dass man jetzt die Nummer auslesen könnte. Falsche Versprechungen.« Er machte mit der Hand vor seinem Gesicht den Scheibenwischer. »Ist eine Frechheit, uns eine unausgereifte Vorstufe zur Verfügung zu stellen.«

Isabelle zuckte mit den Schultern. »Lässt sich nicht ändern. Bis morgen wird er wohl kaum abtauchen, immerhin sind wir verabredet.« Sie stand auf und lief im Büro auf und ab. »Ist trotzdem schade. Ich hätte gerne gewusst, wo sein *portable* zum Zeitpunkt des Mordes war.«

Apollinaire schnalzte mit der Zunge. »Ja, das wäre was. Dann hätten wir ihn.«

Sie lächelte. »Oder auch nicht. Je nachdem.«

»Er war garantiert in den Gärten von Rayol. Wenn der Gentest positiv ausfällt, brauchen wir seine Handy-Daten nicht.«

»Warten wir es ab. In jedem Fall werde ich Serge morgen erneut besuchen.« Sie warf einen Blick zum Fensterbrett. »Die Urne muss so lange warten.«

»Ist ja egal, der Inhalt wird nicht schlecht.«

Sie sah ihn empört an. »Apollinaire, ich bin zwar selber ein Freund des schwarzen Humors, aber das geht zu weit.«

»Stimmt doch«, murmelte er.

27

Am nächsten Morgen wurde sie von einem heftigen Klopfen an der Tür geweckt. Sie wühlte sich aus dem Bettlaken und öffnete. Vor ihr stand die Physiotherapeutin.

»Habe ich dich geweckt?«

Isabelle fuhr sich verschlafen durch die Haare. »Sylvie, du bist es? Jetzt schon?«

»Ich bin auf die Minute pünktlich, aber ich kann gerne später wiederkommen.«

»Nein, ich bin doch froh, dass du hier bist. Bleib und quäl mich. Hinterher bin ich vielleicht wach.«

Sylvie lachte und stellte ihre Tasche ab. »Letzteres kann ich versprechen. Aber quälen werde ich dich nicht. Du hast ein Problem?«

»Nicht wirklich, aber mein linkes Bein macht gelegentlich schlapp. Weiß auch nicht, was da los ist. Du hast mich ja schon einmal fit bekommen. Da dachte ich, du könntest es erneut versuchen.«

»Aber klar. Das kriegen wir hin. Im Vergleich zu dem, was du schon so alles hattest, ist ein schlappes Bein ein Klacks. Hast du Schmerzen?«

Isabelle schüttelte den Kopf. »Nein, ich hatte mal ein kurzes Stechen im Bein, aber das war's schon.«

»Taubheitsgefühle?«

»Schon eher, auch in den Zehen, aber nicht der Rede wert.«

Sylvie knetete sich ihre Hände. »Okay, dann fangen wir mal an.«

Als Isabelle zwei Stunden später ins Kommissariat kam, war sie nicht nur wach, sondern positiver Stimmung. Sylvies krankengymnastische Übungen und Massagen hatten ihr gutgetan. Anschließend hatten sie gemeinsam gefrühstückt. Sylvie hatte zwar keine Diagnose parat, aber sie meinte, dass aufgrund ihrer schweren Verletzungen, die sie bei dem Bombenattentat erlitten hatte, solche kleinen Rückfälle völlig normal seien. Sie war zuversichtlich, dass nach einigen weiteren Behandlungen wieder alles in Ordnung sei. Isabelle war gewillt, ihr zu glauben.

Sie konnte Apollinaire ansehen, dass ihn etwas beschäftigte. »Ist der DNA-Vergleich schon da?«, fragte sie.

»Nein, dürfte aber jeden Moment kommen. Dafür habe ich eine andere Information, die den Fall in einem neuen Licht erscheinen lässt.«

Das überraschte sie. »Wirklich? Raus damit!«

Er sah sie verwirrt an. »Entschuldigung, ich meinte nicht unseren Fall, also jenen mit der toten Nonne Albertine, ich meinte Shayana, die gottlob bei bester Gesundheit ist.«

Fast war sie erleichtert, denn irgendwie wollte sie nicht, dass ihr aktueller Fall plötzlich in einem neuen Licht erschiene.

»Es wurden nämlich zwei weitere Frauen beklaut«, erklärte er. »Genau genommen ein älteres Ehepaar und eine junge Frau. Auch bei ihnen wurde mit der Bankkarte sofort an einem Automaten Geld abgehoben. Die Opfer beteuern ebenfalls, dass der PIN-Code nirgends notiert war.«

»Damit dürfte Shayana endgültig aus dem Schneider sein«, stellte sie fest. »Wo haben sich die Diebstähle ereignet? Im selben *centre commercial* wie bei Shayana?«

»Nein, eben nicht. Zwar auch in großen Einkaufszentren, sogar in relativer Nähe, aber an verschiedenen Orten. Das ist doch merkwürdig, oder?«

»Finde ich nicht. Das ist höchstens aufschlussreich.« Sie stand auf und holte sich einen Kaffee. »Haben sich die Diebstähle am selben Tag zugetragen?«, fragte sie.

Er schüttelte den Kopf. »Das nicht, aber in derselben Woche.«

»Sie haben mir gar nicht erzählt, wie sich Shayanas Handtaschenklau zugetragen hat. Eine Videoaufzeichnung gibt's wohl nicht, sonst hätten Sie es von der Gendarmerie erfahren, richtig?«

»Ihr wurde die Tasche unten bei den Toiletten entrissen, da sind keine Überwachungskameras installiert. Shayana ist gestürzt und hat den wegrennenden Täter nur noch von hinten gesehen. Sie meint, es war ein Mann, mehr konnte sie nicht erkennen. Der Typ hat einen Motorradhelm aufgehabt.«

»Einen Motorradhelm? Wie originell.« Isabelle rührte im Kaffee und dachte nach. »Shayana hat zuvor im Einkaufszentrum nirgendwo mit der Karte bezahlt oder Geld abgehoben, richtig?«

»Nein, hat sie nicht. Es konnte also keiner ihren PIN-Code ausgeforscht haben. Deshalb verstehe ich nicht, wie das vor sich gegangen ist.«

Da hatte er recht, das war nicht leicht zu verstehen. Verschiedene Szenarien waren denkbar.

»Eine Erklärung wäre, dass man Shayanas Bankkarte schon zu einem früheren Zeitpunkt geknackt hat«, sagte sie. »Wissen Sie, wo und wann sie die Karte das letzte Mal benutzt hat?«

»Muss ich sie fragen.«

»Tun Sie das. Gleiches wäre von den beiden anderen Opfern interessant zu wissen. Würde mich nicht wundern, wenn es da eine Gemeinsamkeit gäbe.«

»Soll ich zu den beiden Kontakt aufnehmen und sie befragen?«

»Ist wahrscheinlich keine gute Idee. Der Fall liegt bei der Gendarmerie. Die mögen es nicht, wenn ihnen jemand von uns ins Handwerk pfuscht.«

Apollinaire zupfte sich am Ohr. »Stimmt, da bekämen wir mächtig Ärger. Das scheidet also aus.«

Sie lächelte. »Aber es gibt eine andere Möglichkeit. Wie wäre es, wenn Shayana ihre Schicksalsgenossen anspricht. Opfer machen so was.«

»Shayana? Das würde sie nie tun, dafür ist sie viel zu schüchtern.«

»Aber Sie könnten sie überreden?«

»Natürlich könnte ich das.« Auf seinem Gesicht erschien ein breites Grinsen. »Shayana tut alles, was ich ihr sage.«

Sie hob eine Augenbraue. »Tatsächlich? Wenn Sie sich da mal nicht täuschen.«

Er hüstelte verlegen. »Na ja, vielleicht nicht alles. Ist ja auch gut so. Aber die beiden anderen Opfer anrufen, doch, dazu könnte ich sie überreden.« Apollinaire überlegte. »Wenn ich es recht bedenke, ist das ein großartiger Vorschlag, fast schon genial. Die Namen stehen in der Zeitung. Ich suche die Telefonnummern raus und schreibe ihr die Fragen auf, die sie stellen soll. Damit bleibt die *Police nationale* aus dem Spiel.«

»*Bon, d'accord,* Sie haben damit nichts zu tun. Und ich erst recht nicht.«

Isabelle startete ihren PC und checkte ihre eingegangenen E-Mails. Viele waren es nicht, nur Rundbriefe und Dienstanweisungen der DGPN, der Generaldirektion der *Police nationale* in Paris. Die konnte sie gleich in den Papierkorb verschieben. Die Infos der DCPJ, der Zentraldirektion für die Kriminalpolizei, überflog sie immerhin. Schließlich war die *Direction centrale de la police judiciaire* für sie zuständig –

aber nur in der Theorie, denn faktisch musste sie sich allein gegenüber Maurice Balancourt verantworten, der als graue Eminenz, mit Sonderbefugnissen des Innenministeriums ausgestattet, über den Dingen schwebte. Er war schon in ihrem früheren Job in der Terrorbekämpfung und im Personenschutz des Präsidenten ihr direkter Vorgesetzter gewesen.

Plötzlich poppte eine neue Nachricht auf. Sie kam von der Forensik in Toulon. Die Nachricht war kurz und knapp: »Keine Übereinstimmung der DNA-Spuren am eingereichten Taschentuch mit jenen unter den Fingernägeln der zu Tode gekommenen Nonne Albertine. Genetischer Fingerabdruck: negativ!«

Apollinaire, der den Analysebefund zeitgleich bekommen und gelesen hatte, ließ ein deutliches *Merde* vernehmen.

Sie wusste, warum. So, wie es aussah, hatte er soeben seine Wette verloren. Serge Blanc-Guerin schien nicht der Mörder zu sein. Und Apollinaire musste sich mit dem Gedanken vertraut machen, drei Tage gleichfarbige Socken zu tragen. Merkwürdigerweise überraschte sie der negative DNA-Nachweis nicht wirklich. Was unlogisch war, denn natürlich war Serge der prädestinierte Täter. Vielleicht war genau das der Grund. Denn ihre bisherigen Fälle als Madame le Commissaire hatten bei aller Unterschiedlichkeit eine Gemeinsamkeit: Das allzu Naheliegende hatte sich regelmäßig als Irrweg erwiesen.

Apollinaire drehte sich auf seinem Bürostuhl einige Male im Kreis. Dann stellte er fest, dass die Nichtübereinstimmung des genetischen Fingerabdrucks kein wirklicher Beweis sei. Die Annahme, dass die DNA unter Albertines Fingernägeln von ihrem Mörder stammte, sei zwar schlüssig, aber nicht zwingend. Gewiss gebe es auch eine andere Erklärung für die Hautpartikel und Blutspuren. Vielleicht habe sie zuvor ihrer kranken Schwester Denise aus der Badewanne geholfen und sie dabei versehentlich gekratzt? Doch, das wäre möglich. Oder es hatte im Kloster irgendein Ereignis gegeben. Womöglich geißelten sich die Schwestern gegenseitig, um Buße zu tun. So was habe er mal im Kino gesehen, allerdings mit Mönchen.

Isabelle schmunzelte und meinte, dass er wohl nicht gerne verliere, um anschließend einzuräumen, dass er durchaus recht haben könne. Ein negativer Bescheid sei an sich kein Beweis für gar nichts, nur im umgekehrten Fall habe man Gewissheit.

Er griff den Gedanken auf und begann über die Falsifikation einer Theorie zu philosophieren, die hier nicht gegeben sei und deshalb keine Verwerfung der hypothetischen Annahme darstelle. Wohingegen eine Verifikation …

Isabelle hörte nicht weiter zu. Früher hatte sie noch gestaunt, wenn er sich zu solchen Ausführungen hinreißen ließ. Mittlerweile wusste sie, dass er auf den unsinnigsten Wissensgebieten über Kenntnisse verfügte und diese gerne in einer Art Selbstgespräch von sich gab.

Sie war mit ihren Gedanken bereits einen Schritt weiter und plante den Tag. Bevor sie Serge wirklich vom Haken ließ, würde sie ihn wie geplant erneut treffen und vernehmen. Ob direkt oder durch die Blume, wäre noch zu entscheiden. Ihren Besuch im Kloster mit der Übergabe der Urne würde sie endgültig auf morgen verschieben. Apollinaire könnte derweil den Lebensmittelhändler Nicolas Bertrand aufsuchen, um bei ihm eine Speichelprobe vorzunehmen. Denn natürlich war der DNA-Vergleich weiterhin eine vielversprechende Spur. Ein weiterer Kandidat war Jérôme, der Hausmeister des Klosters. Mittlerweile kannten sie seine private Wohnadresse. Auch bei ihm sollte Apollinaire mit dem Wattestäbchen einen Abstrich der Mundschleimhaut vornehmen.

»Und was gebe ich als Begründung an?«, fragte er. »Bislang wollten wir ja verschleiern, dass Albertine ermordet wurde.«

»Hätten Sie einen Vorschlag?«

»Eine Reihenuntersuchung bei Masern sieht wohl anders aus. Außerdem ist dafür nicht die Polizei zuständig.«

»Wohl wahr. Ich schlage vor, dass Sie als Begründung ganz vage eine schon länger zurückliegende Vergewaltigung angeben und behaupten, dass die *Police nationale* derzeit routinemäßig alle Männer in der Region testet. Die beiden würden zufällig zu den Ersten zählen und kämen selbstredend nicht als Täter in Betracht.«

»Ich verstehe. Selbstredend nicht in Betracht, natürlich. Nur keine Aufregung. Ansonsten spiele ich den Unwissenden, der nur seine Befehle ausführt.«

»Ganz genau. Und falls Sie Bruno treffen, können Sie ihm seinen Jagdausweis zurückgeben. Sagen Sie ihm, der sei bei der Polizei anonym abgegeben worden.«

»*Bien sûr.* Das heißt, ich fahre nunmehr zum Kloster, also nicht bis ganz, aber fast, jedenfalls in die Nähe. Und Sie nehmen sich an der Plage de Gigaro diesen DNA-befreiten Serge zur Brust.«

»Ich hätte es nicht besser formulieren können.«

Er hob warnend den Zeigefinger. »Madame, bitte passen Sie auf sich auf. Ich halte diesen Unhold immer noch für den Täter. Der Typ ist gewalttätig, begeben Sie sich nicht in Gefahr. Vielleicht ist es besser, wenn ich Sie begleite?«

Seine Sorge rührte sie, aber sie war übertrieben.

»Ich bin schon groß, ich schaff das!«

28

Auf der Fahrt an die Plage de Gigaro erreichte sie ein Telefonat von Rouven Mardrinac. Das einzig Überraschende war, dass er erst jetzt anrief. Er wünschte ihr einen schönen Tag und erkundigte sich nach ihrem Bein.

Sie tat so, als ob sie gar nicht wüsste, wovon er sprach. Ihr Bein? Was sollte damit sein?

Er freute sich zu hören, dass sie gerade unterwegs an den Strand war. Es sei wichtig, dass sie sich Pausen gönne. Er lachte. Die kleinen Unterbrechungen müsse sie selbst organisieren, für die größeren Auszeiten sei er zuständig. Sie dachte an Saint-Barth. Und daran, dass der heutige Strandbesuch wohl anders aussah, als er sich das vorstellte.

»Du hast mich doch auf die Falcon-Fontalliers angesprochen«, sagte er. »Ich bin heute Abend auf einen Empfang eingeladen, da stehen sie auf der Gästeliste. Wenn du mich begleitest, kann ich euch bekannt machen.«

Isabelle musste nicht lange nachdenken. Tatsächlich würde sie die Familie gerne kennenlernen, deren Stiftung das *Monastère des bonnes sœurs* gehörte und die seit Generationen den Nonnen ihre klösterliche Abgeschiedenheit finanzierte.

»Sehr gerne«, stimmte sie zu. »Was ist das für ein Empfang?«

»Nichts Besonderes. Und um deine noch nicht gestellte Frage nach dem Dresscode vorwegzunehmen: Smart casual reicht völlig.«

Dresscode? Jetzt ging das schon wieder los. Sie mochte keine

Einladungen, bei denen einem vorgeschrieben wurde, was man anziehen sollte.

»Ich komm vielleicht doch nicht mit.«

»Unsinn. Soll ich dich von meinem Chauffeur abholen lassen?«

Das war ein glänzender Vorschlag, dachte sie. Am besten fuhr er direkt am Rathaus vor. Und sie könnte Thierry bitten, sie zur Limousine zu geleiten.

»Bist du verrückt? Wo soll ich hinkommen?«

»La Môle, achtzehn Uhr.«

»La Môle? Meinst du die *L'Auberge*?«

Er lachte. »Nein, meine ich nicht.«

Ihr schwante Schlimmes. »Doch nicht der Flughafen, oder?«

»Ist da ein Flughafen? Wenn du es sagst.«

Auf den verbliebenen Kilometern über La Croix-Valmer hinunter ans Meer ärgerte sie sich, dass sie zugesagt hatte. So erpicht war sie nun doch nicht, diese merkwürdige Familie Falcon-Fontallier kennenzulernen, Kloster hin oder her. Der Flughafen als Treffpunkt versprach nichts Gutes.

Sie parkte das Auto und blieb eine Weile hinter dem Steuer sitzen. Sie versuchte im Kopf den Schalter umzulegen. Kein Gedanke mehr an Rouven, keine Falcon-Fontalliers, kein La Môle, kein Aéroport. Jetzt musste sie sich auf Serge Blanc-Guerin konzentrieren, einen vorbestraften Drogenhändler, Gewalttäter, Vergewaltiger – und bis zum Beweis des Gegenteils ein möglicher Nonnenmörder. Der gentechnische Vergleich hatte ihn entlastet, aber das alleine reichte nicht aus.

Aus dem Handschuhfach nahm sie ihre Pistole und verstaute sie in ihrer Strandtasche unter dem Badetuch. Sie würde sie nicht brauchen, genauso wenig wie die Handschellen. Aber Apollinaire hatte recht, sie sollte auf alles vorbereitet sein.

Wie gestern lief sie barfuß durch den Sand. Aber diesmal hatte sie kein knappes Bikinihöschen an, sondern schwarze Bermudas aus Leder und anstelle der offenherzigen Bluse ein knapp sitzendes T-Shirt. Am Mittelfinger trug sie ihren Lieblingsring. Er war groß und schwer und wurde von einem Totenkopf geziert. Bei Typen wie Serge kam er wahrscheinlich gut an. Dass man mit ihm auch sehr wirkungsvoll zuschlagen konnte, würde er wahrscheinlich weniger in Betracht ziehen. Er sah sie schon von Weitem und winkte ihr zu. Sie rang sich ein Lächeln ab.

Kaum hatte sie Platz genommen, kam er zu ihr an den Tisch – mit zwei Whiskygläsern auf dem Tablett. Ihr fiel ein, dass sie die Zigarillos vergessen hatte. Aber das machte nichts, sie würde sie nicht vermissen.

»*Salut,* Zoé. Ich freu mich, dass du Wort gehalten hast.«

»Ich hab's doch versprochen.«

»Super. Mein Onkel weiß schon Bescheid, ich kann gehen, wann ich will.«

»Du würdest sowieso nicht auf ihn hören.«

Er grinste. »Natürlich nicht. Irgendwann zünde ich seine Bude an.«

»Das wäre gemein.«

»Stimmt, aber sie würde gut brennen. Ist alles aus Holz.«

»Bist du so brutal oder tust du nur so?«

»Das mit dem Anzünden war ein Spaß. Aber brutal bin ich schon, davon kannst du ausgehen.«

Wie es schien, war er stolz darauf. Und er glaubte, dass er damit imponieren konnte. Wie blöd konnten solche Typen sein?

»Du hast einen tollen Ring«, sagte er.

Sie sah Serge nachdenklich an. Noch immer hatte sie keine Strategie. Sollte sie mit der Scharade aufhören und die Karten auf den Tisch legen?

»Du schaust heute so ernst«, stellte er fest. »Freust du dich nicht? Wir trinken den Whisky, dann hauen wir ab und lassen es krachen. Ich hab eine geile Karre, mit der fahren wir in das Häuschen meines Onkels. Das ist zwar spießig, aber nicht weit weg. Dort lassen wir die Sau raus.«

Er nahm sein Handy und zeigte ihr stolz ein Foto seiner »geilen Karre«. Zuvor musste er seinen PIN-Code eingeben, den sich Isabelle einer alten Gewohnheit folgend merkte. Viermal die Null. Serge war nicht besonders einfallsreich.

»Wow, ein alter Ford Mustang«, stellte sie fest. »Aus den Sechzigerjahren, richtig?«

Er freute sich sichtlich über ihre Kennerschaft. »Modelljahr 68, Cabriolet, V8«, ergänzte er.

Keine Strategie? Doch, jetzt hatte sie eine. Sie war ein wenig tollkühn. Den Einfall hatte sie schon das letzte Mal gehabt. Sie fing an zu lächeln. Dann fuhr sie unter dem Tisch mit dem nackten Fuß in seinen Schritt.

»Coole Idee, das machen wir. Aber ich brauch was zum Aufputschen. Am helllichten Tag bin ich nicht so gut drauf.«

»Im Haus meines Onkels gibt's Alkohol ohne Ende.«

Sie drückte mit dem Fuß zu. Er schaute dämlich. Oder glückselig? Letzteres, das konnte sie spüren.

»Alkohol? Ist nicht dein Ernst? Ich habe dich für einen harten Kerl gehalten.«

Er bleckte seine Zähne, der Diamant blitzte. »Das bin ich, darauf kannst du einen lassen, aber ich kann ja nicht wissen, wie hart du bist.«

»*Chéri,* ich bin keine zwanzig mehr. Ich wurde schon mal halb in die Luft gesprengt, und ohne Drogen hätte ich mich längst vor den Zug geworfen. *M'as-tu compris?* Hast du mich verstanden?«

»In die Luft gesprengt?«

Sie zuckte gleichgültig mit den Schultern. »Falscher Umgang. Ich hab vielleicht mehr Narben als du Tattoos.«

»Echt? Ich steh auf Narben.«

Isabelle kippte den Whisky in einem Zug weg. »*Voilà*, worauf warten wir?«

»Einen Moment, bin gleich wieder da.«

Er nahm sein Handy, stand auf und ging hinter die Bar zu seinem Onkel. Dort gab es eine kurze Diskussion. Dann sah sie ihn telefonieren. Währenddessen versuchte sie, nicht darüber nachzudenken, ob sie gerade völlig austickte und sich sehenden Auges in Teufels Küche begab, oder ob sie im Gegenteil etwas ausgesprochen Raffiniertes tat.

Wenig später fuhren sie in seinem alten Ford Mustang mit offenem Verdeck und röhrendem V8 über den Boulevard de Gigaro. Geile Karre? Serge hatte nicht gelogen. Tatsächlich war sie ein Fan amerikanischer Oldtimer. Was ihn aber kein bisschen sympathischer machte.

Es ging an einer langen Hecke vorbei. Links Weinreben, jetzt rechts eine mannshohe Mauer mit einem angelehnten Tor. Serge parkte davor.

Er grinste schief. »Ich muss Proviant fassen, dauert nicht lang.«

Was er mit »Proviant« meinte, war klar. Vermutlich hatte er ihn bei seinem kurzen Telefonat hinter der Theke bestellt. Sie prägte sich die Adresse ein und fläzte sich in das rote Leder des Mustang. Die nackten Füße legte sie aufs Armaturenbrett. Im Radio fand sie einen Sender, der gerade Countrymusik spielte. Das passte. Jetzt brauchte sie nur noch einen anderen Mann an ihrer Seite, dann könnte das ein wirklich schöner Tag werden. Sie schob sich einen Kaugummi in den Mund und dachte, dass ihr dieses Leben ganz sicher besser gefallen würde als ein steifer Empfang bei Hochwohlgeborenen in Smart-casual-Klamotten. Idealerweise könnte sie Serge wegbeamen, und statt seiner käme jetzt Rouven aus dem Tor zurück. Dann hätten sie es wirklich schön. Ihre stärkste Droge wäre ein Glas Champagner. Den Kaugummi würde sie gleich wieder ausspucken.

»So, alles klar!« Serge sprang hinters Lenkrad, ohne die Fahrertür zu öffnen. Bei einem Cabrio ging das. Er drückte ihr eine kleine braune Papiertüte in die Hand. »Pass gut drauf auf.«

Isabelle sah ihn lächelnd an, löste den Gürtel ihrer Bermuda und schob die Tüte vorne in ihre Shorts. »Ist hier gut aufgehoben.«

Der Diamant im Schneidezahn blitzte. »Best place on earth.«

Er ließ den Motor an. Der großvolumige Motor blubberte. Warum konnte sie jetzt nicht einfach die Augen schließen und sich wegträumen in eine andere, schönere Welt? Vielleicht sollte sie sich ein altes Cabrio kaufen?

Sie registrierte sehr genau, welche Strecke er fuhr. Was nicht wirklich nötig war, denn mit ihrem Smartphone könnte sie jederzeit ihren Standort und auch den gefahrenen Weg feststellen.

Zum Häuschen des Onkels war es tatsächlich nicht weit. Sie bogen hinter zwei Pinien ab und fuhren ein kurzes Stück über einen Feldweg. Vor einem kleinen, aber durchaus hübschen Häuschen im Stil einer *maison de plage* hielt er an. Er machte den Motor aus und sah sie erwartungsvoll an.

Seltsamerweise war sie überhaupt nicht nervös. Sie stieg auf den Sitz, zog lächelnd die kleine Tüte aus ihrer Hose, steckte sie in ihre Badetasche und sprang aus dem Auto – ebenfalls, ohne die Tür zu öffnen. Das machte Spaß, sie sollte sich wirklich ein Cabrio kaufen, am besten einen solchen Mustang.

Vielleicht gab Serge seinen ab, wenn er wieder im Gefängnis saß?

Sie riss sich zusammen. Wie kam sie auf diese Idee? Zunächst musste sie schauen, wie sie ihren Kopf aus der Schlinge zog.

Wenige Minuten später stand Serge im Slip vor ihr. Er hatte wirklich unglaublich viele Tattoos. Auf der Brust waren einige hässliche Narben zu sehen. Hässlich deshalb, weil sie wusste, woher sie stammten. Albertine, die damals noch Odette hieß, hatte mit einem Küchenmesser auf ihn eingestochen. Erst, um ihn abzuwehren und eine Vergewaltigung zu verhindern, danach in blinder Wut. Eine Narbe war direkt neben seinem Herz. Der Mann hatte Glück, dass er noch lebte. Sie warf ihm die kleine braune Tüte zu.

Er ging voraus ins Schlafzimmer. Das große Bett machte einen massiven Eindruck. Darauf lag ein Fell. Über dem Kopfende war ein Stahlbügel eingemauert. Vielleicht gab es früher einen Baldachin oder ein Gestell für ein Fliegennetz?

Er sah sie erwartungsvoll an. Sie zog die Bermuda aus. Er wollte ihr das T-Shirt über den Kopf streifen. Sie drückte ihn sanft, aber energisch von sich.

»Lass uns erst den Stoff reinziehen«, forderte sie ihn auf.

Er wickelte aus der Tüte einen transparenten Beutel mit einem weißen Pulver. Mit einem schnellen Blick erkannte sie, dass alle notwendigen Utensilien mit eingepackt waren.

»Willst du eine Linie ziehen oder den Koks spritzen?«, fragte er.

»Spritzen, das macht mich geiler.«

Er grinste schief. »Nichts dagegen. Jetzt zieh aber endlich dein dämliches Shirt aus, sonst reiße ich es dir vom Leib.«

Er pumpte seine Muskeln auf. Jetzt wurde es ernst. Sie musste daran denken, wie sich Odette in diesem Moment gefühlt haben mochte.

Isabelle deutete auf den Stahlbügel an der Wand über dem Bett. »Ich möchte, dass du mich mit den Handschellen daran fesselst. Und dann kannst du mit mir machen, was du willst.«

Sein verdatterter Gesichtsausdruck entschädigte für so manches.

»Ich glaub, du bist wirklich irre. Aber ich hab keine Handschellen.«

Sie lächelte triumphierend. »Aber ich.«

Sie nahm ihre Handschellen aus der Badetasche und ließ sie provozierend hin- und herschwingen. Dann zog sie aufreizend langsam ihr Shirt über den Kopf.

Entweder hatte Serge aufgrund seiner Gefängniszeit lange keine Frau mehr gesehen, oder er hatte wirklich nichts im Kopf als geile Gedanken, jedenfalls starrte er sie mit flackernden Augen an. Dass ihn die Situation antörnte, war unübersehbar.

Isabelle ging zum Bett, kniete sich aufs Fell und ließ die Handschellen mit einem Ende am Stahlbügel einrasten.

»Komm her und mach mich fest«, forderte sie ihn auf. »Kannst gerne kräftig zuziehen. Ich mag es, wenn es wehtut.«

Schwer atmend stieg er zu ihr aufs Bett. Pfui Teufel, er roch nach Schweiß.

Isabelle schlang einen Arm um ihn, zog ihn runter und küsste ihn. Sie staunte selbst, wozu sie fähig war. Wenigstens hatte er in der Strandbar einen Whisky getrunken, das desinfizierte.

Dann rasteten die Handschellen ein.

Isabelle rammte ihm ihr Knie in den Schritt, rollte unter ihm weg und sprang vom Bett. Dabei strauchelte sie, kam aber gleich wieder auf die Beine – außerhalb seiner Reichweite.

Mit aufgerissenen Augen sah er ungläubig auf die Fessel an seinem Handgelenk. »Du fiese Schlampe. Ich mach dich fertig.« Er zerrte wie verrückt an den Handschellen und versuchte, den Stahlbügel aus der Wand zu reißen. Vergeblich. Er pumpte seine Muskeln auf, er fluchte und schwitzte.

Währenddessen zog sich Isabelle wieder an. Sicherheitshalber hatte sie zuvor die Pistole aus ihrer Badetasche genommen. Sie konnte ja nicht wissen, wie solide das Mauerwerk war. Aber es hielt seinen Kraftanstrengungen stand. Sie küsste ihren Ring mit dem Totenkopf. Er war nicht zum Einsatz gekommen. Es hatte nicht viel bedurft, Serge aus dem Verkehr zu ziehen, es brauchte nur gute Nerven – und die Fähigkeit, sich zu überwinden.

Er kniete ausgepowert auf dem Bett, den rechten Arm nach oben überstreckt. Es gab bequemere Positionen.

Isabelle zog einen Hocker heran und nahm Platz, mit einem reichlich bemessenen Sicherheitsabstand.

»*Putain*«, schrie er und spuckte vor ihr aus. »Du fiese Hure bist so gut wie tot.«

Schade, dass Albertine ihn so nicht sehen konnte. Die Odette in ihr würde Genugtuung empfinden.

»Ich würde mich gerne mit dir unterhalten«, sagte sie.

»Fick dich!«

Sie nahm aus ihrer Badetasche ein Foto der toten Nonne und zeigte es ihm.

»Kennst du diese Frau?«

Er kniff die Augen zusammen. »Klar kenn ich die Tussi. Geschieht ihr recht, dass sie tot ist.«

Jetzt hatte es Serge doch geschafft, sie zu überraschen. Mit dieser Antwort hatte sie nicht gerechnet.

»Woher weißt du von ihr?«

»Odettes Bild war in der Zeitung. Ich hab mich ausgeschüttet vor Lachen.«

Isabelle sah ihn skeptisch an. Seine Reaktion war glaubwürdig, aber war sie auch ehrlich – oder nur verdammt gut gespielt?

»Wie war das Gefühl, als du sie umgebracht hast? War dir da auch zum Lachen zumute?«

»Ich soll sie umgebracht haben? Du bist wohl völlig durchgeknallt.« Serge riss wütend an den Fesseln. Sein Handgelenk blutete. »Komm her und mach mich los. Dann zeige ich dir, wie man jemanden umbringt.«

Isabelle lächelte nachsichtig. »Gib mir einen Beweis, warum du es nicht gewesen sein kannst!«

Wieder kniff er die Augen zusammen. »Wer bist du? Warum stellst du so beschissene Fragen?«

Sie spielte mit der Pistole. »Wer ich bin? Serge, das weiß ich oft selber nicht. Vielleicht bin ich Odettes Racheengel, der gekommen ist, den Schuldigen zu richten.«

»Racheengel? Du bist eine verfickte Nutte, das bist du.«

Isabelle war zu abgebrüht, als dass seine rüde Ausdrucksweise ihr was ausmachte.

»Wo warst du, als Odette starb?«

»Wo soll ich schon gewesen sein? Vielleicht auf dem Klo?«

»Du weißt, wann es passiert ist?«

»Na klar, stand in der Zeitung.«

So kam sie nicht weiter. Sie entsicherte die Pistole und zielte auf seinen Kopf.

»Du hast jetzt genau zwei Möglichkeiten«, sagte sie mit gefährlich leiser Stimme. »Entweder dir fällt ganz schnell ein, wo du warst, wobei ich für dich hoffe, dass es dafür Zeugen gibt, oder du hast in wenigen Sekunden ein hässliches Loch in der Stirn. *Rien ne va plus. Faites vos jeux!*«

Jetzt sah sie zum ersten Mal echte Angst in seinen Augen.

Er hob seine freie Hand. »Stopp. Mach keinen Scheiß. Moment, ich muss nachdenken. Ich war in Marseille, doch, da war ich, ganz sicher sogar, mit Kumpels in einer Hafenkneipe. Wir haben erst gefuttert und dann Darts gespielt.«

»Name?«

»Raymond, Hervé, Antoine, Eric …«

»Ich will den Namen der Kneipe wissen.«

»Barbe-Rouge. So, und jetzt nimm deine Knarre runter!«

Sie wiegte zweifelnd den Kopf hin und her. Dann ließ sie die Pistole sinken. Nach ihrem Gefühl hatte er gerade die Wahrheit gesagt.

»Schade, ich hätte gerne ausprobiert, wie genau ich aus dieser Entfernung deinen Kopf treffe«, sagte sie. »Darf ich dir stattdessen ins Knie schießen?«

»Dir hat man wohl ins Hirn gepinkelt.«

Sie fand seine Ausdrucksweise sehr inspirierend. Am liebsten hätte sie wirklich abgedrückt. Um sich in derselben Sekunde zu fragen, welcher Teufel sie gerade ritt. Sie war kein vulgärer »Racheengel«, sondern eine Kommissarin der *Police nationale*. Warum ließ sie sich von Serge provozieren? Weil sie in ihm ein gewissenloses Arschloch sah, das Odette Gewalt angetan hatte? Dafür war er verurteilt worden, und er hatte seine Strafe abgesessen. Als ihr Mörder hatte sie ihn zwar im Verdacht gehabt, aber wie es den Anschein machte, war er unschuldig. Die DNA passte nicht, und er hatte offenbar ein Alibi. Das war kein Wunschergebnis, obgleich sie es fast erwartet hatte. Und jetzt? Eines würde sie ganz sicher nicht tun, ihn nämlich von seinen Handschellen befreien. Sie war ja nicht lebensmüde. Am besten wäre es, ihn für einige Zeit hinter Schloss und Riegel zu wissen, da könnte er nicht abhauen. Und er könnte nicht wie ein wild gewordener Stier nach einer Zoé suchen, um ihr den Hals umzudrehen.

Isabelle lächelte. Nun, eine Inhaftierung wäre leicht zu bewerkstelligen. Wie sie aus den Unterlagen wusste, war Serge vorzeitig auf Bewährung freigekommen. Da machte es sich nicht gut, wenn man ihn erneut mit Drogen antraf. Weglaufen konnte er nicht.

»Okay, das mit der Schießübung lass ich sein«, sagte sie. »Für dich sind mir meine Patronen zu schade.«

Isabelle stand auf und holte aus seiner Jeans, die er auf den Boden geschmissen hatte, den Autoschlüssel und sein Handy. Sie probierte, ob der Code mit viermal der Null funktionierte. Perfekt. Jetzt hatte sie Zugang zu all seinen Daten. So könnte Apollinaire ohne Probleme lokalisieren, ob sich Serge am Tag des Mordes tatsächlich in Marseille aufgehalten hatte, in einer Kneipe namens Barbe-Rouge. Wenn sich das bestätigte, war er wohl wirklich aus dem Schneider. Sicher gab es auf seinem Handy auch sonst interessante Infos. Zum Beispiel könnte sie feststellen, mit wem Serge wegen des Stoffes telefoniert hatte. Das brachte sie zwar nicht weiter, würde aber die Kollegen in Toulon interessieren.

Sie hauchte ihm über die Finger einen Kuss zu. »Serge, es ist Zeit, Abschied zu nehmen. War schön mit dir.«

»Hey, spinnst du? Mach mich erst los!«

Sie zuckte in gespielter Hilflosigkeit mit den Schultern. »Geht nicht. Ich hab den Schlüssel für die Handschellen verloren.«

»Du hast wohl einen Knall. Gib mir wenigstens mein *portable,* dann kann ich Hilfe holen!«

»Würde ich gerne. Aber mir gefällt das Modell, ich möchte es als Andenken behalten.«

»Aus welcher Nervenheilanstalt bist du entsprungen?«, geiferte er. »Gib mir sofort mein *portable!*«

Isabelle ließ sein Handy in ihre Badetasche gleiten. Den Autoschlüssel warf sie in die Luft und fing ihn wieder auf. Es machte ihr Spaß, Serge bis zur Weißglut zu reizen. Als Polizeibeamtin könnte sie das nicht, aber eine Zoé durfte sich alles rausnehmen. Einen Vorteil musste es ja haben, dass sie sich für jemand anderen ausgab.

»Ich leih mir dein Auto aus. Kriegst es aber wieder, ich stelle es irgendwo an der Plage de Gigaro ab.«

»Meinen Mustang?« Seine Stimme überschlug sich. »Nur über meine Leiche.«

Sie schaute auf ihre Pistole und runzelte die Stirn. »Blöder Vorschlag. Aber das weißt du ja selber.«

Sie hängte sich ihre Tasche um und warf einen Blick auf den Koks und das Drogenbesteck. Alles lag gut sichtbar auf dem Tisch, mit seinen Fingerabdrücken.

Sie drehte ihm den Rücken zu und lief aus dem Zimmer. Seine Flüche begleiteten sie. Vor dem Haus blickte sie sich um. Es war niemand zu sehen. Sie nahm Serges Handy und rief die Gendarmerie an. In gebrochenem Französisch gab sie die Adresse durch und sagte, dass man sofort einen Streifenwagen schicken solle. Ihr Leben werde bedroht.

War sie gemein? Ja, das war sie. Aber sie fühlte sich gut dabei. Sie stellte die Badetasche auf den Beifahrersitz, lief um das Auto herum, hielt sich am Türrahmen fest und sprang hinein. Fantastisch. Was war mit ihrem Bein? Nichts, keine Beschwerden!

Sie startete den Mustang, wendete und fuhr über den Feldweg zurück auf die Straße. Nach wenigen hundert Metern hielt sie, rangierte rückwärts in eine Ausfahrt, machte den Motor aus und wartete, im Radio den Sender mit der Countrymusik und mit einem Kaugummi aus dem Handschuhfach. Sie spielte mit ihrem Ring und wartete.

Für einen Notfall brauchten die Kollegen von der Gendarmerie ganz schön lange. Aber nach einer knappen Viertelstunde kam ein Einsatzfahrzeug, sogar mit Blaulicht. Der Fahrer fand die Abzweigung zum Haus des Onkels.

Isabelle lächelte zufrieden und ließ erneut den Motor an. *Vraiment,* der Sound konnte einen süchtig machen. Sie bog zurück auf die Hauptstraße und fuhr Richtung Plage de Gigaro, wo ihr Renault geparkt war. Sie ertappte sich dabei, dass sie einen kleinen Umweg wählte.

29

Von Apollinaire war den ganzen Nachmittag nichts zu sehen und zu hören. Offenbar war er noch unterwegs, um vom Lebensmittelhändler Nicolas Bertrand und dem Hausmeister Jérôme Speichelproben zu nehmen. Vielleicht hatte er auch Bruno aufgespürt, um ihm seinen Jagdausweis zurückzugeben. Ob Bruno bei dieser Gelegenheit wohl die verrückte »Sonderbeauftragte« des Klosters erwähnte, die ihm den Ausweis abgenommen hatte? Auch könnte er sie beschuldigen, seinen Hut an sich genommen zu haben. Aber mundfaul, wie Bruno war, würde er wahrscheinlich gar nichts sagen. Jedenfalls hatte sich Apollinaire zuvor geweigert, den versifften Hut wieder in die Hand zu nehmen, geschweige denn, ihn zurückzugeben. Ihr fiel ein, dass sich Bruno einer ähnlich höflichen Ausdrucksweise befleißigte wie Serge. So hatten beide vorgeschlagen sie solle sich ficken. Wie charmant. Vielleicht war es zur Abwechslung doch ganz nett, sich heute Abend mal mit kultivierteren Menschen zu umgeben. Wobei ihr das steife Party-Geschwätz oft auch gehörig auf den Geist ging. Aber sie hatte ja Rouven dabei, der alles locker nahm und mit seinem respektlosen Humor entkrampfte.

Treffpunkt war der *Aéroport La Môle*. Ein Flughafen war dazu da, um zu fliegen. Bei Rouven musste man auf alles gefasst sein. Vielleicht war der Empfang in Monte-Carlo? Oder in Paris? Von einer Übernachtung war nicht die Rede gewesen, also ging es danach wieder zurück.

Ein anderes Thema war die Kleiderordnung. Smart casual. Also gleichzeitig leger und doch elegant. Für solche Gelegenheiten hatte sie einiges im Schrank. Die wirkliche Herausforderung bestand darin, in diesem Outfit unbeachtet durch Fragolin zu ihrem Auto zu kommen. Das würde ihr nicht gelingen. Da hätte sie sich gleich von Rouvens Chauffeur abholen lassen können. Und Thierry? Bei ihrem Glück würde sie ihm direkt in die Arme laufen. Er würde nicht glauben, dass sie schon wieder einen wichtigen Termin hatte. Nicht in diesem Aufzug. Isabelle musste schmunzeln. Hätte Thierry sie heute Vormittag halb nackt mit Serge im Haus seines Onkels sehen können, wäre er ausgerastet.

Weil Angriff die beste Verteidigung war, rief sie bei ihm im Büro an. Der Bürgermeister sei leider nicht da, erfuhr sie, er habe überraschend nach Nizza zu einem kurzfristig anberaumten Treffen seiner Partei gemusst.

Manche Probleme lösten sich von selbst. Jetzt war er es, der den Schwarzen Peter hatte, denn er hatte sich von ihr nicht verabschiedet. Mit Absicht? Oder hatte er es schlicht vergessen?

Sie beschloss, sich keinen Kopf zu machen. Sie würde sich zu Hause wie geplant umziehen, sich schminken und – wie immer in Rouvens Gesellschaft – die Haare nach hinten gelen, um dann ganz entspannt zu ihrem Auto zu spazieren. In Turnschuhen und mit den hochhackigen Pumps in einer Tüte. Sollten die Leute doch denken, was sie wollten.

Sie traf pünktlich am Flughafen La Môle ein. Offiziell hieß er *Aéroport International Saint-Tropez – La Môle*. Das *International* war schmeichelhaft, denn allzu groß war der Flughafen nicht, und nur eine Handvoll kleinerer Airlines flogen ihn an. Etwa achtzehn Kilometer südwestlich von Saint-Tropez gelegen, war er dennoch eine wichtige Drehscheibe – nicht zuletzt für die vielen Privatflieger der Hautevolee.

Vor der Treppe zum Terminal entdeckte sie Rouvens alten Bentley. Am mächtigen Kühler lehnte sein Chauffeur. Er erkannte sie sofort. »*Bonsoir,* Madame, es ist mir eine Ehre.«

Im nächsten Satz zerstreute er ihre Befürchtung, dass es gleich mit dem Flugzeug losgehen könnte, wohin auch immer. Es war genau umgekehrt. Monsieur Mardrinacs Privatjet sei gerade gelandet. Er müsse jeden Moment auftauchen. Sie führen mit dem Wagen. Die Einladung finde in einem Château unweit von Gassin statt.

Isabelle war erleichtert. Ihr stand also kein nerviges Jetset-Abenteuer bevor, nur eine Fahrt durch die schöne Hügellandschaft der Halbinsel von Saint-Tropez. Das war beschaulich und erholsam. Gerade recht nach einem Tag wie heute.

Wie sich herausstellte, kam Rouven aus Paris, wo er mit einem wichtigen Galeristen zum Mittagessen gegangen war. Sie solle raten, wen er im Restaurant getroffen habe? Nämlich seinen alten Freund Maurice Balancourt. Er solle ihr die herzlichsten Grüße ausrichten.

Maurice im Restaurant beim Mittagessen? Ihr Chef hatte sich wirklich schnell von seiner Operation erholt. Und wie es den Anschein machte, hatte er bereits alle Diätpläne für null und nichtig erklärt.

Während sie in geruhsamem Tempo an Weinreben entlangglitten, dann in engen Kurven durch dichte Wälder, erzählte Rouven, dass das heute Abend eine Charity-Veranstaltung sei. Bei solchen Events sei es üblich, dass kaum einer der Gäste wisse, worum es eigentlich gehe. Das Ziel der Wohltätigkeit sei weit weniger wichtig als der ausgeschenkte Champagner.

Für Isabelle war das nichts Neues. Genau deshalb mochte sie solche Einladungen nicht. Hinzu kam, dass es welche gab, bei denen die eingesammelten Spendengelder gerade ausreichten, das Fest zu finanzieren. Am Ende blieb nichts übrig – außer einem schlechten Gefühl.

Rouven stimmte ihr prinzipiell zu. Er kenne eine sogenannte »Charity-Lady«, da sei diese Methode quasi das Geschäftsmodell. Aber das sei gottlob die Ausnahme. Heute Abend zum Beispiel lade ein hochkarätiger Förderkreis ein, der das Fest quasi aus der Portokasse finanziere und die gespendeten Gelder aus eigener Tasche noch mal verdopple.

Isabelle wollte wissen, für welchen Zweck gesammelt wurde.

Rouven grinste und sagte, er habe keine Ahnung.

Sie wusste nicht, ob sie ihn ernst nehmen sollte.

Jedenfalls kämen die Falcon-Fontalliers, bestätigte er. Er sah sie verschmitzt von der Seite an. Ihre Anwesenheit sei ja der einzige Grund, warum sie ihn begleite.

Nicht der einzige, aber der wichtigste, sagte sie lächelnd.

Soviel er wisse, käme der alte Thaddeus-Baptiste Falcon-Fontallier mit seiner schönheitsoperierten Gattin, die aussehe wie ein Zombie. Auch sein Sohn André-Baptiste stehe auf der Gästeliste. Der sei ein begehrter Junggeselle und komme mit wechselnden Damen. Dabei gebe es eine Faustregel: je tiefer der Ausschnitt, desto weniger tiefgründig der Verstand. Aber André sei in Ordnung, mit ihm könne man sich gut unterhalten. Seine Begleiterinnen hätten zweifellos andere Tugenden.

Schon bei der Auffahrt vor dem Château merkte Isabelle, dass sich diese Veranstaltung wohltuend von anderen unterschied. Es gab nämlich weder einen roten Teppich noch Pressefotografen. Man war unter sich. Hier hatte es keiner nötig, sich zu profilieren.

Smart casual? Wie in Saint-Tropez und Umgebung üblich, wurde diese Kleiderordnung fantasievoll interpretiert. Gut, dass sie sich für einen roten Hosenanzug mit extravagantem Schnitt entschieden hatte. In dieser Gesellschaft fiel man damit weniger auf als mit einem schwarzen Cocktail-Kleid. Sie hatte ihn im letzten Herbst auf der *Grande Braderie* in Saint-Tropez gekauft, dem großen Sonderverkauf zum Saisonausklang, wo alles nur einen Bruchteil kostete.

Rouven hatte wie üblich seine eigene Interpretation. Er trug zu Jeans eine Smoking-Jacke. Seine Schuhe aus Pferdeleder waren in London maßgefertigt. Dagegen könnte seine Plastikuhr mit Mickey Mouse aus einem Kaugummiautomaten stammen. Was keiner sehen konnte: Sie war auf der Unterseite von Andy Warhol signiert.

Während Isabelle noch damit beschäftigt war, Milieustudien zu betreiben und sich an ihrem Champagnerglas festzuhalten, machte Rouven Konversation. Dabei stellte er sie immer wieder neuen Menschen vor, die sie neugierig beäugten. Aber das war sie an seiner Seite gewohnt. Einige wollten wissen, womit sie sich beruflich beschäftige. Rouven nahm ihr die Antwort meistens ab, indem er sich die unmöglichsten Tätigkeiten ausdachte. Sein momentaner Favorit war, dass sie Kognitionsforscherin sei, die sich mit den Tiefen und Abgründen des menschlichen Geistes beschäftige. Damit hatte er in gewisser Weise recht. Ihr kam sofort Serge in den Sinn, bei dem es gewiss Abgründe zu entdecken gab, aber sie hatte keine Lust, über eine Wissenschaft zu plaudern, von der sie keine Ahnung hatte. Apollinaire würde sicher aus dem Stand was dazu einfallen. Ihr Glück war, dass von den Gästen keiner wissen wollte, worum es bei der Kognitionsforschung ging.

Mit Rouven hatte man es auf Stehempfängen besonders leicht. Man musste sich keinen Schritt bewegen. Irgendwie kreiste alles um ihn herum, und irgendwann kam jeder vorbei, um ihm die Hand zu schütteln – und damit auch ihr. Sie versuchte erst gar nicht, sich die Namen zu merken.

Einen Gast immerhin kannte sie schon, Docteur Léo Lambart, der sie auf Rouvens Schiff untersucht hatte. Er sah mindestens so gut aus wie bei ihrer ersten Begegnung. Und er war charmant, ohne aufdringlich zu sein. Er erinnerte sie daran, dass sie sich in seiner Klinik genauer untersuchen lassen sollte. Obwohl sie, wie er mit einem Lächeln anmerkte, gerade einen sehr standfesten Eindruck mache – auf hochhackigen Schuhen, die auch für gesunde Beine eine gewisse Herausforderung darstellen würden.

Später rückte ein älterer Herr in ihr Blickfeld, mit Gehstock und in einer Begleitung, die tatsächlich etwas Zombiehaftes an sich hatte.

Rouven machte sie bekannt: Monsieur Falcon-Fontallier und seine charmante Gattin Claire.

Im Gespräch stellte sich schnell heraus, dass Claire zwar erstarrte Gesichtszüge hatte, sonst aber ausgesprochen nett war. Ihr Mann war ein Grandseigneur der alten Schule. Er machte Isabelle Komplimente. Sie sprachen über Maler der Klassischen Moderne, wobei er erfreut zur Kenntnis nahm, dass sie sich insbesondere mit Matisse gut auskannte. Er konnte ja nicht ahnen, weshalb. Sie könnte ihm von einer spektakulären Fälschung erzählen und von ihrem letzten Fall, aber das ging ihn nichts an.

»Ach so, es gibt, wie ich glaube, noch ein anderes Thema, über das ihr euch gut unterhalten könntet«, sagte Rouven wie nebenbei. »So gesehen ist es ein schöner Zufall, dass wir uns hier begegnen. Madame Bonnet war erst kürzlich im *Monastère des bonnes sœurs.*«

»Tatsächlich? Wie wunderbar. Hat Ihnen Rouven erzählt, dass das Kloster auf eine Stiftung meines Vaters zurückgeht?«

Rouven schüttelte den Kopf. »Nein, habe ich nicht, weil ich es nicht wusste, mein lieber Thaddeus.«

»Aber ich weiß es. Die Mutter Oberin hat es mir verraten«, sagte Isabelle, »und auch, dass der Orden von einer Ihrer Stiftungen finanziert wird. Ich finde das großartig.«

»*C'est vraiment magnifique*«, bestätigte Rouven.

»Das ist unserer Familie eine Herzensangelegenheit. Sie haben mit Hortensia gesprochen? Darf ich fragen, was Sie ins Kloster geführt hat?«

»Ich war beruflich dort«, antwortete sie.

Der alte Herr sah sie ratlos an. »Beruflich? Ich habe gehört, Sie sind Kognitionsforscherin?«

»Stimmt nicht ganz«, sagte Rouven.

Isabelle lächelte. »Das war einer von Rouvens schrägen Einfällen.«

»Ich gebe es zu. Muss ja nicht jeder wissen, dass Madame Bonnet bei der *Police nationale* ist und dort als Kommissarin ein Sonderdezernat leitet.«

Darunter, dachte Isabelle, stellte man sich wahrscheinlich was Tolleres vor als ein kleines Büro im abgelegenen Fragolin. Aber sie ließ es unwidersprochen stehen. Man sollte die Leute nicht mehr verwirren, als sie es ohnehin schon waren.

Claire Falcon-Fontallier sah sie mit großen Augen an. Eigentlich waren diese genauso groß wie immer, und auch die Mimik konnte nicht viel zum Ausdruck bringen, aber dennoch sah man ihr irgendwie an, dass sie beunruhigt war.

»Sie hatten als Kommissarin im *Monastère* zu tun? O mein Gott, ist dort was vorgefallen?«

Ihr Mann nickte. »Das würde ich auch gerne wissen. Ich hoffe, es gibt keinen Grund zur Beunruhigung?«

Rouven deutete zu einem abseits gelegenen Stehtisch. »Lasst uns da rübergehen, da haben wir unsere Ruhe.«

Dort angekommen, stellte Isabelle eine Gegenfrage. »Kennen Sie alle Nonnen des Klosters?«

»Wo denken Sie hin, natürlich nicht. Wir kennen gerade mal die ehrwürdige Mutter Oberin Hortensia und ihre leider viel zu früh verstorbene Vorgängerin Laetitia. Wir überlassen das Kloster den Ordensschwestern, die dort in Frieden dem Herrn dienen können. So hat das mein Vater gewollt.«

»Wir beten regelmäßig für die Schwestern«, ergänzte Claire, »und bitten darum, dass es ihnen wohlergehe.«

»Euer Gebet wurde nicht erhört«, sagte Rouven lakonisch.

Jetzt war klar, dass sie die Karten auf den Tisch legen musste, was kein Problem darstellte, denn sie hatte es sowieso vorgehabt. Dennoch hätte Rouven nicht vorpreschen müssen.

»Das ist richtig«, bestätigte Isabelle. »Im Kloster gab es eine junge Nonne namens Albertine. Sie ist tragischerweise ums Leben gekommen.«

»Wer ist ums Leben gekommen?« Die Stimme kam von hinten. Isabelle drehte sich um. Unbemerkt war ein Mann zu ihnen getreten. Er gab ihr die Hand. »Ich bin André, der Sohn von den alten Herrschaften.«

Rouven machte ihn kurz mit Isabelle bekannt und fasste zusammen, worüber sie gerade gesprochen hatten.

Claire schüttelte ungläubig den Kopf. »Eine Nonne ist ums Leben gekommen? Aus unserem Kloster? Der Herr sei ihrer Seele gnädig.«

Das hatte sie, dachte Isabelle, in der letzten Zeit schon häufiger gehört. Jedenfalls so viel wie noch nie bei einem anderen Mordfall.

»Doch nicht etwa die Nonne aus der Zeitung?«, fragte André. »Ich hab davon gelesen.«

»Natürlich, ich auch«, erinnerte sich sein Vater. »Aber das kann nicht sein. Das war ja ganz woanders.«

Isabelle nickte. »Stimmt trotzdem. Bei der Nonne aus der Zeitung handelte es sich um Albertine aus dem *Monastère des bonnes sœurs*. Sie ist in den Gärten von Rayol ausgerutscht und hinunter auf die Klippen gestürzt.«

Isabelle warf Rouven einen warnenden Blick zu. Er schloss kurz die Augen, er hatte verstanden. Sie wollte vorläufig für sich behalten, dass es sich um einen Mord handelte. Allenfalls würde sie eine Andeutung machen. Das musste sie schon deshalb, weil Hortensia, Adèle, Marguerite und die Novizin Jasmin von ihrem Verdacht wussten.

André nahm seine Mutter beruhigend in den Arm. »Seltsam, das geht einem wirklich nah«, stellte er fest, »obwohl wir diese Albertine gar nicht kannten. Natürlich trifft einen der Tod eines jeden Menschen, einer Nonne insbesondere, aber diese stammte aus unserem Kloster. Da stockt einem der Atem.«

»Wir müssen einen Trauergottesdienst organisieren, wie bei der alten Mutter Oberin.«

»Morgen bringe ich die Urne mit ihrer Asche zum *Monastère*«, sagte Isabelle.

Der alte Herr stützte sich zitternd auf seinen Gehstock. »Habe ich Sie gerade richtig verstanden? Die Nonne wurde eingeäschert? Was für ein Sakrileg. Wenn das unser Vater wüsste.«

»Dem liegt ein höchst bedauernswerter Irrtum in Toulon zugrunde«, erklärte Isabelle. »Natürlich sollte Albertine nicht eingeäschert werden. Aber es ist zu einer Verwechslung gekommen. Ich habe lange mit Hortensia darüber gesprochen. Sie hat sich nach anfänglich tiefer Bestürzung auf Papst Paul VI. und eine Entscheidung des Heiligen Offiziums von 1963 berufen, nach der auch Katholiken eine Feuerbestattung erlaubt sei. Sie würde im Gebet um Vergebung bitten und um Gottes Segen.«

»Wir müssen Sébastien verständigen«, sagte Claire.

»Wer ist Sébastien?«

»Der Sekretär unserer Stiftung, der sich um das Kloster und die Schwestern kümmert«, erklärte André. »Wahrscheinlich weiß er noch gar nichts von diesem Todesfall.«

»Ich bin dankbar, dass wir Sie hier per Zufall getroffen haben«, sagte der alte Falcon-Fontallier. »Es war Gottes Wille, dass wir Ihnen begegnen und auf diese Weise erfahren, was vorgefallen ist.«

»Ach, Papa, es war einfach Zufall.«

»Darf ich fragen, weshalb Sie mit dem Tod der Ordensschwester befasst sind?«, fragte Claire. »Rouven hat ja erwähnt, dass Sie ein Sonderdezernat leiten.«

Die Dame sah nicht so aus, aber sie war clever.

Isabelle lächelte. »Da hat er übertrieben.«

»Ich übertreibe nie«, protestierte Rouven.

»Na ja, es stimmt schon. Aber in diesen Fall bin ich zufällig involviert worden, und auch nur deshalb, weil ich zum Zeitpunkt des Unglücks gerade die *Domaine du Rayol* besucht habe.«

André runzelte die Stirn. »In diesen Fall? Ist ein Unglück ein Fall, mit dem sich die *Police nationale* beschäftigt? Ich meine, ganz grundsätzlich.«

Auf diese Frage hatte sie gewartet.

»Nicht wirklich«, gab sie zu. »Ich möchte Ihnen nicht vorenthalten, dass die vage Möglichkeit einer Gewalttat besteht. Auch wenn wir nicht daran glauben, müssen wir bis zum Beweis des Gegenteils der Sache nachgehen.«

»Das hört sich nicht gut an. Aber wer sollte einer unschuldigen Nonne Gewalt antun? Das ist doch kaum vorstellbar.«

»Sie haben recht, ich kann es mir auch selber kaum vorstellen.«

»So, jetzt reicht's«, entschied Rouven. »Wir sollten uns wieder unter die Gäste mischen und uns schöneren Themen zuwenden.« Und zu André: »Apropos schönere Themen, bist du etwa alleine hier?«

»*Mais non*, meine Freundin steht da vorne und flirtet mit dem Saxofonspieler.«

»Wie heißt sie?«

André grinste. »Habe ich vergessen. Aber ich kann euch gerne bekannt machen.«

»Kein Bedarf, mein Lieber.« Rouven legte einen Arm um Isabelles Schultern. »Ich will es mir nicht mit dieser netten Kognitionsforscherin verscherzen.«

»Kognition was?«

Er lächelte. »Kognitionsforscherin, diesen Beruf habe ich mir für sie ausgedacht. Wenigstens für heute Abend. Morgen ist sie vielleicht Paläontologin. Aber eines ist meine Freundin nie, jedenfalls nicht, wenn wir zusammen auftreten, nämlich eine Kommissarin der Polizei.«

André gab ihm einen freundschaftlichen Stoß. »Ich habe verstanden.« Und an Isabelle gerichtet: »Es war mir eine besondere Ehre, Sie kennenzulernen, eine Kognitionsforscherin und Paläontologin. Respekt.«

30

Am nächsten Morgen war Isabelle um einige Erfahrungen reicher, aber kein bisschen klüger. Immerhin war die Charity-Veranstaltung weniger nervig gewesen, als sie das befürchtet hatte. Und die Begegnung mit den Falcon-Fontalliers hatte einen bleibenden Eindruck hinterlassen. Für ihre Ermittlungen war sie erwartungsgemäß ohne Belang gewesen. Die Familie nahm ihr Engagement zwar sehr ernst, aber faktisch schien sie von ihrem Kloster nicht viel zu wissen. Um die Belange des *Monastère* kümmerte sich der Sekretär ihrer Stiftung. Wenn sie mehr erfahren wollte, würde sie mit diesem Sébastien sprechen müssen.

Zum obligatorischen zweiten Kaffee im Kommissariat ließ sie sich von Apollinaire von seiner gestrigen Exkursion berichten. Er schilderte mit großer Liebe zum Detail, wie er Nicolas Bertrand die abenteuerliche Geschichte einer schon lange zurückliegenden Vergewaltigung im *Arrondissement* aufgetischt hatte und wie der Lebensmittelhändler selbstverständlich in eine Speichelprobe eingewilligt habe. Bertrand sei sehr kooperativ gewesen – außerdem habe er vorzügliche *cèpes séchés*. Er könne Madame gerne von den getrockneten Steinpilzen abgeben, die er gekauft habe.

Auch habe er den klösterlichen Hausmeister Jérôme angetroffen. Nicht zu Hause, vielmehr sei ihm Jérôme kurz vor dem Kloster auf seinem Kleinmotorrad entgegengekommen. Apollinaire schlug die Hände über dem Kopf zusammen. Das sei ein Bild für Götter gewesen. Jérôme habe die Statur von

Obelix, und es grenze an ein physikalisches Wunder, dass das klapprige *vélomoteur* sein Gewicht tragen könne, ohne zusammenzubrechen. Jedenfalls sei auch Jérôme sofort zur Speichelprobe bereit gewesen. Er habe gar nicht erst gefragt, weshalb. Er habe das lustig gefunden – und um ein zweites Wattestäbchen als Souvenir gebeten. Jérôme sei wohl tatsächlich etwas schlicht im Gemüt.

Auf den Jäger Bruno habe er volle zwei Stunden vor dessen Haus gewartet. Der sei wirklich ein unappetitlicher Patron. Der versiffte Hut passe zu ihm. Übrigens habe er nicht nach seiner verloren gegangenen Kopfbedeckung gefragt. Jetzt trage er eine Baseballkappe. Seinen Jagdausweis habe er ihm wortlos aus der Hand gerissen. Dann habe Bruno doch noch was gesagt. Dass er nämlich autorisiert sei, im Revier rund um das Kloster zu jagen. Und dass ihn diese arrogante Sonderbeauftragte kreuzweise könne.

Isabelle sah ihn lächelnd an. Wen Bruno damit wohl gemeint habe?

Um Apollinaires Mundwinkel zuckte es. Er könne sich keinen Reim darauf machen. Wie auch immer, die Proben mit der DNA von Nicolas Bertrand und Jérôme seien bereits in Toulon im Untersuchungslabor. Er gehe davon aus, dass sie noch im Laufe des Tages mit dem Ergebnis der Vergleichsanalyse rechnen könnten. Wie denn ihr Tag gewesen sei, fragte er schließlich.

»*Très agréable*«, erwiderte sie, »ganz angenehm.«

Nun, das war eine schamlose Untertreibung. Angenehm im Sinne von ereignisarm und belanglos waren die letzten vierundzwanzig Stunden gewiss nicht verlaufen.

»Wirklich?« Er sah sie ungläubig an. »Hat Ihnen dieser Serge Blanc-Guerin keine Schwierigkeiten bereitet?«

Sie schmunzelte. »Nein, in keinster Weise.«

»Das hätte ich nicht erwartet. Ehrlicherweise habe ich mir sogar ernste Sorgen gemacht.«

»Die waren unbegründet. Aber Sie könnten sich mal bei der Gendarmerie von La Croix-Valmer schlaumachen, ob sie unseren Sportsfreund gestern verhaftet haben. Wenn es ein Protokoll gibt, würde ich es gerne lesen.«

»Verhaftet? Von der Gendarmerie? Das verstehe ich nicht. Ist er also schuldig? Warum haben Sie ihn dann von der Gendarmerie verhaften lassen und nicht von uns? Und wozu brauchen wir dann noch die DNA-Proben von Bertrand und Jérôme?« Er sah sie Hilfe suchend an. »Der Fall ist abgeschlossen, oder? Habe ich meine Wette gewonnen? Serge Blanc-Guerin hat die Nonne umgebracht. Richtig?«

Isabelle schüttelte verneinend den Kopf.

»Ähm, hat er nicht? Wieso wurde er dann verhaftet?«

»Ich bin mir nicht mal sicher, dass er verhaftet wurde, gehe aber davon aus.«

Er runzelte die Stirn. »Nicht mal sicher, ich verstehe. Deshalb soll ich mich bei der Gendarmerie schlaumachen. Natürlich, das macht Sinn.«

Isabelle stand auf und legte ihm Serges Handy auf den Tisch.

»Hier habe ich noch eine Aufgabe für Sie. Ich will wissen, wo sich dieses *portable* zum Zeitpunkt von Albertines Ableben befunden hat.«

»Madame, Sie halten mich ganz schön auf Trab.«

»Ist gut für den Kreislauf. Wollen Sie wissen, wem dieses *portable* gehört?«

»Doch nicht etwa Serge?«

»Ganz genau. Nachdem unsere Spionage-App nicht funktioniert hat, dachte ich, es wäre am einfachsten, es mir auszuleihen.«

»Damit war Serge einverstanden?«

»Nicht wirklich, aber ihm waren in gewisser Weise die Hände gebunden.«

»Wie praktisch. Jetzt hoffe ich nur, dass wir den Zugangscode rausbekommen.«

»Nicht nötig. Viermal die Null.«

»Wirklich? Dieser Serge ist ein Schlaumeier.«

»Wie lange dauert es, den Standort des *portable* zum Tatzeitpunkt zu ermitteln?«

Apollinaire grinste. »Da gibt es den offiziellen Weg, der dauert länger.«

Sie zwinkerte ihm zu. »Okay, dann nehmen Sie den anderen.«

Zur Mittagszeit klopfte es, und Thierry polterte ins Kommissariat. Er tat das wie immer mit viel Verve und großer Selbstverständlichkeit. Als Bürgermeister fühlte er sich im gesamten Rathaus als Hausherr. Dass die Räume des Kommissariats von der *Police nationale* angemietet waren, hinderte ihn nicht daran, hier ungefragt ein und aus zu gehen. Nachts war es ihm verwehrt. Isabelle hatte die Schlösser auswechseln lassen.

Thierry blieb mitten im Raum wie erstarrt stehen und deutete zur Urne auf dem Fensterbrett. »Da ist die tote Nonne drin, richtig?«

»Genau genommen ihre Asche«, präzisierte Apollinaire.

»Aber sie bleibt hoffentlich nicht für immer hier. Das *Hôtel de ville* ist kein Friedhof.«

Isabelle lächelte. »Keine Sorge, spätestens morgen bringe ich die Urne zum *Monastère,* wo sie im Kreuzgang unter einer Steinplatte ihre letzte Ruhestätte findet.«

»Da bin ich beruhigt. Für einen Augenblick hatte ich die Sorge, ihr könntet fortan im Kommissariat die Urnen mit der Asche all eurer Mordopfer sammeln und zur Schau stellen.«

Apollinaire schnalzte mit der Zunge. »Die Idee gefällt mir.

Eine Art Panoptikum des Grauens. Sobald wir genug Urnen beieinanderhaben, verlangen wir Eintritt.«

Isabelle hielt es für besser, das Thema zu wechseln. »Was führt dich zu uns?«, fragte sie.

»Ich wollte dich zum Mittagessen einladen und mich für gestern Abend entschuldigen. Ich musste zu einem überraschend anberaumten Treffen des regionalen Parteivorstands nach Nizza. Die Sitzung hat so lange gedauert, dass ich übernachten musste.«

»Entschuldigung angenommen. Dito die Einladung zum Mittagessen.«

Isabelle wandte sich an Apollinaire. »Sie können selbstverständlich auch Mittag machen.«

»Gerne. Ich will mich in zwanzig Minuten mit Shayana treffen. Es gibt Neuigkeiten bezüglich des Vorfalls, na ja, Sie wissen schon.«

Apollinaire tat gut daran, dachte sie, nicht den Handtaschendiebstahl und den Missbrauch der Bankkarte zu erwähnen. Thierry war notorisch neugierig.

Wie zum Beweis fragte er prompt: »Was für ein Vorfall? Hoffentlich nichts Schlimmes?«

Isabelle winkte ab. »Nein, eine private Angelegenheit.«

Das Mittagessen in Jacques' Bistro fing harmlos an, geriet dann aber außer Kontrolle. Am überbackenen Ziegenkäse lag es nicht, auch nicht an den gefüllten Perlhuhnschenkeln. Die *pintade farcie* war eine Spezialität des Hauses. Daran schuld war ihre Freundin Clodine, die sich plötzlich an ihren Tisch setzte. Thierry hatte nichts dagegen, Clodine hatte ihm schon immer gefallen. Was auf Gegenseitigkeit beruhte. Falls sie sich mal trennen sollten, würde Thierry bei Clodine Trost finden, da war sich Isabelle fast sicher. Amüsanterweise wurden sie von Lucas bedient, der dabei schüchtern lächelte. Ob Thierry ahnte, dass der Aushilfskellner Clodines aktuelle Freizeitbeschäftigung war?

Isabelle fragte Thierry nach dem Grund des gestrigen Treffens seiner Partei. Seine Antwort kam ihr komisch vor. Normalerweise drückte er sich klarer aus.

»Wow, hast du gestern gut ausgesehen«, sagte Clodine plötzlich. »Der rote Hosenanzug ist granatenstark. Was hattest du denn Sensationelles vor?«

Thierry sah sie erstaunt an. »Du hast einen roten Hosenanzug?«

Ab und zu, dachte Isabelle, könnte sie Clodine an die Wand klatschen. Sie hatten schon als Kinder zusammen gespielt, nur deshalb verzieh sie ihr so manches. Andererseits war es egal, sie hatte sowieso damit gerechnet, dass Thierry von ihrem Ausflug erfahren würde.

»Ich war auf einer Charity-Veranstaltung«, antwortete sie. »In einem Château bei Gassin. Der Dresscode war smart casual.«

»Du gehst auf ein Fest, ohne es mir zu erzählen?«, sagte Thierry.

Hörte sie da einen Vorwurf in seiner Stimme? Das mochte sie nicht. Sie hob eine Augenbraue. »Ganz genau. Außerdem warst du in Nizza. Also hatten wir beide einen schönen Abend.«

Den *schönen Abend* hatte sie ironisch gemeint. Eine Sitzung der Partei dürfte so ziemlich das Gegenteil davon sein. Seltsamerweise huschte ein verlegener Ausdruck über sein Gesicht. Aber schon war er vorbei. Wahrscheinlich hatte sie sich getäuscht.

»Warst du alleine dort?«, fragte Clodine, an Isabelle gerichtet.

»Hättest mich fragen können, ich wäre mitgekommen. Smart casual? Da hätte ich bestimmt was Passendes gefunden.«

Isabelle überlegte, dass auch eine Freundschaft aus Kindertagen durch unbedachtes Plappern in die Brüche gehen konnte.

»Ich war mit Rouven dort«, sagte sie geradeheraus.

Thierry fiel zwar nicht die Kinnlade runter, aber er sah ziemlich verdattert aus.

Nun könnte sie erklären, dass sie Charity-Veranstaltungen nicht mochte und nur deshalb hingegangen war, weil sie die Familie Falcon-Fontallier kennenlernen wollte – aus beruflichen Gründen. Aber das würde zu sehr nach einer billigen Ausrede klingen. Sie hasste billige Ausreden. Außerdem sah sie keine Veranlassung, sich zu rechtfertigen.

»Mit Rouven?«, sagte Clodine. »Ich hätte mich euch leidenschaftlich gerne angeschlossen.« Sie errötete. »Obwohl, natürlich nicht.« Sie blickte zwischen Isabelle und Thierry hin und her. Erst jetzt schien ihr klar zu werden, was sie mit ihrer Fragerei angerichtet hatte.

»Übrigens war ich vor Mitternacht wieder zu Hause«, erwähnte Isabelle. Das war zwar nicht wichtig – aber irgendwie doch. Immerhin hatte Thierry in Nizza übernachtet.

»Als Dessert gibt es *mousse au chocolat*«, sagte Lucas, der genau zum richtigen Zeitpunkt am Tisch auftauchte.

»Für mich einen Calvados«, orderte Thierry.

Eine halbe Stunde später saß Isabelle wieder an ihrem Schreibtisch. Apollinaire war noch nicht zurück. Sie ertappte sich dabei, wie sie ihren linken Oberschenkel massierte. Vorhin hatte es mal wieder gezwickt. Thierry hatte sich vor dem Bistro mit Küsschen von ihr verabschiedet, weil er noch einen Termin außerhalb des Rathauses hatte. Er gab sich den Anschein, als ob nichts geschehen wäre. Leider war er nicht so souverän, wie er sich selbst gerne sah. Von Clodine war sie umarmt worden – mit einer ins Ohr geflüsterten Entschuldigung.

Isabelle schaukelte auf ihrem Stuhl hin und her. Sie sah an die Decke und klopfte mit den Fingern auf den Tisch. Dann tat sie etwas, was sie verabscheute, schon deshalb, weil sie nicht so sein wollte wie Thierry. Dennoch recherchierte sie im Internet die Telefonnummer von Thierrys regionalem Parteibüro. Erneut knetete sie ihr Bein, dann rief sie dort an. Mit verstellter Stimme gab sie sich als Journalistin aus und fragte, worum es bei der gestrigen Sitzung in Nizza gegangen sei. Sie sei von ihrem Chefredakteur verdonnert worden, eine kurze Nachricht zu schreiben.

Eine Sitzung in Nizza? Die Sekretärin der Partei sagte, dass es keine Sitzung gegeben habe. Ganz sicher nicht. Sie träfen sich nie in Nizza. Das könne sie ihrem Chefredakteur gerne ausrichten. Ansonsten sei man an einer Berichterstattung natürlich immer interessiert.

Isabelle legte auf – und verfluchte sich. Was machte sie gerade? Thierry nachspionieren? Das verstieß gegen ihre Prinzipien.

Als Nächstes rief sie Jacqueline in Paris an. Nach einer kurzen Plauderei äußerte Isabelle eine Bitte. Sie gab Jacqueline Thierrys Kreditkarte durch und bat sie, herauszufinden, ob er gestern Abend in Nizza damit bezahlt habe. Sie wolle das nicht selbst machen, aus naheliegenden Gründen.

Jacqueline verstand sofort. Sie stellte keine Fragen.

»*Au revoir,* Isabelle. *Ne t'en fais pas,* mach dir keine Gedanken!«

Doch, genau das tat sie.

Als kurz darauf Apollinaire erschien, kam sie tatsächlich auf andere Gedanken. Er hatte nämlich gleich mehrere Nachrichten parat. In seiner Aufregung wusste er nicht, mit welcher er anfangen sollte. Sie gab ihm den Tipp, chronologisch zu verfahren.

Guter Vorschlag. Vor seiner Mittagspause habe er noch die gentechnische Auswertung erhalten. Die Kollegen arbeiteten immer schneller. Hoffentlich auch sorgfältig, denn der Vergleich mit den Haut- und Blutspuren unter Albertines Fingernägeln habe keine Übereinstimmung mit der DNA weder von Nicolas Bertrand noch von Obelix ergeben. Apollinaire hüstelte. Natürlich meine er Jérôme.

Isabelle war nicht überrascht, sie hatte kein anderes Ergebnis erwartet. Nach dem Ausschlussverfahren war das dennoch eine wichtige Information. Blieb als grundsätzlicher Vorbehalt, dass die Spuren unter den Fingernägeln nicht zwingend vom Täter stammen mussten. Zwingend nicht, aber doch sehr wahrscheinlich. Dass die Partikel von Albertine selbst herrühren könnten, etwa weil sie sich heftig gekratzt hatte, war von der Rechtsmedizin bereits ausgeschlossen worden.

Apollinaire drehte sich zu seinem Computer. Des Weiteren habe er das Resultat von Serges Handy-Auswertung erhalten. Er müsse es nur noch lesen und interpretieren.

Er murmelte vor sich hin. »*Ce n'est pas bon*«, glaubte sie zu verstehen.

»Was ist nicht gut?«, fragte sie.

»Nun, ausgehend von meiner Prämisse, dass Serge der Mörder unserer Nonne ist, ergibt sich als Konklusion, dass seine Person respektive sein *portable* zum Zeitpunkt der Tat ...«

»Geht's einfacher? War sein *portable* in der *Domaine du Rayol*? Und wenn nicht, wo war es dann?«

»Ähm, das ist nicht gut, gar nicht gut. Wie es aussieht, hat sich Serge zum Tatzeitpunkt in Marseille befunden. Der Standort lässt sich sogar exakt bestimmen. Er war in einer Kneipe am Hafen. Moment, da steht sogar der Name ...«

»Barbe-Rouge«, sagte Isabelle.

Er sah sie entgeistert an. »Stimmt. Woher wissen Sie das schon wieder?«

»Von Serge, er hat mir die Kneipe als Alibi genannt. Er war dort mit Freunden, die das bestätigen könnten. Wie es scheint, hat er nicht gelogen.«

»Seine DNA stimmt nicht, und er war am falschen Ort zur richtigen Zeit. Das lässt nur einen Schluss zu.«

Isabelle schmunzelte. »Dass Sie an drei aufeinanderfolgenden Tagen gleichfarbige Socken tragen müssen. Serge kann es nicht gewesen sein.«

Apollinaire raufte sich die Haare. »*Quelle merde.* So ein Mist. Ich war mir absolut sicher.«

»Mir wäre lieber, Sie hätten die Wette gewonnen, dann könnten wir die Akte schließen. Nun aber stehen wir wieder am Anfang.«

»Ja, zurück auf null. Serge raus, Bruno, Nicolas, Jérôme.« Er deutete missgelaunt auf das Flipchart in der Ecke. »Ich kann all die schönen Namen auf meiner Liste streichen.«

»Sieht ganz so aus. Aber Rückschläge gehören zu unserer Arbeit. *C'est la vie!*«

»Und jetzt?«

»Jetzt können Sie mir erzählen, was es bei Shayana Neues gibt.«

»O ja, das ist wirklich spannend. Also, das glauben Sie nicht.«

»Ob ich es glaube, sage ich Ihnen hinterher.«

»Sie hatten doch angeregt, dass ich Shayana frage, wo und wann sie ihre Bankkarte das letzte Mal vor dem Diebstahl eingesetzt hat. Jetzt weiß ich es. Nämlich in Fragolin, und zwar ganz harmlos am Bankautomaten, um Geld abzuheben. Mit der Karte in einem Laden bezahlt hat sie schon lange nicht mehr.«

Isabelle hatte sich eine andere Information erhofft. Hätte Shayana irgendwo in einem Geschäft den PIN-Code eingegeben, könnte dort das Leck sein. Aber so?

»Jetzt kommt's«, fuhr Apollinaire fort. »Shayana hat mit einem älteren Touristenpaar aus Nantes gesprochen, dem das Gleiche passiert ist. Die Eheleute sind sich nicht einig, wo sie zuvor mit der Karte bezahlt haben, aber eines wissen sie sicher: Sie waren Stunden zuvor in Fragolin, um unsere wunderschöne Altstadt zu besichtigen.«

Jetzt war Isabelle tatsächlich baff. Zufälle gab es immer wieder, aber einen solchen?

»Das ist frappierend«, sagte sie. »Was ist mit dem dritten Fall, der jungen Frau?«

»Konnte Shayana noch nicht erreichen. Das Ehepaar aus Nantes hat versprochen, die Belege rauszusuchen und sich wieder zu melden.«

»Fragolin, ich glaub's nicht.«

Er sah sie triumphierend an. »Ich habe doch gesagt, Sie würden es nicht glauben.«

Minuten später begann Apollinaire zu kichern. Bald wurde schallendes Gelächter daraus.

»Das ist ja eine völlig irre Geschichte«, stellte er glucksend fest. »So ein abgefahrenes Protokoll habe ich noch nie gelesen.«

Sie sah ihn fragend an. »Wovon sprechen Sie?«

»Ich sollte doch herausfinden, ob Serge verhaftet wurde.«

»Und?«

»Ja, wurde er. Unter abenteuerlichen Umständen. Er wurde halb nackt in einem Haus gefunden, mit Handschellen gefesselt und so tobsüchtig, dass sich die Gendarmerie erst gar nicht an ihn rangetraut hat, um ihn zu befreien. Er behauptete, eine durchgeknallte Psychopathin habe ihn verschleppt. Warum ausgerechnet ins Haus seines Onkels, sei ihm unerklärlich. Die Wahnsinnige habe ihn mit der Pistole bedroht und ihn gezwungen, sich auszuziehen und die Handschellen anzulegen. Sie habe völlig wirres Zeug geredet und ihn eines Mordes bezichtigt. Des Mordes an wem? Das habe die Pissnelke nicht gesagt. Aber sie habe sein Auto geklaut, einen alten Ford Mustang. Darauf sei die Kanaille völlig geil gewesen …« Apollinaire hielt sich den Bauch und konnte vor Lachen nicht weitersprechen.

»Völlig geil ist übertrieben«, stellte Isabelle nüchtern fest. »Die Kanaille war von dem Mustang allenfalls sehr angetan.«

»Madame, wie wollen Sie das wissen?« Sein Grinsen reichte von einem Ohr bis zum anderen. »Ich gehe davon aus, dass wir beide keine Ahnung haben, um wen es sich bei dieser Psychopathin handeln könnte. Richtig?«

Sie nickte. »Absolut korrekt. Nicht den Schimmer einer Ahnung. Was steht noch im Protokoll?«

»Die Schlampe, bitte entschuldigen Sie die Wortwahl, aber es handelt sich um ein wörtliches Zitat, habe gedroht, ihm abwechselnd in den Kopf und in die Knie zu schießen.«

»Abwechselnd? Das macht wenig Sinn. Nach dem Kopf hätte er vom Knie nichts mehr gemerkt.«

»Hier steht, dass die Gendarmerie auf einem Tisch Kokain gefunden hat und Drogenbesteck. Serge beschuldigt Zoé … Ach so, jetzt hat sie plötzlich einen Namen. Wie sind Sie eigentlich auf Zoé gekommen?«

»Woher soll ich das wissen? Ich habe damit nichts zu tun.«

»Natürlich, wie konnte ich fragen. Wie auch immer, diese Zoé sei wohl drogenabhängig und habe den Koks offenbar mitgebracht. Dummerweise fanden sich auf dem Klarsichtbeutel seine Fingerabdrücke.«

»Blöd gelaufen.«

Apollinaire fuhr mit einem Bleistift über den Bildschirm. »Ha, hier steht noch was. Die geistesgestörte Weibsperson –

wieder ein wörtliches Zitat – habe außerdem sein *portable* geklaut.« Er blickte auf das vor ihm liegende Handy. »Dieselbe Marke, was für ein Zufall.«

»Das war ein sehr unterhaltsamer Bericht«, kommentierte Isabelle. »Bleibt die Frage, wo Serge jetzt ist?«

»Wo soll er sein? Im Untersuchungsgefängnis. Ein Knacki auf Bewährung sollte sich von Drogen fernhalten. Vielleicht hat er Glück und kommt in eine geschlossene psychiatrische Anstalt.«

»Sie meinen wegen seiner Wahnvorstellungen?«

»Sich so was Abgefahrenes auszudenken ist doch krankhaft, finden Sie nicht?«

Sie lächelte. »Absolut pathologisch, der Meinung bin ich auch.«

31

Auf der Fahrt zum Kloster hatte Isabelle Zeit zum Nachdenken. Sie überlegte, ob sie ein schlechtes Gewissen
haben sollte. Schließlich war es ihre Schuld, dass Serge wieder
im Gefängnis saß. Sie hatte ihn in eine Falle gelockt. Sie hatte
ihn animiert, Rauschgift zu besorgen. Und sie hatte ihn der
Gendarmerie ausgeliefert. Aber deshalb ein schlechtes Gewissen? Nein, ganz bestimmt nicht. Serge war ein vulgärer
Typ, der Frauen nachstieg und sie mit allen Mitteln gefügig
machte. Sie hatte keine Beweise, doch sie war überzeugt, dass
er Albertine, die damals noch Odette hieß, mit Vorsatz drogenabhängig gemacht hatte. Wahrscheinlich hatte er sie ge-
quält und gedemütigt. Und hätte sie sich nicht gewehrt, hätte
er sie vergewaltigt. Auch in Isabelles Fall hatte er bereitwillig
Kokain besorgt. Sie schüttelte es. Sie wollte sich nicht vorstellen, was er sich in seiner kranken Fantasie so alles ausgemalt
hatte. Jedenfalls würde sich Serge nicht ändern. Unter Garantie. Schweine blieben Schweine, zeit ihres Lebens. Psycholo-
gen mochten das anders sehen, aber nach ihrer Lebenserfahrung täuschten sie sich. Da war jeder zusätzliche Tag, den
Serge weggesperrt war, ein guter Tag – für all jene Frauen, die
sonst seinen Weg gekreuzt hätten.

Sie warf einen Blick auf den Beifahrersitz. Die Urne mit Albertines Asche hatte sie angeschnallt. Das sah bizarr aus. Isabelle überlegte, dass es sich nur selten ergab, mit einem Mordopfer im Auto unterwegs zu sein. Gewiss, die Asche hatte
nichts mehr mit der lebenden Nonne gemein, aber sie trug

gewissermaßen ihren Geist in sich. Womöglich wurde die Urne von der Aura ihrer Seele umgeben, die sie quasi auf der Fahrt zu ihrer letzten Ruhestätte im Kloster begleitete? Isabelle hielt sich für einen nüchternen Menschen mit wenig ausgeprägter Spiritualität, und so lagen ihr solche Gedanken eigentlich fern. Dennoch glaubte sie zu spüren, dass von der Urne neben ihr etwas ausging, was nicht von dieser Welt war. Oder war das schlichte Einbildung, weil ihre Gedanken um das Schicksal der Nonne Albertine kreisten, die zuvor ein Leben als Odette geführt hatte und in den Tod gestürzt wurde. Noch immer hatte sie keine Idee, wer für diese Tat verantwortlich sein könnte. Vor allem konnte sie sich kein Motiv vorstellen. Jenes der Rache hatte sich als Irrweg herausgestellt. Es wäre ein Fehler, den Beweggrund nur in der Vergangenheit zu suchen. Sie durfte dabei nicht die Gegenwart aus den Augen verlieren. Womit wieder das Kloster in den Fokus geriet, zu dem sie gerade unterwegs war. Ein Hort des weltabgeschiedenen Friedens und mit einer in Stein gemeißelten Inschrift am Tor: *Deus nobis haec otia fecit.* Gott hat uns diese Ruhe geschenkt. Wer sollte einen Grund haben, diese gottgegebene Ruhe durch den Mord an einer Nonne zu stören? Sie hatte keine Ahnung.

Wie in Trance fuhr Isabelle über kurvige Straßen hinauf ins immer einsamere Hinterland des *Massif des Maures*. Beim häufigen Schalten und dem damit verbundenen Kuppeln spürte sie ihr linkes Bein, erst nur ein leises Ziehen und Stechen, dann mit immer heftigeren Schmerzen. Schließlich konnte sie nicht mehr. Sie beschloss anzuhalten. Rechts kam eine Ausbuchtung mit dem Hinweis *Aire de Repos* und einem Schild, das eine *belle vue* versprach. Die schöne Aussicht war ihr egal. Sie parkte und machte den Motor aus. Nach dem Öffnen der Tür versuchte sie vergebens, mit dem linken Bein beginnend auszusteigen. Es bewegte sich einfach nicht. Tat nur weh. Sie musste sich mit beiden Händen unter den Schenkel fassen und es förmlich hinaushieven. Dann zog sie sich am Auto hoch und versuchte, einen sicheren Stand zu finden. Ihr linkes Bein war dabei keine große Hilfe. *Merde, merde ...* Langsam kehrte das Gefühl zurück, aber die Schmerzen wurden nicht weniger. Sie humpelte unsicher zu einer Holzbank, von der man die herrliche Aussicht genießen sollte. Sie stützte sich auf die Lehne und machte Dehnübungen. Normalerweise hatte sie Spaß am Stretching, heute musste sie sich überwinden. Merkwürdigerweise verursachte das Abwinkeln weniger Schmerzen als das Ausstrecken.

Isabelle setzte sich schräg auf die Bank, mit hochgelegtem Bein. Das Kuppeln in ihrem kleinen Renault hatte ihr offenbar nicht gutgetan. Sie durfte sich nichts vormachen, sie hatte ein medizinisches Problem. Und das war entschieden größer, als sie sich bislang eingestanden hatte. Sie sollte Docteur Léo Lambarts Rat folgen und sich baldmöglichst einer genaueren Untersuchung unterziehen. Am einfachsten in seiner Privatklinik in Sainte-Maxime.

Sie war also nicht bester Stimmung, als gerade jetzt ihr Handy läutete. Ihre Freundin Jacqueline aus Paris war dran. Normalerweise brachte sie Jacqueline auf freundlichere Gedanken, aber nicht heute, denn ohne lange Vorrede kam sie auf Thierry Blès zu sprechen und auf Isabelles Rechercheauftrag. Thierry habe tatsächlich in Nizza mit seiner Kreditkarte bezahlt, und zwar ein Essen für zwei Personen in einem noblen Feinschmeckerrestaurant. Übernachtet habe er im *Negresco,* bezahlt am nächsten Morgen ebenfalls mit seiner Karte.

Das hörte sich nicht gut an. Doch sie sollte keine voreiligen Schlüsse ziehen. Als Politiker und Rechtsanwalt gab es in Thierrys Leben durchaus Anlässe für konspirative Geschäftsessen. Und warum sollte er schlechter wohnen als im legendären *Negresco*? Was allerdings nicht sein Stil war. Das Grandhotel passte viel eher zu Rouvens Lifestyle. Außerdem hätte sich Thierry für ein Geschäftsessen kein Treffen seiner Partei ausdenken müssen.

Jacqueline versicherte ihr, dass sie dranbleibe. Jetzt wolle sie selbst wissen, was Thierry in Nizza getrieben habe.

Isabelle entgegnete, dass es vielleicht besser sei, dies nicht zu erfahren.

Jacqueline war entschieden anderer Meinung. Immerhin habe Thierry sie schon mal betrogen, während seiner Zeit in Paris. Doch man werde ja sehen. Bis dahin gelte die Unschuldsvermutung. Aber nicht wirklich, denn in Wahrheit vermute sie das Gegenteil, nämlich seine Schuld.

Ihre Freundin konnte ganz schön direkt sein, dachte Isabelle. Sie nahm noch die Grüße von Maurice Balancourt entgegen, der leider keine Zeit habe, mit ihr zu sprechen. Er schreibe gerade für den Innenminister eine Rede zum Thema innere Sicherheit. Jacqueline verabschiedete sich, und Isabelle war wieder alleine – mit der Parkbank, dem maladen Bein und ihren Gedanken.

Sie war nicht spießig, immerhin hatte sie selbst das Konzept einer *ménage à trois* kreiert. Aber sie legte Wert auf Ehrlichkeit. Thierry wusste von Rouven und umgekehrt Rouven von Thierry. Solange sie in Fragolin lebte, war Rouven als Liebhaber für sie tabu. Das hatte sie Thierry versprochen, und an diese Vereinbarung hielt sie sich. Konsequent und ohne Ausnahme – auch in den letzten Tagen. Was nicht ausschloss, dass sie Rouven traf, aber eben nur so wie einen guten Freund. Anders war es, wenn sie sich mit Rouven für einige Wochen eine Auszeit nahm, fernab von hier, wo sie niemand kannte. Aber auch dann wusste Thierry Bescheid. Und er hatte dieser

Lebensform zugestimmt. Sie spielte mit offenen Karten und hatte keine Geheimnisse. Nur so ging es. Für Lügen gab es bei diesem Arrangement wie in jeder Beziehung keinen Platz. Weshalb es vielleicht doch gut war, dass Jacqueline mit detektivischem Eifer Thierrys Ausflug nach Nizza unter die Lupe nahm, auch wenn es ihr eigentlich widerstrebte.

Ein Wohnmobil fuhr auf den Rastplatz, den sie bislang für sich allein gehabt hatte. Eine Familie mit Kindern stieg aus und begrüßte sie. Vorbei war es mit der Ruhe.

Sie stand auf und humpelte zurück zu ihrem Renault. Das Einsteigen klappte ganz gut. Versuchsweise stieg sie einige Male auf die Kupplung. Sie ignorierte die Stiche im Oberschenkel, startete den Motor und fuhr los. Aus dem offenen Seitenfenster winkte sie der Familie zu.

32

Isabelle kniete mit den Nonnen in der Klosterkapelle und nahm am Mittagsgebet teil. Das war für sie eine gänzlich neue Erfahrung. Sie fühlte, wie sie sich dabei entspannte. Und sie ertappte sich dabei, dass sie trotz ihres mangelnden Glaubens im Stillen einen persönlichen Wunsch an den Himmel richtete. Die Probleme mit ihrem Bein mochten sich doch bitte in Wohlgefallen auflösen. Während sie das tat, kam sie sich vor wie ein kleines, naives Kind. Andererseits pilgerten erwachsene Menschen nach Lourdes, weil sie sich von diesem Wallfahrtsort und seiner heiligen Quelle wundersame Heilungen erhofften. Sich etwas zu wünschen war also legitim, auch wenn man nicht wirklich an die Erfüllung glaubte. Allerdings war wohl der Glaube entscheidend, sonst konnte man es gleich sein lassen. Sie könnte auch darum bitten, den Mörder von Albertine zu finden. Aber dafür brauchte sie keinen göttlichen Beistand. Das würde sie alleine schaffen, davon war sie überzeugt – auch wenn sie gerade nicht wusste, wie.

Hortensia bekreuzigte sich.

»*In nomine Patris et Filii, et Spiritus Sancti. Amen.*«

Beim Aufstehen stützte sich Isabelle auf die Kirchenbank. Ihr Bein tat zwar noch weh, machte aber keine Scherereien. Die Mutter Oberin verweilte im stillen Gebet. Isabelle begleitete im Hinausgehen die Novizin Jasmin. Im Kreuzgang kam sie mit ihr ins Gespräch. Spätestens jetzt verstand sie, warum Jasmin mehr noch als ihre Mitschwestern von Albertines Tod betroffen schien. Ihr wurde außerdem klar, warum sie bei einem früheren Treffen über das Vorleben der toten Nonne hätte Auskunft geben können – was Hortensia damals mit einem strengen Blick unterbunden hatte. Denn wie sich herausstellte, war Jasmin durch Albertine ins Kloster gekommen. Genau genommen durch ihre Schwester Denise in Hyères. Jasmin und Albertine, die damals noch Odette hieß, hatten sich gekannt. Sie hatten beide in Marseille gelebt und waren auf ähnliche Weise ins Drogen- beziehungsweise Rotlichtmilieu abgerutscht. Bei Odette war es das Rauschgift gewesen. Bei Jasmin, die aus Zentralafrika stammte, ging es um Prostitution. Denise hatte zunächst ihre Schwester in das *Monastère des bonnes sœurs* vermittelt und später dann auch Jasmin. Für Jasmin war es eine große Hilfe gewesen, in Odette respektive Albertine eine Mitschwester zu haben, die zwar ein anderes, aber im Ergebnis ähnliches Schicksal erlitten hatte und die sie aus ihrem früheren Leben kannte. Umso mehr vermisste sie die Nonne.

Isabelle nahm die Novizin tröstend in die Arme. Sie hatte von ihr nichts erfahren, was bei ihren Ermittlungen helfen könnte. Aber Jasmin hatte ihr Mitgefühl. Isabelle wünschte ihr, dass sie ihren Weg auch ohne Albertines Hilfe finden möge.

Adèle näherte sich mit Trippelschritten und teilte Isabelle mit, dass Hortensia mit ihr im Kapitelsaal unter vier Augen reden wolle. Sie folgte ihr in den Versammlungsraum des Klosters, der für den kleinen Schwesternorden viel zu groß und repräsentativ war, mit vier großen Säulen in der Mitte und hohem Rippengewölbe. Hortensia erwartete sie in einer Nische auf einer gemauerten Rundbank.

Isabelle überlegte, dass es eine direkte Verbindung von der Klosterkapelle zum Kapitelsaal geben musste, denn im Kreuzgang hatte sie die Mutter Oberin zuvor nicht gesehen.

Hortensia blickte sie nachdenklich an. Oder wie war ihr Gesichtsausdruck zu deuten? Bei einer alten, lebensweisen Frau tat man sich schwer. Sie wirkte fast schläfrig, aber ihre Augen waren lebendig und verrieten höchste Aufmerksamkeit.

»Isabelle, meine Liebe«, begann sie schließlich. »Ich darf Sie doch bei Ihrem Vornamen nennen? Bei uns im Kloster gibt es keine Nachnamen.« Ohne eine Antwort abzuwarten, fuhr sie fort: »Isabelle, nun verraten Sie mir, ob unsere geliebte Schwester Albertine tatsächlich mit mörderischer Absicht zu Tode gestürzt wurde. Hat sich Ihr Verdacht erhärtet?«

Isabelle nickte. »Leider ja. Daran besteht kein Zweifel.«

»Wie furchtbar.« Hortensia strich sich mit bebender Hand über die Stirn.

»Noch haben wir keine Spur, kein Motiv, keinen Tatverdächtigen. Aber ich verspreche Ihnen, dass ich alles in meiner Macht Stehende versuchen werde, Albertines Mörder zu finden.«

»Mein liebes Kind, versprechen Sie nichts, was Sie nicht halten können.«

»Mutter Oberin, ich habe nicht versprochen, dass ich es schaffe, aber dass ich mein Bestes geben werde.«

»Das ist ein feiner Unterschied, ich habe verstanden. Ich weiß Ihre Bemühungen sehr zu schätzen. Aber wie wichtig ist es, ihren Mörder zu finden? Albertine wird davon nicht mehr lebendig, und Gott wird den Sünder ohnehin richten, wenn nicht hier auf Erden, dann zu einer anderen Stunde und in einer anderen Welt. Gottes Mühlen mahlen langsam, aber gerecht.«

»Es gibt eine irdische Gerechtigkeit«, antwortete Isabelle, »der ich als Kommissarin verpflichtet bin. Deshalb hoffe ich, dass wir nicht bis zum Jüngsten Gericht warten müssen.«

Hortensia schlug mit dem Daumen ein Kreuz über Stirn,

Mund und Brust. »Ich fürchte, dass es genau dazu kommen wird«, sagte sie leise.

Isabelle sah sie verständnislos an.

»Nicht nur Menschen können von einem Dämon besessen sein«, erläuterte Hortensia, »es gibt auch Orte, die unvermittelt mit einem Fluch belegt werden. Unser Kloster war über Jahrhunderte ein Hort des Glaubens und des Friedens. Womöglich fühlte sich das Böse davon herausgefordert? Schon im Brief des Paulus an die Epheser sowie im Markusevangelium wird die unheilvolle Kraft der Dämonen beschrieben.«

»Sie glauben, dass das *Monastère des bonnes sœurs* mit einem Fluch belegt wurde?«

Hortensia zuckte mit den Schultern. »Ich weiß nicht, aber je mehr ich darüber nachdenke, desto wahrscheinlicher scheint es mir. Jedenfalls spreche ich täglich ein Exorzismusgebet und bitte Gott um Schutz vor den Mächten des Unheils.«

Isabelle wusste nicht, wie sie mit diesem Bekenntnis umgehen sollte. Ihr fehlte jeglicher Sinn für derartige Überlegungen. Gleichwohl sollte sie Hortensias Ängste nicht einfach als Humbug abtun. Was brachte die Mutter Oberin dazu, so zu denken?

»Aber Albertine ist nicht in diesem Kloster gestorben«, wandte sie ein, »sondern in den Gärten von Rayol. Und es war kein Unfall, sondern ein brutaler Mord. Hätte sie sich bei einem selbst verschuldeten Treppensturz im Kloster das Genick gebrochen, könnte ich Ihren Gedanken noch eher folgen. Wobei ich ehrlich gesagt weder an Dämonen glaube noch an irgendwelche Mächte des Unheils.«

Hortensia verschränkte die Finger ihrer hageren Hände und sah sie eindringlich an. »Sie müssen nicht daran glauben, es reicht völlig, wenn Sie die Möglichkeit in Betracht ziehen.«

Isabelle hatte das Gefühl, dass die Mutter Oberin ihr etwas verschwieg.

»Was ist noch passiert?«, fragte sie ganz direkt.

Hortensia knetete so heftig mit den Händen, dass die Gelenke knackten. »Meine Vorgängerin als *mère supérieure*, die ehrwürdige Laetitia, ist vor nicht allzu langer Zeit ganz überraschend unter schauerlichen Krämpfen dahingerafft worden. Dabei hatte sie Schaum vor den Lippen und immer wieder den himmlischen Herrn angefleht, sie vom Satan zu befreien, der sich ihrer bemächtigen wolle.«

»Sie hat also halluziniert.«

»Das ist Ihre Interpretation, nicht die meine.«

»Was hat sie vorher gegessen?«, fragte Isabelle pragmatisch.

»Hirsebrei aus einem gemeinsamen Topf bei der Abendspeisung im Refektorium. Das kann es also nicht gewesen sein.«

»Was hat sie getrunken?«

»Wasser aus unserer Quelle. Aus derselben Karaffe wie wir alle. Isabelle, geben Sie es auf, es findet sich keine logische Erklärung.«

»Wann haben die Krämpfe eingesetzt?«

»Nach dem Abendgebet in ihrer Zelle. Dort hat sie noch von unserem Kräuterlikör getrunken, aber er brachte keine Linderung.«

»Oder haben die Krämpfe erst nach dem Kräuterlikör eingesetzt?«

Hortensia überlegte. »Das wäre möglich, denn Laetitia hat regelmäßig vor der Nachtruhe ein Gläschen getrunken. Aber der Gedanke, dass unser wunderbarer Kräuterlikör, von Albertine mit größter Liebe und Sorgfalt zubereitet, der Auslöser für ihre Krämpfe gewesen sein könnte, ist vollends abwegig.«

»Was ist mit der angebrochenen Flasche aus ihrem Zimmer passiert? Gibt es sie noch?«

»Natürlich nicht. Wir haben den Rest weggeschüttet. Das ist eine Frage der Pietät. Wir trinken doch nicht vom Likör unserer verblichenen Mutter Oberin.«

Diese »Pietät«, dachte Isabelle, hat womöglich weiteres Unheil verhindert. Aber kriminaltechnisch wäre es besser gewesen, die Flasche aufzuheben. Doch wer sollte den Kräuterlikör vergiften? Die Dämonen aus Hortensias Fantasiewelt waren dazu sicher nicht in der Lage.

»Gibt es eine Möglichkeit, unbemerkt ins Kloster zu gelangen?«, fragte Isabelle. »Also auf einem anderen Weg als durch das Eingangstor?«

Hortensia runzelte die Stirn. »Isabelle, meine Liebe, ich versuche Ihren Gedanken zu folgen, was mir zunehmend schwerfällt. Es ist mir klar, dass Sie nach einer eigenen Erklärung für Laetitias Ableben suchen. Aber die Vorstellung, dass sich jemand von außen in unser Kloster schleichen könnte, um Laetitias Kräuterlikör zu vergiften, erscheint mir doch reichlich abenteuerlich.«

»Mag sein, trotzdem, gibt es einen anderen Zugang?«

»Ja, den gibt es. Eine kleine, versteckte Pforte hinter der Sakristei. Aber sie ist nur uns Nonnen bekannt. Und natürlich Jérôme, für den ich meine Hand ins Feuer lege.«

Hortensia hatte völlig recht, dachte Isabelle, das Szenario war in der Tat abenteuerlich. Aber es hatte einen bestechenden Vorteil: Es war sehr viel realistischer als die imaginäre Kraft des Bösen. Mit dem Nachteil, dass es nicht den geringsten Beweis gab. Und die Frage blieb unbeantwortet, wer so etwas tun sollte – und weshalb? Ein Satan in Menschengestalt? Unfug. Ein Satan vielleicht schon, aber einer ohne Pferdefuß und Teufelshörner.

»Ich habe Ihnen noch nicht alles erzählt«, sagte Hortensia. »Nach Laetitias Tod wurden am Tor mehrfach Briefe angeschlagen. Üble Pamphlete wirren Inhalts.«

»Dämonen schreiben keine Briefe«, stellte Isabelle nüchtern fest.

»Sie können sich aber Menschen bemächtigen, die das für sie erledigen.«

»Was stand in den Briefen? Kann ich sie mal sehen?«

Hortensia schüttelte energisch den Kopf. »Ich habe diese Teufelsschriften mit Weihwasser besprengt und sie dann im Ofen der Küche verbrannt.«

Spätestens jetzt gelangte Isabelle zur Ansicht, dass die Mutter Oberin nicht mehr ganz richtig im Kopf war.

»Aber Sie können sich noch an den Inhalt der Schreiben erinnern?«

»Nicht wirklich, denn ich habe nach Kräften versucht, die finsteren Botschaften aus meinem Gedächtnis zu tilgen. Leider ist mir das nicht vollends gelungen. So weiß ich noch, dass wir aufgefordert wurden, das Kloster zu verlassen. Andernfalls würde uns großes Unglück widerfahren.« Hortensia sah Isabelle eindringlich an. »Verstehen Sie jetzt, warum ich an einen Fluch glaube? In den Schreiben war von der Pestilenz die Rede und von biblischen Plagen. Meine liebe Isabelle, das war Hexenwerk. Glauben Sie mir, davon verstehe ich was.«

Isabelle überlegte, dass es besser war, jetzt nicht einem spontanen Reflex zu folgen und der Mutter Oberin vehement zu widersprechen. Hortensia würde das als Missachtung ihrer übersinnlichen Expertise interpretieren und jede weitere Kooperation verweigern. Aber genau die brauchte sie jetzt, wollte sie den Geschehnissen auf den Grund gehen. Konnte es sein, dass Albertines Tod gar nichts mit ihrer Person zu tun hatte? Dass es in Wahrheit um das Kloster ging beziehungsweise um den Orden der *bonnes sœurs*? Und wenn ja, warum? Erst wurde womöglich die alte Mutter Oberin Laetitia umgebracht, dann die Nonne Albertine. Würde sich die Serie fortsetzen? Wenn es denn überhaupt eine war. Was kam als Nächstes? Die Pestilenz? Blödsinn, natürlich nicht. Aber vielleicht war das Leben der verbliebenen Ordensschwestern gefährdet?

»Sie sagen ja nichts«, stellte Hortensia fest. »Hat es Ihnen die Rede verschlagen?«

»Ich habe über Ihre Worte nachgedacht, die mich in höchstem Maße beunruhigen.«

»Isabelle, man kann durch die Augen eines Menschen in seine Seele blicken, und in Ihrer Seele entdecke ich eine große Verunsicherung. Sie fragen sich, ob es auf der Welt mehr gibt als die reine Rationalität. Und ich sage Ihnen, so ist es! Nicht alle Phänomene lassen sich mit dem Verstand erfassen. Dies zu akzeptieren fällt Ihnen schwer.«

»Würde es mir leichter fallen, wenn ich einige Zeit in Ihrem Kloster verbrächte?«, fragte Isabelle einer spontanen Eingebung folgend.

Hortensia lächelte ganz so, als ob sie gerade einen kleinen Sieg errungen hätte.

»Ich denke schon. Suchende sind im *Monastère des bonnes sœurs* immer herzlich willkommen. Dabei macht es keinen Unterschied, ob sie nach sich selbst suchen, nach Gott oder nach spirituellen Erfahrungen.«

»Verehrte Mutter Oberin, ich danke Ihnen für Ihre Gastfreundschaft. Ich muss noch ein paar Dinge regeln, aber dann komme ich für einige Tage ins Kloster.«

Hortensia nahm Isabelles Hände und schaute sie intensiv an.

»Das wäre schön. Kommen Sie, wann immer Sie wollen. Sie können in Albertines Zelle nächtigen, wenn es Ihnen nichts ausmacht.«

»Gerne, vielleicht ist dort noch was von ihrer Aura zu spüren«, sagte Isabelle. »Darf ich Ihnen noch eine Frage stellen?

Kennen Sie Sébastien, den Sekretär der Falcon-Fontallier-Stiftung, der für Ihr Kloster zuständig ist?«

»*Bien sûr,* meine Liebe, natürlich kenne ich ihn. Ein netter und zuvorkommender Mann, der den besonderen Vorzug hat, uns in Ruhe zu lassen. Aber wenn wir ihn brauchen, weil es ein Problem gibt, hat er für uns stets ein offenes Ohr und leitet sofort alles Nötige in die Wege.«

Einmal mehr dachte Isabelle, dass der Orden der *bonnes sœurs* mit der Stiftung der Falcon-Fontalliers großes Glück hatte. Es ermöglichte den Schwestern ein sorgenfreies Leben in abgeschiedener Kontemplation. Wenigstens in der Theorie – in der Realität machten Hortensias Dämonen auch vor diesem Kloster nicht halt.

Wenig später wurde sie von Adèle hinausgeleitet, auf Isabelles Wunsch nicht durch das offizielle Eingangstor, sondern durch die versteckte Pforte hinter der Sakristei. Von außen war der Einlass tatsächlich kaum zu sehen. Er war hinter einem Mauervorsprung und wildem Wein versteckt. Zwar gab es zum Verriegeln ein verrostetes Schloss, aber Adèle gestand, dass der Schlüssel verloren gegangen war. Die Pforte war also schon seit Längerem immer unversperrt und erlaubte jedem, der sie kannte, ungehinderten Zugang. Stellte sich die Frage, ob wirklich nur die Nonnen und Jérôme von ihr wussten. War es denkbar, dass hier jemand ungesehen ins Kloster geschlüpft war, um Laetitias Kräuterlikör zu vergiften? Denkbar war es, wenn auch nicht besonders wahrscheinlich. Allerdings, so überlegte sie, kam man bei diesem Fall mit Wahrscheinlichkeiten nicht weiter. Es galt, auch das Unwahrscheinliche zu bedenken – freilich ohne so weit zu gehen, allen Ernstes Dämonen oder einen Fluch in Betracht zu ziehen.

33

Zurück in Fragolin, lief sie prompt Thierry in die Arme. Sie war nicht in der Stimmung für ihn. Da half es nichts, dass er sie für den heutigen Abend zu einem Konzert nach Aix-en-Provence einlud. Er habe zwei Karten geschenkt bekommen und würde sich sehr über ihre Begleitung freuen. Sie könnten ja anschließend in Aix übernachten, schlug er vor. Unwillkürlich überlegte sie, dass er morgen früh mit derselben Kreditkarte bezahlen würde wie im *Negresco*. Eine Vorstellung, die ihr nicht gefiel. Ohne lange zu überlegen, schlug sie seine Einladung aus. Thierry schien enttäuscht – und wirkte dabei so treuherzig, dass sie fast schwach wurde. Doch sie blieb dabei. Bis sie nicht wusste, was er in Nizza getrieben hatte, würde er auf ihre Gesellschaft verzichten müssen.

Im Kommissariat wartete ein aufgeregter Apollinaire. Offenbar hatte er Neuigkeiten. Zuvor verwies er sie auf seine Strümpfe. Er sei dabei, die verlorene Wette einzulösen. Tag eins mit gleichfarbigen Socken. Isabelle stellte fest, dass sie beide rot waren. Das schon, aber er trug verschiedene Schuhe. Links einen aus braunem Wildleder, rechts einen schwarz gelackten. Das war kreativ – und sah bescheuert aus. Sie lernte, dass es auch bei Wetten auf eine genaue Festlegung der Bedingungen ankam.

»Okay, akzeptiert«, sagte sie mit einem Lächeln. »Was gibt es sonst Neues?«

»Leider nichts im Fall der toten Nonne. Aber bei Shayana und ihrer Bankkarte überstürzen sich die Erkenntnisse, und zwar auf höchst verwirrende und ebenso unglaubliche Weise.« Er machte eine Pause und schnappte nach Luft.

»Bitte fahren Sie fort!«

»Sie erinnern sich an die Touristen aus Nantes? Das Ehepaar hat inzwischen die Belege rausgesucht und Einigkeit erzielt. Bei ihrem Besuch in Fragolin haben sie ihre Bankkarte zweimal zum Einsatz gebracht. Sie haben mit ihr im Laden *Aux saveurs de Provence* Küchenutensilien aus Olivenholz sowie ein Geschenkset mit parfümierten Seifen bezahlt.«

»Bei Clodine? Ausgerechnet.«

»Später haben sie beim Bankautomaten am Cours Mirabeau noch Geld abgehoben. Das war's.«

»Derselbe Bankautomat, den auch Shayana benutzt hat?«

»Richtig, aber das kann Zufall sein, immerhin liegt die Chance bei 33,3 Prozent. Wie Sie wissen, haben wir in Fragolin insgesamt drei Geldautomaten.«

Apollinaires Wahrscheinlichkeitsrechnung stellte sich sofort anders dar, dachte Isabelle, wenn man die wahre Duplizität der Ereignisse berücksichtigte. Zwei der Betrugsopfer waren zuvor in Fragolin gewesen. Und in beiden Fällen wurde Geld abgehoben.

»Was ist mit der dritten Frau?« fragte sie. »Hat Shayana sie mittlerweile erreichen können?«

»Ja, und jetzt kommt der eigentliche Hammer. Auch diese Frau war zuvor in Fragolin zu Besuch gewesen.«

Jetzt war Isabelle wirklich perplex. Damit war jede Wahrscheinlichkeitsrechnung hinfällig.

»Und wo hat sie bezahlt?«

»Das wissen wir noch nicht. Die junge Frau ist eine Chaotin und bringt alles durcheinander. Aber wir bleiben an ihr dran.«

»Fragen Sie, ob sie auch vom Automaten am Cours Mirabeau Geld abgehoben hat.«

Apollinaire nickte. »Das wollte ich sowieso. Shayana hat ihr auf die Mailbox gesprochen. Ich hoffe, dass sie bald zurückruft. Hoffentlich hat sie ihr *portable* nicht verschusselt.«

Während Isabelle noch überlegte, wie es möglich war, dass Fragolin im Fall der gestohlenen Bankkarten der Dreh- und Angelpunkt sein konnte, reichte ihr Apollinaire einen Zettel mit einer Telefonnummer und der handschriftlichen Notiz: *Rappel demande.*

Ein gewisser André habe versucht sie zu erreichen, sagte er, und um Rückruf gebeten.

André? Sie kannte nur einen Mann mit diesem Vornamen: André Falcon-Fontallier. Womit sie nach einem gedanklichen Intermezzo rund um einen höchst merkwürdigen Bankkartenbetrug wieder von ihrem eigentlichen Fall eingeholt wurde.

Sie wählte die Nummer. André war sofort dran und bedankte sich für ihren Rückruf. Er fragte launig, ob er das Vergnügen habe, mit der berühmten Kognitionsforscherin und Paläontologin Isabelle Bonnet zu sprechen, womit er auf Rouvens Scherz bei ihrer Begegnung auf der Charity-Veranstaltung anspielte. Aber gleich danach wurde er ernst. Seine Familie und ihn selbst beschäftige fortwährend der tragische Tod der Nonne aus dem *Monastère des bonnes sœurs.* Wobei Isabelles Andeutung, dass es sich womöglich um kein Unglück handle, in höchstem Maße beunruhigend sei. Er habe Sébastien informiert, den Sekretär ihrer Stiftung, der sich um das Kloster kümmere. Er sei gleichermaßen betroffen. André versicherte im Namen seiner Familie jede nur denkbare Unterstützung bei der Aufklärung, wobei er inständig hoffe, dass der Tod der Nonne nicht vorsätzlich herbeigeführt worden sei. Dann schlug er ein Treffen vor, zusammen mit Sébastien.

Den Sekretär, dachte Isabelle, wollte sie ohnehin mal kennenlernen. Laut Hortensia war er ein angenehmer Mann, der die

Schwestern in Frieden ließ und deshalb wohl auch nicht allzu viel von den täglichen Abläufen im Kloster wusste. Infolgedessen würde sie von ihm nichts Wesentliches erfahren. Aber da sich ihre Ermittlungen immer mehr aufs Kloster konzentrierten, gehörte er zum Bild.

Sie verabredeten sich für den nächsten Tag zum Mittagessen in Ramatuelle. André habe in der Nähe sein Büro. Außerdem sei das Bistro *très charmant*. Der Patron sei ein Freund Sébastiens und berühmt für seine provenzalischen Hähnchenkeulen.

34

Als Isabelle ihren Laden betrat, fragte Clodine: »Ist was mit deinem Bein? Du gehst so komisch.«

Erstaunlicherweise hatte sie es sofort bemerkt. Nach Isabelles Eindruck hatte sie bei ihrer vorangegangenen Begegnung mit Thierry viel stärker gehumpelt, aber ihm war nichts aufgefallen. Gott sei Dank, denn sie hatte keine Lust auf Erklärungen. Aber es warf kein gutes Licht auf seine Beobachtungsgabe, was ihre Person betraf.

»Ich bin beim Joggen umgeknickt«, sagte Isabelle. Und mit einem Lächeln: »Ist schön, wenn der Schmerz nachlässt.«

»Deshalb treibe ich keinen Sport«, stellte Clodine fest. »Bis auf einen, aber der spielt sich mehr im Horizontalen ab, und die Verletzungsgefahr ist gering.« Sie grinste frech. »Jedenfalls für mich.«

»So genau wollte ich es gar nicht wissen.«

Clodine hielt ihr stolz die Hand entgegen. »Schau her, den Ring hat mir Lucas geschenkt. Ist schön, oder?«

»Geschmackssache«, antwortete Isabelle ausweichend.

Clodine drehte den Ring im Licht. »Mir gefällt er. Mir hat schon lange kein Mann mehr einen Ring geschenkt. Und dann kommt so ein Jüngling daher und tut es einfach. Irgendwie rührend.«

»Clodine, ich muss dich was fragen«, wechselte Isabelle das Thema. »Es ist noch nicht lange her, da hat bei dir ein Ehepaar aus Nantes Artikel aus Olivenholz gekauft und einige deiner Seifen. Kannst du dich an die beiden erinnern?«

»Na klar. Die Schale in Form eines Fisches war ein Ladenhüter, aber die zwei waren ganz entzückt von dem Teil. Nette Leute. Sie haben auch eine Pfeffermühle gekauft. Warum fragst du?«

»Das Paar hat mit Bankkarte bezahlt, richtig?«

Clodine überlegte kurz. »Stimmt. War aber alles korrekt. Das Geld ist schon auf meinem Konto.«

»Wie läuft das bei dir ab? Müssen die Kunden ihre PIN-Nummer eingeben?«

»Eigentlich schon, dann habe ich das Geld garantiert, weil es gleich abgebucht wird. Aber mein Gerät ist kaputt, momentan geht's mit Unterschrift im Lastschriftverfahren.«

»Auch bei den beiden?«

»Ja, soll ich dir den Beleg raussuchen?«

Isabelle überlegte kurz. Clodine hatte keinen Grund, sie anzulügen. »Nicht nötig, vielen Dank.«

»Ist die Polizei hinter den beiden her? Die zwei sahen so harmlos aus.«

Wenn Clodines Neugier geweckt war, konnte man sie schwer bremsen.

»Die sind auch harmlos. Das Ehepaar ist selbst Opfer eines Betrugs geworden. Aber nicht hier in Fragolin. Apollinaire ist durch Zufall draufgestoßen und hat entdeckt, dass die beiden auch bei dir eingekauft haben. Doch wir haben damit nichts zu tun. Ist ein Fall für die Gendarmerie. Kommst du später zu mir? Ich habe einen Rosé kalt gestellt.«

Clodine sah verzückt auf den Ring an ihrem Finger. »Geht leider nicht. Lucas hat frei, und ich denke, er hat sich ein Dankeschön verdient.«

Am frühen Abend dachte Isabelle, dass es so besser war. Sie saß alleine auf ihrer kleinen Dachterrasse und genoss die Ruhe. Von Sylvie, ihrer Physiotherapeutin, hatte sie einen

Massageroller, mit dem sie ihr hochgelegtes Bein bearbeitete. Nach dem heutigen Tag hatte sie keinen Zweifel mehr, dass es untersucht gehörte. Gleich morgen würde sie Docteur Léo Lambart anrufen und einen Termin vereinbaren. Das musste ja niemand wissen, am wenigsten Thierry. Fast ärgerte sie sich, dass ihre Gedanken schon wieder bei ihm gelandet waren. Dabei hatte sie sich vorgenommen, ihn so lange zu verdrängen, bis sie von Jacqueline Genaueres über seine Nacht in Nizza erfuhr. Nach ihrer Auffassung konnte jeder tun, was er wollte. Nur wollte sie nicht angelogen werden. Thierry hatte das schon mal getan, damals in Paris, als er von Jacqueline mit einer dunkelhäutigen Schönheit erwischt wurde. Sein anfängliches Leugnen hatte Isabelle als das eigentliche Problem empfunden. Kam hinzu, dass er umgekehrt selbst ausgesprochen eifersüchtig war. Von Rouven wusste er, mit ihm hatte er sich notgedrungen abgefunden. Aber er mochte es nicht, wenn ihr andere Männer hinterhersahen oder gar Komplimente machten. Als Reaktion legte er gerne seinen Arm um sie, um seine Besitzansprüche geltend zu machen. Das war ebenso albern wie realitätsfern, denn sie gehörte niemandem, nur sich selbst.

Isabelle legte den Massageroller zur Seite und zündete sich ein Zigarillo an. Sie bemühte sich, gedanklich umzuschalten, indem sie sich auf das *Monastère des bonnes sœurs* konzentrierte und ihr Gespräch mit der Mutter Oberin Revue passieren ließ. In dessen Verlauf hatte sich Hortensia von einer ausgesprochen seltsamen Seite gezeigt. Aber wenn man ihre Fantasien vom Fluch, der auf dem Kloster lastete, und von obskuren Dämonen ausblendete, blieb doch eine Reihe neuer, beunruhigender Erkenntnisse. Wobei sich Isabelle gleich korrigierte, denn gesicherte Erkenntnisse waren es natürlich nur zum kleineren Teil, das meiste bewegte sich im spekulativen Bereich. So war es ein Fakt, dass Hortensias Vorgängerin Laetitia verstorben war. Wahrscheinlich war auch die Schilderung zutreffend, dass ihr Ableben qualvoll verlaufen war und von Halluzinationen begleitet wurde. Dagegen war die Schlussfolgerung einer Vergiftung allenfalls ein Verdacht, eine Mutmaßung, die nicht zu beweisen war. Genauso wenig war der Kräuterlikör als Verursacher zu identifizieren. Es war ein Fakt, dass das Kloster über einen geheimen Zugang verfügte, verborgen hinter Ranken von wildem Wein. Aber es war reine Spekulation, dass sich hier jemand ins Kloster eingeschlichen haben könnte, um Laetitias Kräuterlikör zu vergiften. Es war Fakt, dass es mit Laetitia und Albertine zwei tote Nonnen gab, aber es war nicht mehr als ein womöglich absurder Gedanke, dass es einen Zusammenhang geben könnte.

Isabelle bemühte sich, es nicht Hortensia gleichzutun und ins Reich der Fantasie abzugleiten. Allerdings waren ihre Assoziationen sehr viel mehr von dieser Welt und hatten nichts mit übersinnlichen Mächten zu tun. Und Hypothesen gehörten nun mal zu ihrem Beruf. Womit sie bei den Drohbriefen angelangt war, von denen Hortensia in wirren Worten berichtet hatte. Die »üblen Pamphlete« hätten die Nonnen aufgefordert, das Kloster zu verlassen, andernfalls würde sie ein großes Unglück ereilen. Vorausgesetzt, diese Briefe hatte es wirklich gegeben, wovon Isabelle ausging, stellte sich die Frage nach dem Urheber – und nach einem möglichen Motiv. Entweder war da ein Geistesgestörter am Werk, oder es gab einen realen Grund dafür, die Ordensschwestern aus dem Kloster zu vertreiben. Leider fiel ihr keiner ein.

Isabelle zog am Zigarillo und blies den Rauch in den sternenklaren Nachthimmel. Sie nahm einen Schluck vom Rosé und dachte, dass die Drohbriefe ihr besonderes Augenmerk verdienten. Zu dumm, dass die Mutter Oberin sie mit Weihwasser besprengt und verbrannt hatte.

Schon früher war Isabelle auf ihrer Dachterrasse eingeschlafen. Hätte nicht Rouven angerufen, wäre ihr das heute wieder passiert. Er hielt sich grundsätzlich an keine Tages- oder Nachtzeit, oft schon deshalb, weil er in fernen Zeitzonen umherirrte. Diesmal allerdings war er in Monte-Carlo, wo er bei Alain Ducasse im *Louis XV* mit einem Kunsthändler aus New York gespeist hatte. Der Einfachheit halber werde er im *Hôtel de Paris* nächtigen, zusammen mit einer angebrochenen Flasche Lafite-Rothschild. Seltsamerweise zweifelte sie keine Sekunde am Wahrheitsgehalt. Rouven war nicht Thierry. Obwohl er außerhalb ihrer gemeinsamen Sabbaticals tun und lassen konnte, was er wollte.

Er erkundigte sich eingehend nach ihrem Bein, wobei er sie in ihrem Vorhaben bestätigte, sich in Lambarts Klinik untersuchen zu lassen. Bestimmt sei es nichts Schlimmes, aber Isabelle sei wie er, er wolle den Dingen immer auf den Grund gehen, etwas zu verdrängen bringe nichts.

Sie berichtete ihm, dass sie morgen zum Mittagessen mit André Falcon-Fontallier verabredet sei und mit dem Stiftungssekretär Sébastien. Rouven sagte, dass er gerne dazustoßen würde, aber leider müsse er nach Basel zu einer Kunstmesse. Wie lange sie noch mit ihrem aktuellen Fall beschäftigt sei, wollte er wissen. Die *Dora Maar* sei unterwegs nach Sardinien, wo sie einige Zeit vor der Costa Smeralda ankern werde. Nach seiner Einschätzung wäre das ein idealer Platz für jedwede Rehabilitation.

Isabelle interpretierte dies als Einladung auf seine Jacht. Leider könne sie nicht sagen, wie lange ihre Ermittlungen noch dauern würden. Übrigens habe sie die Absicht, einige Tage im *Monastère des bonnes sœurs* zu verbringen.

Rouven lachte. Mit einem Kloster könne sein Schiff leider nicht konkurrieren. Auf der *Dora Maar* nehme er es nicht so genau mit den christlichen Geboten. Dort gehöre die Sünde zum Leben – und er gehe davon aus, dass ihm Absolution erteilt werde.

35

Das Bistro in Ramatuelle war wirklich *très charmant*. Isabelle hatte das Glück, gleich in der Nähe einen Parkplatz zu finden. Jetzt saß sie unter einer blauen Markise mit André zusammen und mit Sébastien, dem Sekretär der für das *Monastère des bonnes sœurs* zuständigen Familienstiftung. Die Mutter Oberin hatte Sébastien als nett und zuvorkommend beschrieben. Das war er auch. Gleichzeitig überkorrekt im Anzug mit Krawatte. Wahrscheinlich, weil er einen Termin mit André Falcon-Fontallier hatte, der im Stiftungsvorstand saß.

Dagegen präsentierte sich André im provenzalischen Freizeit-Look der besseren Gesellschaft: mit weißer Leinenhose, aufgeknöpftem blauen Designerhemd und einer sündhaft teuren Uhr am Handgelenk. Unwillkürlich musste Isabelle an Rouvens Mickey-Mouse-Uhr denken.

André richtete Isabelle die herzlichsten Grüße seiner Eltern aus. Man sei in der Familie sehr betroffen vom Tod der Nonne Albertine. Natürlich erkundigte er sich umgehend nach dem aktuellen Erkenntnisstand. Sie bestätigte, was sie das letzte Mal nur angedeutet hatte. Albertine sei vorsätzlich getötet worden, berichtete sie. Jemand habe die Nonne in die Tiefe gestoßen. Die weiteren Details behielt sie für sich.

André und Sébastien sahen sie betroffen an.

»Da gibt es keinen Zweifel?«

»Nein, leider nicht. Wir hatten einen Tatverdächtigen aus Albertines Vorleben, aber der kann es nicht gewesen sein.«

»Warum hat Gott nicht seine schützende Hand über sie gehalten?«, fragte Sébastien.

»Weil Gott zu viel zu tun hat«, antwortete André. »Er kann nicht auf uns alle aufpassen.«

»Ich war erst gestern erneut im Kloster und habe lange mit der Mutter Oberin gesprochen«, sagte Isabelle. »Wussten Sie, dass ihre Vorgängerin Laetitia unter seltsamen Umständen gestorben ist?«

»Hat Hortensia davon gesprochen?«, fragte Sébastien. »Ich liebe die alte Dame, aber sie neigt zum Spintisieren. Eine Vertrauensärztin unserer Stiftung hat den Totenschein ausgestellt. Laetitias Ableben war keinen seltsamen Umständen geschuldet, sondern alleine ihrem greisenhaften Alter und ihrer angegriffenen Gesundheit.«

André nickte bestätigend. »Aber ich kann nachvollziehen, dass es Hortensia sehr mitgenommen hat, ihrem Sterben beizuwohnen. In solchen Momenten wird der Glaube selbst bei einer Nonne einer großen Prüfung unterzogen.«

Er hatte wohl recht, dachte Isabelle, aber dennoch wollte sie Hortensias Bericht nicht so einfach abtun. Als Polizistin hatte sie eine andere Sichtweise, die grundsätzlich von Skepsis und Misstrauen geprägt war. Dabei durfte auch scheinbar Undenkbares gedacht werden. Ein bisschen neigte sie also auch selbst zum »Spintisieren«. Was für ein herrlich antiquiertes Wort für wunderliche Gedanken.

»Hortensia hat mir noch was erzählt«, sagte sie. »Und zwar hat das Kloster Drohbriefe erhalten, die an die Pforte genagelt wurden.«

André sah sie entsetzt an. »Wie bitte? Drohbriefe? Unser Kloster ist bedroht worden? Das kann ich nicht glauben.«

»Davon höre ich auch das erste Mal«, sagte Sébastien. »Wer sollte dem *Monastère des bonnes sœurs* Drohbriefe schreiben?«

André schüttelte ratlos den Kopf. »Was für Drohungen? Ich kann mir darunter nichts vorstellen. Wie bedroht man ein Kloster?«

»Hat Ihnen Hortensia die Drohbriefe gezeigt?«, fragte der Sekretär.

»Geht nicht. Sie hat sie mit Weihwasser besprengt und dann verbrannt.«

Sébastien fasste sich an die Stirn. »Verbrannt? Warum hat sie mich nicht angerufen? Für solche Fälle hat sie doch ihr *portable*.«

»Weiß sie wenigstens, was in den Briefen drinstand?«, fragte André.

»Nur so viel, dass die Nonnen das Kloster verlassen sollten, andernfalls würde ihnen großes Unheil widerfahren.«

»Sind denn jetzt alle verrückt geworden? Das Kloster verlassen? So ein Blödsinn.«

»Unser *Monastère* bietet dem Orden bis in alle Ewigkeit ein sicheres Dach über dem Kopf. So steht es in den Statuten.«

»Gibt es jemanden, der die Nonnen hassen könnte?«, fragte Isabelle.

André sah sie verständnislos an. »Ein Hass auf Nonnen? Wie denn das? So was ist unvorstellbar.«

»Oder wer könnte einen Vorteil davon haben«, hakte Isabelle nach, »wenn die *bonnes sœurs* das Kloster räumen?«

»Einen Vorteil?«, wiederholte Sébastien. Ihm war anzusehen, dass er nachdachte. »Also ich weiß nicht, aber das kann nicht sein«, sagte er zögerlich.

»Woran denken Sie?«

Sébastien sah André fragend an. »Darf ich der Madame davon erzählen? Sie wissen schon …«

»Ja, ich weiß.« André zuckte mit den Schultern. »Natürlich dürfen Sie, aber die Vorstellung ist abwegig.«

Sébastien hüstelte verlegen. »Nun, da gibt es einen Mönchs-orden im Languedoc-Roussillon, der liegt uns seit Monaten in den Ohren. Die haben so viel Zulauf, dass sie in ihrem Kloster aus allen Nähten platzen.«

Isabelle wunderte sich. »So was gibt es? Ich dachte, in der heutigen Zeit leiden alle Klöster unter einem Mitglieder-schwund.«

»Die meisten schon, aber eben nicht alle. Das Kloster im Languedoc-Roussillon ist eine rühmliche Ausnahme. Jeden-falls weiß man dort, dass in unserem *Monastère* nur noch we-nige Schwestern leben, und deshalb würde es der Mönchsor-den gerne übernehmen. Der Abt ist schon mehrfach bei uns vorstellig geworden. Die Nonnen könnten in einem Kloster in Aquitanien am Fuße der Pyrenäen ein neues Zuhause finden. Die dortigen Ordensschwestern stünden auch in der Tradition des Dominikaner-Paters Lataste. Im Gegenzug würden sich die Mönche glücklich preisen, im weltabgeschiedenen Frieden des *Massif des Maures* zu beten und zu arbeiten. *Ora et labora,* ganz wie es der heilige Benedikt gepredigt hat.«

»Die Mönche würden sogar auf die Apanage unserer Stiftung verzichten und zudem für den Erhalt des Klosters selber auf-kommen«, ergänzte André. »Wir haben das Ansinnen des Abtes im Familienrat besprochen und uns einstimmig dage-gen entschieden. Um meinen Vater zu zitieren: ›Das *Mo-nastère des bonnes sœurs* trägt diesen Namen, weil es sich den guten Schwestern zutiefst verbunden fühlt. Solange noch eine am Leben ist, halten wir dem Orden die Treue.‹«

Das war eine noble Einstellung, dachte Isabelle, und ganz si-cher im Sinne des Stiftungsgründers Jean-Baptiste Falcon-Fontallier. *In aeternum* – in alle Ewigkeit.

»Bitte ziehen Sie keine falschen Schlüsse«, sagte Sébastien. »Ich habe Ihnen von diesem Mönchsorden nur deshalb erzählt, weil Sie gefragt haben, wer an einer Räumung des Klosters interessiert sein könnte. Aber natürlich ist es außerhalb jeder Vorstellungskraft, dass sich Männer des Glaubens dazu hinreißen ließen, unseren geliebten Nonnen böse Briefe an die Pforte zu nageln.«

Außerhalb jeder Vorstellungskraft vielleicht schon, dachte Isabelle, aber deshalb noch lange nicht unmöglich. Wobei ihre Überlegungen weit über die Drohbriefe hinausgingen.

»Wir haben den Abt persönlich kennengelernt«, berichtete Sébastien. »Der Mann ist eine imposante Erscheinung, fast zwei Meter groß, ein Kreuz wie ein Kleiderschrank und mit kahl geschorenem Schädel. Sein Auftreten dagegen ist leise und ausgesprochen sanftmütig.«

»Er gilt als großer spiritueller Lehrer«, ergänzte André. »So wie ihn habe ich mir früher immer einen Guru vorgestellt. Wahrscheinlich hat der Orden aufgrund seiner Persönlichkeit so viel Zulauf.«

»Wie heißt der Abt?«, fragte Isabelle.

»*Abbé* Gaylord Gawain«, antwortete Sébastien fast ehrfürchtig.

»Klingt irgendwie Englisch«, stellte sie fest.

»Nein, das ist Altfranzösisch. Er hat es uns erklärt.«

Gaylord Gawain? Eines wusste Isabelle in diesem Moment ganz gewiss, sie würde mit diesem Abt ein Gespräch führen. Je schneller, desto besser. Dabei interessierte es sie nicht, ob er ein großer spiritueller Lehrer war. Vielmehr wollte sie wissen, ob der Mann wirklich so sanftmütig war, wie er sich nach außen gab.

36

Zurück in Fragolin, war sie zunächst alleine im Kommissariat. Apollinaire hatte ihr einen Zettel an den Bildschirm geklebt: *Je reviens tout de suite.* Bin gleich wieder da. Isabelle nutzte die Gelegenheit, um ein privates Telefonat zu führen. Sie suchte die Visitenkarte raus, die ihr Docteur Lambart auf der *Dora Maar* gegeben hatte, und rief ihn an. Sie hatte Glück und erreichte ihn zwischen zwei Operationen. Es bedurfte keiner langen Erläuterungen. Wie es schien, hatte er über kurz oder lang ohnehin mit ihrem Anruf gerechnet. Sie vereinbarten einen Untersuchungstermin in seiner Klinik für übermorgen am späten Vormittag. Er bat sie, alles an Diagnoseprotokollen und Operationsberichten mitzubringen, was sich auf ihre Verletzungen nach dem Bombenattentat bezog. Außerdem Röntgenbilder, CTs und so weiter. Halt den ganzen Kram.

Sie hatte befürchtet, dass er danach fragen würde. Den Karton mit den Unterlagen hatte sie ganz hinten in einer Abstellkammer verstaut. Sie hatte gehofft, ihn nie mehr öffnen zu müssen. Wie durch ein Wunder hatte sie vor wenigen Jahren die Explosion am Arc de Triomphe überlebt. Großartige Ärzte hatten sie zusammengeflickt. Später hatte sie selbst verbissen daran gearbeitet, wieder fit zu werden. Es war ihr gelungen, schneller und besser, als die Mediziner erwartet hatten. In der Provence schließlich hatte sie gelernt, auch mit der psychischen Belastung fertigzuwerden. Die Diagnose einer posttraumatischen Störung hatte sie einfach ignoriert. Flashbacks und Angstträume, die erst heftig ausfielen, wurden immer weniger, bis sie fast vorbei waren. Und jetzt? Jetzt sollte sie den Karton wieder hervorsuchen und öffnen. Das war keine gute Idee. Wie bei der Büchse der Pandora könnten die Schrecken der Vergangenheit entweichen und sie wieder einholen. Aber es musste sein, das war ihr klar, auch wenn sie sich kaum vorstellen konnte, wie ihre Beschwerden im Bein Spätfolgen ihrer davongetragenen Verletzungen sein könnten. Tatsächlich hoffte sie, dass das nicht der Fall war. Sie hätte gerne irgendeine Allerweltsdiagnose. Sie dachte an einen Werbespot im Fernsehen mit einer Frau, deren Beinschmerzen dank einer Salbe über Nacht verschwanden. Am nächsten Tag konnte sie mit ihrem Enkel tanzen. So eine Salbe hätte sie gern. Sie schmunzelte. Den Enkel müsste sie sich im Dorf ausleihen.

Apollinaire rumpelte ins Kommissariat und riss sie aus ihren Gedanken. Er entrichtete seinen Gruß – erst de Gaulles Konterfei an der Wand, dann ihr, was sie nicht persönlich nahm, dann ließ er sich ächzend auf seinen Bürostuhl sinken.

»Das schlägt dem Fass den Boden aus«, stellte er fest. »*C'est étonnant!*« Was gleichzeitig erstaunlich wie überraschend bedeuten konnte. Ihr war klar, dass sie nicht lange auf eine Interpretation würde warten müssen.

»Shayana hat Nachricht von der dritten Frau erhalten. Sie wissen schon, der Chaotin, der ebenfalls die Bankkarte geklaut wurde. Die Frau war ja zuvor auch in Fragolin gewesen. Und ja, sie hat genauso beim Bankautomaten am Cours Mirabeau Geld abgehoben. *C'est étonnant! N'est-ce pas?*«

Nun, da hatte er zweifellos recht. Gleichzeitig fand sie es nervig, dass er schon wieder mit dieser Geschichte daherkam. Die tote Nonne und das Kloster verlangten ihre volle Aufmerksamkeit. Hinzu kam das Problem mit ihrem Bein. Da fehlte ihr wirklich der Sinn, über einen Betrug mit geklauten Bankkarten nachzudenken. Wobei sie zugeben musste, dass der Fall immer obskurer wurde. Zudem lag der Schlüssel womöglich vor ihrer Bürotür. Genauer gesagt am Cours Mirabeau.

Isabelle gab sich einen Ruck und stand auf. »Okay, worauf warten wir?«

Sie nahmen zunächst den Geldautomaten in Augenschein, an dem nichts Auffälliges festzustellen war. Dann gingen sie in die Bank und sprachen mit dem Filialleiter. Isabelle fragte, ob es möglich sei, den PIN-Code festzustellen, den jemand am Automaten zum Geldabheben eingibt. Der Filialleiter lächelte süffisant, womit er die Antwort fast vorwegnahm. Natürlich sei das nicht möglich, erklärte er. Der eingegebene Code scheine nirgendwo auf, das wäre ja noch schöner. Der Abgleich finde gemäß den Datenschutzrichtlinien automatisiert und anonym irgendwo in den Tiefen ihrer Rechner statt. Er könne Madame le Commissaire also zu seinem höchsten Bedauern beim Ausforschen einer Geheimnummer nicht behilflich sein, selbst wenn er wollte und dafür eine gesetzliche Freigabe vorläge.

Der Mann war ein schleimiger Idiot. Er war ihr unsympathisch. Gott sei Dank, dachte Isabelle, hatte sie ihr Konto bei einer anderen Bank. Aber er bestätigte ihre Vermutung. In der Filiale war niemand in der Lage, den eingegebenen Code festzustellen.

Es gebe doch die Möglichkeit, am Automaten eine Attrappe mit einem Kartenlesegerät anzubringen, sagte Apollinaire. Das werde von Betrügern immer wieder gemacht.

Oh, là, là, das sei aber ein dreister Gedanke, kommentierte der Mann. Er könne sich keinesfalls damit einverstanden erklären, dass sein Bankautomat manipuliert werde.

Isabelle sah ihn fast mitleidig an. Irgendwie kapierte er nicht, worum es ging. Er schien allen Ernstes zu glauben, dass die *Police nationale* den PIN-Code eines Bankkunden ausforschen wollte. Auf die Idee, dass dies in der Vergangenheit bereits passiert sein könnte, und zwar naturgemäß durch Betrüger, schien er nicht zu kommen. Eine Begriffsstutzigkeit, die auch seinen Vorteil hatte, denn so mussten sie nicht erläutern, worum es ging.

Isabelle bedankte sich für das Gespräch und verließ mit Apollinaire die Bank. Der Filialleiter schaute ihnen kopfschüttelnd hinterher.

Auf der Straße blieb sie stehen und sah sich um. Schräg gegenüber entdeckte sie an einem Laternenmast eine von Thierrys geliebten Videokameras. Sie war auf den Bankautomaten gerichtet.

»Das mit der Attrappe können Sie vergessen«, sagte sie. »Erstens hätten in diesem Fall Shayana und die beiden anderen kein Geld ausbezahlt bekommen. Dazu sind die falschen Automaten nicht in der Lage. Die sind nur dazu da, den PIN abzuspeichern. In der Regel geben sie auch die Karte nicht mehr raus.« Sie deutete nach oben. »Und zweitens hätten die Ganoven unter Garantie die Kamera bemerkt und wären das Risiko gar nicht erst eingegangen.«

Apollinaire verzog das Gesicht. »Die Gauner können ja nicht wissen, dass bei der Gendarmerie lauter Schnarchnasen sitzen, die lieber Fußball schauen als auf die Monitore der Überwachungskameras.«

Isabelle lächelte. »Nein, können sie nicht.«

Sie sah zwischen der Kamera und dem Geldautomaten hin und her.

»Und jetzt?«, fragte er.

»Jetzt besuche ich die ›Schnarchnasen‹. Und ich würde gerne ein Experiment machen. Dazu brauche ich Ihre Hilfe.«

Sie erläuterte ihm ihr Vorhaben und machte sich anschließend auf den Weg zur Gendarmerie.

Capitaine Briand tat so, als ob er sich über ihren Besuch freuen würde. Sie plauderten ein wenig über Belanglosigkeiten, dann kam Isabelle auf die Videoüberwachung zu sprechen. Briand hielt diese einerseits für eine übertriebene Vorsichtsmaßnahme, weil die Gendarmerie auch so alles im Griff habe, andererseits schmeichelte es ihm, dass die Polizei über eine so moderne Einrichtung verfügte, die von seinen qualifizierten Fachkräften betrieben wurde. Isabelle hätte fast gelacht. Zu den »qualifizierten Fachkräften« zählte Sergent Albertin, der schon damit überfordert war, Strafzettel für Falschparker korrekt auszustellen.

Isabelle erwähnte, dass sie die Monitore noch nie im praktischen Betrieb gesehen habe. Briand erklärte sich gerne bereit, sie in den Überwachungsraum zu begleiten. Auf dem Weg bestätigte er, dass die Aufzeichnungen nach einer Woche automatisch gelöscht würden. Er bot Isabelle einen Stuhl vor den Monitoren an. Tatsächlich hatte jede Kamera einen eigenen Bildschirm. Thierry hatte sich die Anlage was kosten lassen. Mit schnellem Blick erkannte sie den Monitor, der den Bankautomaten am Cours Mirabeau zeigte. Unauffällig drückte sie auf ihrem Handy Apollinaires abgespeicherte Nummer. Er wusste, was er zu tun hatte. Während Capitaine Briand ihr die verschiedenen Kamerapositionen in Fragolin erläuterte, behielt sie den Bankautomaten im Auge. Shayana tauchte auf, steckte ihre Karte in den Schlitz, gab ihren Code ein, nahm das ausgegebene Geld entgegen und verschwand wieder.

Isabelle fühlte ihren Verdacht bestätigt, wollte es aber genauer wissen. Sie fragte, ob man die Videoaufzeichnungen auch zoomen könne. Briand nickte selbstgefällig. Das sei für eine Gesichtserkennung oder zur Identifizierung eines Kfz-Kennzeichens natürlich unabdingbar.

Isabelle tat beeindruckt und bat ihn, das am Beispiel des so-eben aufgezeichneten Bankautomaten zu demonstrieren.

Briand wusste nicht, wie das ging, aber dafür hatte er seine Sekretärin. Sie spulte die Aufnahme zurück, bis wieder Shayana ins Bild kam. Dann zoomte sie auf den Geldautomaten. Die Auflösung war ausgezeichnet. Und auch die Perspektive entsprach ihren Erwartungen.

Isabelle nickte und gratulierte Briand zur Qualität. Falls sich je die unwahrscheinliche Notwendigkeit einer Kooperation er-geben sollte, hoffe sie auf Amtshilfe durch die Gendarmerie.

Der Capitaine lächelte und versicherte ihr jedwede Unter-stützung. Er bedankte sich für ihren Besuch und wünschte ihr noch einen schönen Tag.

Zurück im Kommissariat, sah Apollinaire sie erwartungsvoll an. Isabelle schmunzelte. Dann nannte sie ihm Shayanas PIN-Code für den Bankterminal.

»*Ah oui, c'est correct!*« Apollinaire fuhr sich aufgeregt durch die Haare. »Aber das bedeutet doch hoffentlich nicht, äh, nein, das kann ich mir nicht vorstellen.«

»Sie meinen, dass jemand von der Gendarmerie den Geldauto-maten beobachtet und die PIN-Codes weitergibt? Nein, das kann ich mir auch nicht vorstellen, obwohl wir es natürlich nicht ausschließen können. Jedenfalls steht fest, dass die Kamerapositi-on so unvorteilhaft ist, dass man Bankkunden, vor allem solchen von kleinerer Gestalt wie Shayana, beim Geldabheben über die Schulter schauen kann. Was höchstwahrscheinlich Zufall ist.«

»Die Kameraposition ist nicht unvorteilhaft«, stellte er mit einem Stirnrunzeln fest, »sondern ausgesprochen vorteilhaft, jedenfalls für jemanden mit kriminellen Neigungen. Aber ich verstehe es trotzdem nicht.«

»Sie sind doch ein Computerfreak …«

Er hob entsetzt die Hände. »*Mais non*, Madame. Ich hasse Computer und halte sie für eine Ausgeburt des Teufels.«

Isabelle lächelte. »Ich weiß, dann ist es halt eine Hassliebe. Mich würde interessieren, ob man von außen an die Videoaufzeichnungen der Gendarmerie rankommen kann. Die Daten sind doch irgendwie im IT-Netzwerk eingebunden. Kann man das hacken?«

»Madame, Sie haben vielleicht Ideen. Ob man sich bei der Gendarmerie reinhacken kann? Im Prinzip natürlich schon. Freaks kommen überall rein, selbst ins Pentagon. Aber wer sollte das tun?«

»Das genau ist die Frage. Und ich frage mich auch, ob man mit Kenntnis eines PIN-Codes nicht eleganter ans Geld kommen kann.«

»Eleganter? Wie meinen Sie das?«

Sie zuckte mit den Schultern. »Indem man vielleicht eine Überweisung in die Wege leitet.«

»Aber dann wäre die Spur nachzuverfolgen.« Apollinaire klopfte sich gegen die Stirn. »Anonymer ist es, den Bankkunden wie im Falle Shayanas die Karte zu klauen und sich das Geld umgehend bar zu besorgen. Das wäre sozusagen eine Symbiose aus moderner IT-Aufklärung und primitiver Wegelagerei.«

»Das haben Sie schön formuliert. Wobei es ja um vergleichsweise kleine Summen geht, weshalb ich auf keine professionelle Bande tippe, sondern auf einen vielseitig begabten Amateur.«

»Der zur Tarnung einen Motorradhelm trägt. Das wissen wir von Shayana und von den Überwachungskameras in den Einkaufszentren. Trotzdem ist mir ein Rätsel, wie sich das in der Praxis abgespielt haben soll. Vielleicht war's doch Capitaine Briand, der seinen schmalen Sold aufbessern wollte? Bei der Gendarmerie haben sie Motorräder.«

Isabelle lachte. »Und auf den Helmen steht groß *Gendarmerie*. Keine gute Tarnung.«

»Wie wäre denn der hypothetische Ablauf? Der Täter entziffert auf der Videoaufzeichnung den PIN-Code. Okay, so weit klar. Dann setzt er sich zu Shayana in den Bus und begleitet sie zum Einkaufen. Warum schnappt er sich ihre Handtasche nicht gleich in Fragolin?«

Sie sah ihn amüsiert an und wartete ab. Gleich würde er sich die Antwort selbst geben.

»Aber klar. Das wäre zu offensichtlich. Außerdem käme er nicht weit. Fragolin ist wie eine angebrochene Flasche Wein, da muss man nur den Korken wieder reinstecken, und es kommt nichts mehr raus.«

»Der Täter könnte seinen Opfern hinterhergefahren sein«, spekulierte Isabelle, »um die Spur zu verwischen und ihnen quasi auf neutralem Boden die Bankkarte zu entwenden.«

»Klingt plausibel. Shayana ist wie ein blindes Huhn. Sie merkt nicht mal, wenn ich hinter ihr herlaufe.«

Isabelle ging im Kommissariat auf und ab. Apollinaire drehte sich ratlos auf seinem Bürostuhl.

Ihr kam wieder ihr eigentlicher Fall in den Sinn. Für morgen stand ein Besuch beim *Abbé* Gaylord Gawain auf dem Programm. Und übermorgen musste sie zur medizinischen Untersuchung nach Sainte-Maxime. Obwohl gerade Frauen häufig die Meinung vertraten, mehrere Dinge gleichzeitig tun zu können, mochte sie kein Durcheinander, erst recht nicht in ihrem Kopf. Nach ihrer Überzeugung war die Fähigkeit zum Multitasking eine Illusion, die fast unausweichlich Fehler provozierte. Folglich musste sie diese merkwürdige Kreditkartengeschichte, in die sie Apollinaire hineingezogen hatte, möglichst schnell zum Abschluss bringen. Am besten noch heute.

37

Capitaine Briand staunte nicht schlecht, als Isabelle kaum eine Stunde später erneut bei der Gendarmerie auftauchte. Umgekehrt hatte er sie noch nie in ihrem Kommissariat aufgesucht. Höflichkeitsbesuche waren zwischen der *Police nationale* und der Gendarmerie nicht nur unüblich, sondern geradezu verpönt. Er ahnte also, dass sie ein konkretes Anliegen hatte. Dabei half es, dass Isabelle zum Capitaine in der Vergangenheit eine Vertrauensbasis aufgebaut hatte. Er wusste, dass sie keine Profilierungsneurosen hatte und ihm im Zweifelsfall den Vortritt ließ. Dennoch war es schwer, ihm zu erklären, warum sie sich alle Videoaufzeichnungen der letzten Tage ansehen wollte. Wenn möglich alleine und ungestört.

Natürlich bestand er zunächst auf einer Erklärung, die sie aber nicht geben wollte. Aus vielerlei Gründen. Einer war, dass immer noch die Möglichkeit einer undichten Stelle bei der Gendarmerie bestand, auch wenn sie nicht daran glaubte. Sie machte Capitaine Briand einen Vorschlag. Sie habe den Verdacht einer Straftat. Wenn sich dieser Verdacht bestätigen sollte, setze sie ihn umgehend ins Bild und ziehe sich aus dem Fall zurück. Sie überlasse es ihm, den Täter dingfest zu machen. Außerdem könne er den Ermittlungserfolg komplett für sich und seine Gendarmerie verbuchen. Falls nichts dabei herauskomme, lade sie ihn zu einem Glas Wein ins *Café des Arts* ein.

In Briands Gesicht wurden seine widersprüchlichen Gefühle erkennbar. Einerseits widerstrebte es ihm, der *Police natio-

nale zu Diensten zu sein, andererseits lockte ihn die Aussicht auf einen Ermittlungserfolg, zu dem er nichts beitragen muss-te, als nur über seinen Schatten zu springen.

Der Capitaine grinste und hob zwei Finger. »*D'accord.* Aber wenn nichts draus wird, laden Sie mich im *Café des Arts* zu zwei Gläsern Wein ein.«

Nachdem Briands Sekretärin ihr den Umgang mit der Anlage erklärt hatte, saß sie im klimatisierten Überwachungsraum und arbeitete sich geduldig durch die Aufzeichnungen. Zwi-schendurch schaute sie auf die aktuellen Übertragungen, ein-fach so und ohne Grund. Sie kam sich dabei vor wie ein Vo-yeur, obwohl es sich ja um öffentliche Plätze handelte und man das Gleiche sähe, wenn man irgendwo auf einer Park-bank säße und das Geschehen vor Ort beobachten würde. Sie sah ihre Physiotherapeutin Sylvie, die gerade mit zwei Ein-kaufstüten aus der *Boucherie* kam. Clodine bummelte mit Lucas durch den Ort. Und Thierry schloss soeben höchstper-sönlich sein Matisse-Museum. Er zupfte seinen Hemdkragen zurecht, um dann in die Kamera zu schauen – nicht ahnend, dass er ihr dabei direkt in die Augen blickte. Sie hatte ihn den ganzen Tag nicht gesehen, und für den Moment legte sie auch keinen Wert darauf. Der Stachel saß tief, dass er sie mit seinem Termin in Nizza angelogen hatte. Bald würde sie von Jacque-line mehr erfahren. Bis dahin konnte sie auf seine Gesellschaft verzichten. Bis dahin? Mindestens, vielleicht auch darüber hinaus.

Sie wendete sich erneut den Aufzeichnungen zu. Längst hatte sie eine Theorie, jetzt galt es nur noch, die entsprechenden Hinweise zu finden. Es dauerte länger als erwartet, aber sie wurde immer routinierter im Umgang mit der Technik. Vor-spulen, zurückspulen, zoomen. Standbild. Uhrzeiten protokollieren. Briands Sekretärin brachte ihr einen Kaffee. Zwei Stunden später war sie fertig. Das Rätsel war gelöst. Eigentlich müsste sie sich freuen, aber es wollte ihr nicht gelingen. Sie sah auf die Uhr, es war erst früh am Abend. Isabelle stand auf und streckte sich. Was war mit ihrem Bein? Es fühlte sich taub an, tat aber kaum weh.

Und jetzt? Jetzt würde sie ihr Versprechen einlösen. Capitaine Briand war noch im Büro. Stirnrunzelnd hörte er sich ihre Geschichte an. Von den Diebstählen der Bankkarten und ihrem Missbrauch hatte er nichts mitbekommen, obwohl die Fälle bei der Gendarmerie lagen, aber eben nicht in seinem Amtsbereich. Kopfschüttelnd nahm er die Verbindung mit Fragolin zur Kenntnis. Gänzlich fassungslos schien er, als ihm Isabelle demonstrierte, wie einfach man auf seiner Videoüberwachung beim Bankautomaten am Cours Mirabeau die eingegebene PIN-Nummer identifizieren konnte. Ihre Unterstellung, dass sein IT-Netzwerk von außen gehackt wurde, sorgte für heftiges Augenzucken. Als sie aber weitererzählte und ihm ihre Theorie des Tathergangs unterbreitete, fand Briand langsam zu seiner Fassung zurück. Und als sie ihm den mutmaßlichen Täter quasi auf einem silbernen Tablett servierte, machte sich auf seinem Gesicht eine freudige Entspannung breit. Ihr Vorschlag, die Sache zu einem schnellen Ende zu bringen, fand seine uneingeschränkte Zustimmung. Sie besprachen die Vorgehensweise. Briand nickte und sagte, dass er unter diesen besonderen Umständen selbstverständlich bereit sei, Überstunden zu machen.

38

sabelle nahm sich die Zeit, Apollinaire en détail zu informieren. Irgendwie war es ja sein Fall, jedenfalls war er durch seine Freundin Shayana direkt betroffen. Er war verblüfft, dass die Lösung so einfach war. Merkwürdigerweise hatte Thierrys Videoüberwachung den Betrug sowohl erst möglich gemacht als auch ihn gleichzeitig aufgeklärt. Sie saßen im Kommissariat und warteten. Schließlich wurde Isabelle ungeduldig. Sie stand auf und machte sich auf den Weg zum *Café des Arts*. Unterwegs begegnete sie Thierry, der sich über ihren flüchtigen Gruß wunderte. Er schien ihr nicht zu glauben, dass sie in Eile war. Nicht zu dieser Uhrzeit.

Unter der Markise des *Café des Arts* traf sie erwartungsgemäß auf Clodine und ihren jungen Freund Lucas, die sie einluden, sich zu ihnen zu setzen. Die beiden waren schon etwas angeheitert. Isabelle goss sich aus der Karaffe am Tisch Wein ein. Es fiel ihr schwer, sich am albernen Gespräch zu beteiligen.

Ob sie schlechte Laune habe, fragte Clodine.

Isabelle rang sich ein Lächeln ab. Nein, ganz und gar nicht. Sie sei nur etwas müde.

Auf Isabelles Handy traf eine Textnachricht ein. Sie war kurz und knapp – und eindeutig.

Minuten später tauchte Capitaine Briand auf, in Begleitung von Sergent Albertin. Sie steuerten direkt auf ihren Tisch zu. Briand liebte den großen Auftritt, auch in unpassenden Situationen. Und Diskretion war für ihn ein Fremdwort.

Isabelle warf Lucas einen Blick zu. Er wirkte plötzlich recht blass.

Briand baute sich direkt vor ihm auf und stemmte die Fäuste in die Hüften.

»Ihr Name ist Lucas Duron, korrekt?«

Lucas nickte und murmelte: »*Oui, c'est moi.*«

»Dann sind Sie hiermit verhaftet. Ich bitte Sie, keinen Widerstand zu leisten und freiwillig mitzukommen. Andernfalls wird Ihnen Sergent Albertin Handschellen anlegen und Sie zwangsweise abführen.«

Clodine sah mit flatterndem Blick zwischen Lucas und Briand hin und her. »Das ist eine Verwechslung, ein Irrtum«, rief sie schrill. Und an Isabelle gewandt: »Bitte tu doch was! Die Gendarmerie kann doch nicht einfach meinen Lucas verhaften. Was soll er denn getan haben?«

Obwohl Isabelle am besten wusste, was man Lucas vorwarf, spielte sie die Unwissende.

»*Monsieur le Capitaine*«, richtete sie sich an Briand. »Darf ich fragen, was Lucas zur Last gelegt wird?«

Briand pumpte sich weiter auf. Er schien den Moment zu genießen. Eine Verhaftung vor den versammelten Gästen des *Café des Arts* war ganz nach seinem Geschmack.

»Monsieur Duron, Ihnen wird räuberischer Betrug in mindestens drei Fällen vorgeworfen, in Tateinheit mit einer cyberkriminellen Attacke auf die Gendarmerie von Fragolin.«

Das klang wirklich dramatisch. Dabei war Lucas allenfalls ein etwas verstörter und derzeit arbeitsloser junger Mann, der bei seiner Tante in Fragolin Unterschlupf gesucht hatte, der bei Jacques im Bistro als Aushilfskellner arbeitete, der mit Clodine eine offenbar stürmische Affäre hatte – und sich als IT-Spezialist vielleicht zunächst aus Spaß in das Netzwerk der

Gendarmerie reingehackt hatte. Was seine begangenen Straftaten natürlich in keinster Weise entschuldigte. Nur war er gewiss kein so schlimmer Ganove, wie es Briand gerade darstellte.

Clodine versuchte, Lucas festzuhalten.

Er gab ihr einen Kuss und flüsterte: »Es war schön mit dir. Tut mir leid.« Dann stand er auf und ließ sich abführen.

Isabelle sagte Clodine, sie solle sitzen bleiben. Dann ging sie Briand hinterher und nahm ihn zur Seite. Sie redeten eine Weile miteinander.

Zurück am Tisch, ergriff sie Clodines Hände und versuchte, sie zu beruhigen. Die anderen Gäste warfen ihnen neugierige Blicke zu.

»Hat dir Briand verraten, worum es geht?«, fragte Clodine. »Was soll Lucas denn so Schlimmes verbrochen haben?«

Isabelle bestellte zwei Cognacs. Dann erzählte sie ihr die ganze Geschichte. Auch dass die Gendarmerie Lucas' Zimmer im Haus seiner Tante durchsucht und dort mit dem Computer eindeutige Beweismittel sichergestellt habe. Auf den Videoaufzeichnungen der Gendarmerie sei zu erkennen gewesen, dass Lucas den Opfern mit seinem Motorrad hinterhergefahren sei. Die eigentlichen Tatorte seien näher an der Küste gelegen. Dort habe er die Bankkarten entwendet und an Automaten jeweils den Höchstbetrag abgehoben. So habe sie das gerade von Briand erfahren. Details wisse sie natürlich nicht.

Clodine leerte das Cognacglas in einem Zug. Dann schaute sie fast wehmütig auf ihren Finger mit dem Ring, den ihr Lucas geschenkt hatte.

»Vielleicht hat er es für mich getan?«, flüsterte sie. »Um mir eine Freude zu machen.«

Isabelle konnte ihre romantische Vorstellung zwar nicht teilen, enthielt sich aber eines Kommentars.

»Meinst du, ich muss ihn zurückgeben?«, fragte Clodine.

»Ich wüsste nicht, warum. Behalte ihn als Andenken.«

»Vielleicht kommt Lucas bald wieder auf freien Fuß«, überlegte Clodine laut, »dann tröste ich ihn.«

39

Nach einer Nacht, in der Isabelle viel wach lag, ohne dass sie wirklich einen Grund dafür wusste, immerhin hatte sie seit gestern Abend einen Problemfall weniger, der in ihrem Kopf herumgeisterte, versuchte sie sich an ihrer morgendlichen Gymnastik. Abgesehen von ihrem Bein, das immer mehr ein Eigenleben zu führen schien und mal ihren Befehlen gehorchte und dann wieder tat, was es wollte, nämlich nichts, klappte alles ganz gut, vor allem die Liegestütze und die Klimmzüge. Aber das brachte nichts, sie konnte ja kaum auf Händen ins Kommissariat laufen. Mittlerweile war sie so weit, dass sie den morgigen Untersuchungstermin geradezu herbeisehnte. Sie wollte endlich wissen, was mit ihr los war. Aber für den heutigen Tag hatte sie einen anderen Punkt ganz oben auf ihrer Prioritätenliste. Der Punkt hatte einen Namen: Gaylord Gawain, *Abbé* eines Klosters im Languedoc-Roussillon. Laut Sébastien eine imposante Erscheinung, fast zwei Meter groß, mit breitem Kreuz und kahl geschorenem Schädel. Sein Auftreten dagegen sei leise und sanftmütig. Von André wusste sie, dass er als großer spiritueller Lehrer galt. So einen Mann kennenzulernen dürfte schon unter normalen Umständen faszinierend sein. Im konkreten Fall kam hinzu, dass er aufgrund seines hartnäckigen Interesses für das *Monastère des bonnes sœurs* als grundsätzlich verdächtig gelten musste. Kaum vorstellbar war, dass er Nonnen ermorden ließ. So weit reichte selbst ihre Fantasie nicht. Sie hielt kurz inne. Irrtum. Ihre Professionalität verlangte, auch diese Möglichkeit in Betracht zu ziehen. Für einen Psychoterror mit an die Pforte genagelten Drohbriefen kam er allemal infrage.

Sein Kloster nahe Montpellier hatte einen gravierenden Nachteil: Es war verdammt weit weg. Über zweihundertfünfzig Kilometer und bei der üblichen Verkehrslage bestimmt über drei Stunden Fahrzeit. Sowohl ihr privater Renault als auch der Polizeiwagen hatten keine Automatik. Isabelle war sich nicht sicher, ob sie die Strecke mit ihrem eigensinnigen Bein ohne Kuppelprobleme durchstehen würde. Was nur eine Schlussfolgerung zuließ – Apollinaire würde sie chauffieren müssen.

Den Weg ins Kommissariat bewältigte sie im Schlendermodus. So konnte sie am leichtesten ihre Gehprobleme verschleiern. Sie hatte keine Lust, dass eine hinkende Kommissarin in Fragolin zum Thema des täglichen Tratsches wurde. Wenn es besonders stark zwickte, blieb sie mit gespieltem Interesse vor einem Schaufenster stehen. Freilich gab es im Ort nicht viele davon. Mit das größte hatte Clodines Laden. Die kam prompt herausgestürzt, um Isabelle zu umarmen. So, wie sie aussah, hatte sie die halbe Nacht geheult. Aber Isabelle kannte Clodine gut genug, um zu wissen, wie leicht sie über den Kummer hinwegkommen würde. Ihre Freundin konnte sich zwar rasend schnell bis über beide Ohren verlieben, aber sich dank ihres flatterhaften Gemütes fast genauso schnell wieder neu orientieren. Natürlich war die Trennung von Lucas auf ungewohnt dramatische Weise und sehr radikal erfolgt. Gewiss tat er ihr leid. Aber morgen würde in ihrer Welt schon wieder die Sonne scheinen – und sollte ein attraktiver Mann ihren Laden betreten, würde sie ein strahlendes Lächeln aufsetzen und fröhlich drauflosflirten.

Apollinaire erwartete sie im Büro mit einem kleinen Kuchen, den Shayana noch in der Nacht für sie gebacken hatte. Seine Freundin sei überglücklich, dass Isabelle den Täter überführt habe. Damit sei ihre Unschuld endgültig bewiesen, und selbst der dümmste und fremdenfeindlichste Gendarm könne ihr nicht mehr unterstellen, eine Straftat begangen zu haben.

Isabelle war irgendwie gerührt. Spätestens jetzt war klar, wie sehr Shayana unter der Verdächtigung gelitten hatte. Apollinaire erklärte, dass es sich um eine tunesische Datteltorte handle, mit Haselnüssen, Mandeln und Orangenblütenwasser, nach einem alten Rezept ihrer Familie.

Isabelle bat ihn, seiner Shayana ihren herzlichsten Dank auszurichten, sie nehme die Datteltorte heute Abend mit nach Hause.

Dann eröffnete sie ihm, dass er sie zum heutigen Termin im Kloster bei Montpellier begleiten solle. Es sei ihr sogar recht, wenn er das Steuer übernehme. Erwartungsgemäß begann er zu strahlen. Ihr Assistent war zwar ein spät berufener Autofahrer und gelegentlich sogar mit seinem alten 2CV überfordert, aber wenn sich eine Gelegenheit bot, das weiß-blaue Einsatzfahrzeug der *Police national*e zu steuern, wuchs er in seiner Begeisterung über sich hinaus.

Isabelle hatte ihren Besuch im Kloster bei Montpellier angemeldet und ein Treffen mit dem *Abbé* vereinbart. Schließlich wollte sie die lange Fahrt nicht vergeblich antreten.

»Übrigens habe ich zu diesem Gaylord Gawain einige Recherchen angestellt«, sagte Apollinaire. »Um ehrlich zu sein, der Mann ist mir unheimlich.«

»Warum? Er ist ein Mann Gottes.«

»Heute schon, aber früher war er sozusagen das krasse Gegenteil, wenn Sie verstehen, was ich meine.«

Sie hob eine Augenbraue. »Nein, verstehe ich nicht.«

»Er war Offizier bei der *Légion étrangère* und dort als besonders harter Hund bekannt.«

Gaylord Gawain ein früherer Fremdenlegionär? Das französische Corps mit Soldaten aus über hundert Nationen, wobei die Offiziere Franzosen sind, wurde in den schlimmsten Krisenregionen der Welt eingesetzt. Wer bei der *Légion étrangère* den Ruf eines besonders harten Hundes hatte, der war auch einer. Vermutlich war diese Beschreibung noch eher eine charmante Untertreibung. Und dieser Gaylord Gawain stand heute als *Abbé* einer Klostergemeinschaft vor? Apollinaire hatte recht, ein wenig unheimlich war das schon. Plötzlich schien alles möglich, was sie gerade noch für fast unmöglich gehalten hatte. Und trotzdem: Warum sollte ein Mann, der Schlimmes erlebt hat, sich nicht plötzlich ändern und die Nächstenliebe entdecken. Der Wandlung vom Saulus zum Paulus war ein Sturz vom Pferd vorangegangen und eine mehrtägige Erblindung. Wer konnte wissen, was diesem Gaylord Gawain Grausames widerfahren war? Es war also alles möglich – und genau das war das Problem.

»Madame, nach allem, was Sie mir erzählt haben, hat der *Abbé* ein Motiv, und wie wir jetzt wissen, auch alle nötigen Fähigkeiten.«

»Er soll die Nonne Albertine vom Felsen gestürzt und zuvor die alte Mutter Oberin Laetitia vergiftet haben? Das halte ich für ausgeschlossen. Ein ehemaliger Fremdenlegionär wie Gaylord Gawain hätte Albertine mit einem einzigen Griff das Genick gebrochen. Und jemanden zu vergiften dürfte außerhalb seiner Vorstellung liegen. Dann lieber eine Kugel zwischen die Augen.«

Apollinaire hielt sich demonstrativ die Ohren zu. »Bitte hören Sie auf! Zu dieser frühen Stunde habe ich einen sensiblen Magen.«

»Außerdem hat der *Abbé* ein imposantes Äußeres«, fuhr Isabelle in ihren Überlegungen fort. »Er wäre weder in den Gärten von Rayol noch im Kloster unentdeckt geblieben.«

»Nun gut, dann war er es halt nicht selber. Aber vielleicht sind in seinem Orden Mönche, die auch ein Vorleben in der *Légion étrangère* haben?«, grübelte Apollinaire. »Als ihr ehemaliger Offizier könnte er die entsprechenden Befehle erteilt haben, verbunden mit der Anweisung, so unauffällig wie möglich vorzugehen, um gar nicht erst den Gedanken an eine Straftat aufkommen zu lassen. Es durfte ja niemand Verdacht schöpfen. Und was das Vergiften betrifft, das passt vielleicht nicht zur Fremdenlegion, aber gut zur Kirche. Im Vatikan sind sogar schon Päpste vergiftet worden. Und vom Borgia-Papst Alexander VI. ist überliefert …«

»Das bringt uns vom Thema ab«, unterbrach ihn Isabelle, einen längeren Vortrag über die sittenlosen Päpste der Renaissance fürchtend. Dabei dachte sie, dass Apollinaires Überlegungen so abwegig nicht waren. Natürlich könnte es sich so zugetragen haben. Was in der Konsequenz bedeuten würde, dass es noch nicht vorbei war. Unter den Nonnen würde es weitere Todesfälle geben – und zwar so lange, bis ihr Orden das *Monastère des bonnes sœurs* aufgab. Oder bis alle tot waren. Das wäre Wahnsinn.

40

Isabelle ließ sich nicht leicht vom Äußeren eines Menschen beeindrucken. Der *Abbé* Gaylord Gawain aber war eine Ausnahme. Als er ihr in der Vorhalle seines Klosters entgegenkam, fand sie schon von Weitem bestätigt, was Sébastien und André angedeutet hatten. Der Mann hatte eine gewaltige physische Ausstrahlung. Die ihn begleitenden Mönche wirkten im Vergleich wie schmalbrüstige Zwerge. Trotz seiner Größe bewegte er sich überaus geschmeidig. Er schien beim Gehen fast zu gleiten und auf magische Weise der Schwerkraft zu trotzen. Er trug eine schlichte schwarze Kutte mit einem silbernen Kreuz vor der Brust und hatte einen kahl geschorenen Schädel und stahlblaue Augen. So, wie er aussah, könnte der *Abbé* sofort in einem mittelalterlichen Film auftreten. Isabelle stellte sich vor, wie er mit dem Schwert in der Hand die heiligen Stätten Jerusalems verteidigte.

Er blieb vor ihr stehen und sah ihr konzentriert in die Augen. Isabelle hielt seinem Blick selbstbewusst stand. Von solchen Psychospielchen ließ sie sich nicht irritieren. Das gefiel ihm offensichtlich, denn nach einer Weile begann er zu lächeln.

»*Bonjour, Madame le Commissaire*«, begrüßte er sie mit leiser, sonorer Stimme. »Seien Sie in unserem Kloster herzlich willkommen. Unsere ehrwürdigen Mauern haben schon viel gesehen, aber attraktive Frauen wohl eher selten und eine Vertreterin der *Police nationale* womöglich noch nie.«

Attraktive Frauen? Der Mann war auch noch charmant. Ob sich das für einen Abt geziemte, war eine andere Frage.

»Wenn Sie mich freundlicherweise in die Bibliothek begleiten«, fuhr er fort. »Dort können wir uns ungestört unterhalten. Zugegebenermaßen bin ich neugierig, was Sie zu uns führt.«

»Sie haben keine Idee?«

»Wie sollte ich? Die Häufigkeit göttlicher Eingebungen wird allgemein überschätzt.«

Obwohl sie auf dem Weg in die Bibliothek fast beschwerdefrei war und ihrem Eindruck nach kein bisschen hinkte, warf er ihr einen musternden Blick zu.

»Ich wünsche Ihnen baldige Genesung«, sagte er unvermittelt. »Gottes Segen möge Sie dabei begleiten.«

Isabelle bekam eine Gänsehaut. Der *Abbé* konnte von ihrem Bein nichts wissen. Gerade war ihr nichts anzumerken. Wie konnte er ihr dann eine baldige Genesung wünschen?

In der Bibliothek angekommen, nahmen sie an einem Tisch Platz, der normalerweise wohl dem Studium alter Folianten vorbehalten war. In ihrem Fall standen eine Karaffe mit Zitronenwasser und zwei Gläser bereit.

»Sie sind eine bemerkenswerte Frau«, stellte er fest. »Hätten wir nicht was anderes zu besprechen, würde mich Ihre Lebensgeschichte interessieren. Ich würde Sie fragen, was Ihnen widerfahren ist und wie Sie wieder zurück in die Spur des Lebens gefunden haben. Und ich würde mit Ihnen darüber reden wollen, warum Sie sich dabei nicht von Gott haben helfen lassen.«

Nur selten gelang es jemandem, Isabelle aus der Fassung zu bringen. Dem *Abbé* Gaylord Gawain war das mit wenigen Sätzen gelungen. Und zwar so heftig, dass sie ihre ganze Willenskraft aufbringen musste, um Haltung zu bewahren.

Sie rang sich ein amüsiertes Lächeln ab. »Das mit den göttlichen Eingebungen scheint bei Ihnen doch ganz gut zu funktionieren. Aber wie Sie zutreffenderweise festgestellt haben, bin ich nicht hier, um mit Ihnen über meine Lebensgeschichte zu plaudern. Außerdem weiß ich, dass Ihre eigene viel spannender ist. Vom Offizier der Fremdenlegion zum Abt und Vorsteher eines Mönchsordens ist es ein weiter Weg.«

»Oder ein ganz kurzer«, widersprach er. »Womöglich reicht ein einziger Schritt.«

Sie beschloss, endlich auf den Grund ihres Besuches zu kommen.

»Hochwürdigster Herr Abt, Sie kennen das *Monastère des bonnes sœurs?*«

Er lächelte. »Eine rhetorische Frage. Sie wissen genau, dass ich das Kloster kenne. Wobei ich, um präzise zu sein, es noch nie betreten habe.«

»Stimmt es, dass Sie bei der Stiftung Falcon-Fontallier mit dem Anliegen vorstellig geworden sind, das Kloster für Ihren Orden zu übernehmen?«

»Madame, Sie enttäuschen mich. Sie fragen mich Dinge, die Sie längst wissen.«

»Ich glaube nicht, dass ich Sie wirklich enttäusche.«

Er schmunzelte. »Nein, tun Sie nicht.«

»Es entspricht nun mal den polizeilichen Gepflogenheiten, sich Aussagen Dritter von den Betroffenen bestätigen zu lassen.«

»Ich verstehe. Darf ich Ihnen etwas Zitronenwasser einschenken?«

»Gerne, ja.«

»Sie deuteten gerade an, dass ich ein ›Betroffener‹ sei. Wie darf ich das interpretieren?«

»Dazu komme ich gleich. Ärgert es Sie, dass die Nonnen das *Monastère* nicht aufgeben und Ihrem Orden überlassen?«

»Ärgern? Nein, ganz bestimmt nicht. In unserem Kloster predigen wir die Gelassenheit. Der Ärger ist eine Gefühlsaufwallung, die weder gesund ist noch Probleme löst. Deshalb darf ich es anders formulieren: Ich finde es schade, dass wir zu keiner Einigung gelangen konnten. Es wäre zum Nutzen aller Beteiligten gewesen. Wir hätten für unseren stark anwachsenden Orden ein weiteres Kloster zur Verfügung. Die Nonnen des *Monastère* hätten in Aquitanien ein neues Zuhause mit lieben Mitschwestern gefunden. Und auch für die segensreiche Stiftung Falcon-Fontallier wäre es von Vorteil gewesen. Unser Orden wäre in der Lage, das Kloster ohne Zuschüsse zu betreiben und instand zu halten.« Der *Abbé* faltete die kräftigen Hände und lächelte. »Aber Gott hat in seiner oft unerklärlichen Weisheit anders entschieden. Also bleibt alles so, wie es ist.«

»Womit Sie sich abgefunden haben?«

»Aber natürlich. Kennen Sie das Gelassenheitsgebet des amerikanischen Theologen Niebuhr? Es lautet: Gott, gib mir die Gelassenheit, Dinge hinzunehmen, die ich nicht ändern kann …«

Zufällig kannte Isabelle dieses Gebet. Es hatte ihr in schwierigen Zeiten weitergeholfen – ohne dass sie dabei auf Gott zählte. Deshalb wusste sie auch, wie es weiterging.

»… und gib mir den Mut, Dinge zu ändern, die ich ändern kann«, setzte sie das Gebet fort.

Der Abt nickte. »Respekt. Wie ich schon sagte, Sie sind eine bemerkenswerte Frau.«

»Was mich zur Frage bringt, ob Sie vielleicht den Mut aufgebracht haben, die Dinge zu ändern, also die Nonnen quasi zur Aufgabe des Klosters zu zwingen.«

»Wie sollte das gehen? Außerdem verstieße dies gegen das Gebot der Toleranz. Nein, natürlich habe ich nichts dergleichen unternommen.« Er sprach dies leise und ohne jegliche Aufgeregtheit. Wieder lächelte er. »Da Sie das Gelassenheitsgebet von Niebuhr kennen, wissen Sie, dass noch ein wesentlicher Satz folgt: Gott gib mir die Weisheit, das eine vom anderen zu unterscheiden. Das ist die eigentliche Essenz. Wir müssen im Leben entscheiden, was zu ändern ist und was nicht. Wenn die Nonnen im Kloster bleiben wollen, ist das ihr freier Wille, den ich mit großer Gelassenheit akzeptiere, weil es nicht zu ändern ist.«

»An die Pforte des Klosters wurden Drohbriefe genagelt, die die Mutter Oberin in große Aufregung versetzt haben.«

»Drohbriefe? Was für ein Frevel. Was hatten sie zum Inhalt?«

»Die Nonnen wurden aufgefordert, das Kloster zu verlassen, andernfalls würde sie ein großes Unglück ereilen.«

Der Abt nickte. »Ich verstehe. Und jetzt denken Sie, dass unser Orden hinter diesen Drohbriefen stecken könnte. Das ist aber nicht der Fall, davon können Sie mit Gewissheit ausgehen. Mir tun die Nonnen leid. Vielleicht sollte ich sie mal aufsuchen und ihnen Trost spenden.«

»Sie könnten priesterlichen Beistand sicher brauchen«, sagte Isabelle, »denn vor nicht langer Zeit ist mit Laetitia die alte Mutter Oberin verstorben …«

»Ich weiß. Schwester Hortensia hat ihre Nachfolge angetreten.«

»Und erst vor wenigen Tagen ist die Nonne Albertine bei einem Sturz vom Felsen ums Leben gekommen. Vermutlich ist Ihnen auch das bekannt, oder?«

Der Abt schwieg und dachte nach. »Sie meinen die tote Nonne, die man in den Gärten von Rayol gefunden hat? Ich habe von diesem Unglück gelesen. Die Nonne gehörte zum *Monastère des bonnes sœurs*? Nein, das wusste ich nicht. Die armen Schwestern bedürfen wirklich meines Beistandes.«

Es war wohl kaum zielführend, dachte Isabelle, ihn mit der theoretischen Möglichkeit zu konfrontieren, für die Tat direkt oder indirekt verantwortlich zu sein. Stattdessen fragte sie: »Um noch mal auf die Stiftung Falcon-Fontallier zurückzukommen. Wäre es nach den Statuten überhaupt möglich, dass das *Monastère* von Ihrem Mönchsorden übernommen wird?«

»Das wäre ohne Weiteres möglich«, bestätigte der Abt. »Mir liegt eine Abschrift der Statuten vor, die keine Bindung an die *bonnes sœurs* festschreibt. Aber wie ich schon sagte, die Gelassenheit gebietet, den Wunsch der Nonnen zu respektieren. Wir sehen uns derzeit nach einem anderen Kloster um.«

»Sie haben eine Abschrift der Statuten? Könnte ich davon eine Kopie erhalten?«

»Sehr gerne, obwohl Sie diese auch vom Stiftungssekretär Sébastien erhalten würden.«

»Jetzt bin ich schon mal hier.«

»Kein Problem, auch wenn ich mich frage, was Sie mit den Statuten anfangen wollen.«

Isabelle lächelte. »Ich werde sie lesen.«

»Es gibt besseren Lesestoff. Wie wäre es mit der Bibel?«

»Lesen *Sie* in der Bibel?«

»Jeden Tag. Es ist nie zu spät, damit anzufangen.«

»Ich fürchte, ich bin nur schwer zu missionieren«, erwiderte sie.

Der Abt küsste sein umgehängtes Kreuz. »Das war ich auch mal. Sehr schwer sogar. Und doch hat es funktioniert.«

41

Apollinaire, der vor dem Kloster auf Isabelle gewartet hatte, sah sie erwartungsvoll an.

»Haben wir unseren Mörder?«, fragte er ohne Umschweife.

»Sie meinen den *Abbé* Gaylord Gawain? Nun, er selbst war es bestimmt nicht«, antwortete sie und schnallte sich an. »Wir können losfahren.«

Apollinaire startete den Wagen und folgte den Schildern nach Montpellier, von wo es auf der A9 nach Nîmes ging und von dort über Arles und Aix-en-Provence zurück nach Fragolin.

»Spannen Sie mich nicht auf die Folter«, sagte er nach wenigen Kilometern. »Was ist der *Abbé* für ein Typ?«

»Er ist genau so, wie Sie es vermutet haben, nämlich in gewisser Weise unheimlich. Jedenfalls hat er eine enorme physische Präsenz und eine fast schon hypnotische Ausstrahlung. Ich kann verstehen, dass ihn manche seiner Anhänger für einen Guru halten.«

»Was natürlich Quatsch ist«, merkte Apollinaire an. »Gurus sind in der katholischen Kirche nicht vorgesehen. Gurus gibt es im Hinduismus oder Buddhismus. Ich denke da eher an indische Sekten als an ein christliches Kloster.«

»Wobei die Sektenmitglieder ihren Guru verehren und zu völliger Hingabe bereit sind, richtig?«

Apollinaire nickte. »Ganz genau. Mönche verehren keinen Guru, sondern Jesus. Das ist ein gewaltiger Unterschied.«

Isabelle dachte nach. »Aber der *Abbé* hat das Auftreten eines Gurus, das können Sie mir glauben. Gehen wir also davon aus, dass ihn die Mönche in seinem Kloster als großen spirituellen Lehrer verehren und ihm jeden Wunsch erfüllen. Vielleicht sogar Wünsche, die er so gar nicht ausgesprochen hat.«

Apollinaire sah sie von der Seite an. »Muss ich das verstehen?«

»Ist nicht schwer zu verstehen. Im Kloster ist bekannt, dass der *Abbé* das *Monastère des bonnes sœurs* gerne für seinen Orden übernommen hätte. Das Projekt scheitert am Widerstand der Schwestern, deren Zahl überschaubar ist. Im Prinzip könnte jeder der Mönche auf die Idee verfallen sein, die verbliebenen Nonnen mit Drohbriefen einzuschüchtern.«

»Oder sie der Einfachheit halber gleich umzubringen.« Apollinaire trommelte mit den Fingern auf dem Lenkrad herum. »Der *Abbé* muss also nichts damit zu tun haben«, setzte er den Gedanken schließlich fort. »Es käme jedoch jeder seiner Mönche infrage.«

»Womit wir einen riesigen potenziellen Täterkreis hätten.«

»Dann können wir das vergessen. Wie sollen wir unter den vielen Mönchen den richtigen finden? Der *Abbé* wird uns kaum erlauben, von allen einen DNA-Abgleich zu machen.«

»Wohl eher nicht. Und selbst wenn, die Mönche schauen in ihren Kutten alle gleich aus.«

»Das ist wie in einem quirligen Ameisenhaufen, da kann man nie eine einzelne Ameise identifizieren.«

Isabelle lächelte. »Ich würde die Mönche im Kloster nicht unbedingt mit Ameisen vergleichen, aber in der Sache haben Sie recht. Für den wahren Täter wäre es ein Leichtes, durchs Netz zu schlüpfen.«

»Das heißt, wir sind mit unserem Latein am Ende? Beim Roulette würde man sagen: *Rien ne va plus.* Nichts geht mehr!«

»Natürlich geht was, es geht immer was«, widersprach Isabelle. »Jetzt konzentrieren Sie sich bitte auf die Straße. Ich habe vom *Abbé* eine Kopie der Statuten der Stiftung Falcon-Fontallier erhalten. Die möchte ich in Ruhe lesen.«

Minuten später ging Isabelles Handy. Es war automatisch mit der Freisprechanlage verbunden, sodass Apollinaire mithören konnte, wie sich Jacqueline aus Paris meldete.

»Isabelle, meine Liebe, ich habe private Neuigkeiten, die dir nicht gefallen werden.«

»Warte bitte einen Moment«, unterbrach Isabelle. »Ich sitze gerade mit Apollinaire im Polizeiwagen …«

»Soll ich rechts ranfahren und aussteigen?«, fragte er.

»Nein, nicht nötig. Ich schalte nur die Freisprechanlage ab. Dann können Sie ungestört auf den Verkehr achten.«

»Sehr wohl, Madame. Außerdem bin ich von Natur aus diskret.«

»Okay, Jacqueline, jetzt sind wir quasi unter uns. Schieß los! Was hast du herausgefunden?«

»Thierry ist ein Vollidiot, das habe ich herausgefunden.«

»Ich habe es befürchtet.«

»Um es kurz zu machen: Ich weiß, mit wem Thierry in Nizza die Nacht verbracht hat. Kurz vor Mitternacht hat er sich eine Flasche Champagner aufs Zimmer bringen lassen. Der Hotelpage erinnert sich an eine dunkelhäutige Frau in seinem Bett …«

»Das reicht, danke.«

»Ins *Negresco* kommen keine Nutten rein. Die Frau hatte ordnungsgemäß mit Thierry eingecheckt und ihren Ausweis vorgelegt. Ich kenne ihren Namen.«

»Den will ich nicht wissen.«

»Dann behalte ich den Namen für mich. Nur noch eine abschließende Information: Es handelt sich um dieselbe Frau, mit der er dich in Paris betrogen hat.«

Isabelle schluckte. »Ich stimme dir zu, er ist wirklich ein Vollidiot.«

Apollinaire sah hoch konzentriert auf die Straße. Er konnte nicht wissen, wen sie meinte. Und wenn er es erriet, war es auch egal.

»Tut mir leid, *chérie*«, sagte Jacqueline. »Aber es hilft ja nichts, wenn ich es dir verschweige.«

»Ist gut. Ich danke dir. Hoffentlich hat Maurice nichts von deinen Ermittlungen mitgekriegt.«

Jacqueline lachte. »Nein, hat er nicht. Der Alte verbringt gerade viel Zeit auf dem Golfplatz. Er meint, dass sein Schwung ohne Gallenblase besser geworden sei.«

»Maurice wird immer sonderlicher.«

»Dafür lieben wir ihn.« Und nach einer kurzen Pause: »Isabelle, was wirst du jetzt tun?«

»Ich geh ins Kloster«, rutschte ihr raus.

»Wegen Thierry? Spinnst du?«

»Nein, natürlich nicht. Wir kommen im Fall mit der toten Nonne nicht weiter. Bisher sind alle Spuren im Sand verlaufen. Ich glaube immer mehr, dass die Wahrheit im *Monastère des bonnes sœurs* zu finden ist.«

»Wirklich? Wie kann das sein?«

»Das will ich ja gerade herausfinden. Außerdem fürchte ich um das Leben der verbliebenen Nonnen.«

»*Oh mon Dieu.*«

»Vor Ort kann ich auf sie aufpassen.«

»Und wer passt auf dich auf?«

»Ich bin nicht schlecht darin, auf mich selbst aufzupassen. Mach dir also keine Sorgen.«

»Was ist mit deinem Bein?«

»Ich lass es morgen untersuchen. Erst danach gehe ich ins Kloster.«

»Gib mir Bescheid, was bei der Untersuchung rausgekommen ist.«

»Klar, mache ich. Aber Maurice muss nichts davon erfahren.«

»Natürlich nicht. *Bonne chance, chérie.* Viel Glück!«

42

Vierundzwanzig Stunden später hatte Isabelle die Untersuchungen bereits hinter sich. Docteur Léo Lambart hatte sie keine Sekunde aus den Augen gelassen. Wobei sie spürte, dass seine Aufmerksamkeit nicht nur medizinische Motive hatte. Es bedurfte großen Selbstbewusstseins, sollte er sich an Rouven Mardrinacs Freundin heranwagen. Isabelle schmunzelte. Sie mochte Männer mit Courage. Allerdings hatte sie gerade andere Probleme.

Léo Lambart führte sie in sein Büro. Wie es sich für den Chef einer noblen Privatklinik geziemte, war dieses nicht nur groß und mit Klassikern der Moderne möbliert, sondern es eröffnete auch durch eine riesige Glasfront einen überwältigenden Blick auf den Golf von Saint-Tropez. Freilich fehlte ihr gerade jeglicher Sinn dafür. Ihr Bein sendete fortwährend Schmerzsignale aus, die sie nicht mehr ignorieren konnte. Vor dem Raum mit dem Computertomografen hatte ihr Bein kurz unter ihr nachgegeben. Léo Lambart hatte sie mit einer Mischung aus Sorge und Wohlgefallen aufgefangen.

Sie saßen sich gegenüber, und sie versuchte in seinem Gesicht zu lesen. Bislang hatte er nicht die geringste Andeutung gemacht.

»Isabelle, ich darf Sie doch bei Ihrem Vornamen nennen?«

Sie nickte. Es war ihr gerade egal, wie er sie ansprach.

»Isabelle, ich mache es einfach und komme gleich auf den Punkt. Zunächst die gute Nachricht: Sie haben keine chronische Erkrankung, also weder eine periphere arterielle Verschlusskrankheit noch einen Bandscheibenvorfall. Grundsätzlich wären viele krankheitsbedingte Ursachen für Ihre Beinbeschwerden denkbar, aber die haben wir alle ausgeschlossen.«

»Und die schlechte Nachricht?«

Léo setzte ein zuversichtliches Lächeln auf. »Die ist auch nicht wirklich schlecht. Sie müssen sich nur einer kleinen Operation unterziehen, dann ist wieder alles gut. Wir haben in Ihrem Rücken einen winzigen metallischen Splitter gefunden, den man offenbar bei den Untersuchungen nach der Bombenexplosion übersehen hat. So was kann passieren. Wir haben uns alle Bilder von damals angeschaut, er ist nirgends zu entdecken. Der Splitter hat sich gut versteckt. Er war ja auch ganz brav und hat Ihnen bis vor Kurzem keine Beschwerden bereitet. Dummerweise hat er sich jetzt auf Wanderschaft begeben und die Wirbelsäule erreicht. Um es populär auszudrücken: Der fiese kleine Splitter hat es auf Ihr Rückenmark abgesehen. Aber ich kann Sie beruhigen, wir operieren ihn vorher raus.« Er grinste. »Und hinterher gehen Sie mit mir zum Tanzen.«

Der Nachsatz sollte sie wohl optimistisch stimmen, aber er verfehlte seine Wirkung.

»Wie schwierig ist die Operation?«, fragte sie nüchtern. »Mit welchen Risiken?«

»Risiken gibt es immer, das wissen Sie. Wir werden diese noch im Einzelnen besprechen. Aber sie sind beherrschbar. Der Wirbelsäulenchirurg unserer Klinik ist eine Koryphäe. Er war früher Chefarzt einer orthopädischen Klinik in Paris und hat schon auf der ganzen Welt operiert. Bei ihm sind Sie in den besten Händen.«

»Hört sich gut an.«

»Außerdem werde ich ihm bei der Operation assistieren.«

Sie lächelte. »Ich hoffe, dass sich durch Ihre Mitwirkung meine Chancen nicht verschlechtern.«

»Keinesfalls, ich will Sie ja zum Tanzen ausführen.«

»Falls diese Motivation zum Gelingen der Operation beiträgt, habe ich keine Einwände.«

»Wunderbar. Ich schlage vor, wir operieren gleich morgen.«

Isabelle, die bislang alles nüchtern zur Kenntnis genommen hatte, zuckte zusammen.

»Gleich morgen? Nein, das geht nicht. Ich muss erst meine Arbeit zu Ende bringen.«

»Das ist keine gute Idee. Wenn sich der Splitter weiterbewegt, bekommen wir ernste Probleme. Könnte sein, dass es danach mit dem Tanzen nicht mehr klappt.«

»Wie hoch ist die Wahrscheinlichkeit, dass der Splitter seine Reise fortsetzt?«

»Hoch, sehr hoch. Ihre Gesundheit ist doch wichtiger als irgendein Kriminalfall. Geben Sie ihn an einen Kollegen weiter!«

Irgendein Kriminalfall? Ein Kollege? Ihre Gesundheit? In ihrem Kopf überschlugen sich die Gedanken. Wenn es doch nur irgendein x-beliebiger Kriminalfall wäre. Aber sie fürchtete um das Leben der Nonnen in dem *Monastère*. Sie brachte es nicht fertig, sie im Stich zu lassen. Außerdem war der Fall kompliziert und überaus vielschichtig. Kein Kollege würde sich auf Anhieb zurechtfinden. Sie tat sich ja selbst schwer damit. Und sie wollte nicht aus der Narkose erwachen und erfahren, dass es im Kloster eine weitere Tote gegeben hatte. Hinzu kam ihr Gefühl, kurz vor dem Ziel zu stehen. Sie mochte sich täuschen, aber sie würde es nie erfahren, wenn sie sich morgen operieren ließ.

Isabelle sah den Arzt fast flehend an. »Ich brauche noch ein paar Tage, vielleicht eine Woche. Es muss sein. Es geht um Menschenleben.«

Er schüttelte den Kopf. »Meine Zustimmung bekommen Sie nicht. Aber natürlich steht Ihnen die Entscheidung frei.«

»Ich gehe morgen für einige Tage ins Kloster. Da kann ich ja beten, dass der Bombensplitter Ruhe gibt.«

»Sie gehen ins Kloster? Ich denke, Sie wollen Ihre Arbeit zu Ende bringen?«

»Hängt alles zusammen«, antwortete sie. »Das hoffe ich jedenfalls«, fügte sie leise hinzu.

»Nur unter einer Bedingung: Wenn die Beschwerden plötzlich rapide zunehmen, brechen Sie alles ab und kommen sofort in die Klinik. Sie wollen doch nicht Ihr restliches Leben im Rollstuhl verbringen.«

Nein, das wollte sie nicht. Außerdem wäre es ja vielleicht wirklich ganz nett, mal mit dem Arzt zu tanzen.

43

Zurück in Fragolin, passierte, was zwangsläufig passieren musste: Sie lief Thierry in die Arme. Der begrüßte sie zwar herzlich, aber ihrem Empfinden nach nicht ganz so locker wie üblich. Was womöglich an seinem schlechten Gewissen lag. Oder sogar an ihr selbst, denn ihre Körpersprache war unwillkürlich auf Distanz bedacht. Thierry war sensibel, er registrierte solche Signale, vielleicht nicht bewusst, aber eben doch. Er sah sie skeptisch an. Dann fragte er, wie es ihrem Bein gehe, ob sie Schmerzen habe. Wie es schien, vermutete er hier den Grund für ihre Zurückhaltung. Léo hatte ihr Tabletten mitgegeben. Schmerzen hatte sie gerade keine. Thierry war auf dem Holzweg. Mit seiner Sensibilität war es vielleicht doch nicht so weit her.

Sie ärgerte sich, dass es ihr nicht gelungen war, ihre gesundheitlichen Probleme geheim zu halten. Zumindest in ihrem engeren Umfeld wussten mittlerweile alle davon: Apollinaire, Clodine, Jacqueline, Thierry – und natürlich Rouven. Außerdem berufsbedingt ihre Physiotherapeutin Sylvie. Hoffentlich hielt Clodine die Klappe. Sie war in diesem Kreis die Einzige, die oft unüberlegt drauflosplapperte.

Thierry fragte, ob er sie morgen Abend einladen dürfe. Er würde gerne mal wieder grillen – nur für sie beide.

Isabelle spielte kurz mit dem Gedanken, die Einladung unter der Voraussetzung anzunehmen, dass auch seine dunkelhäutige Gespielin aus dem *Negresco* dabei sei. Aber weil sie morgen sowieso keine Zeit hatte, könnte sie die Dame auch gleich als Ersatz vorschlagen. Natürlich verkniff sie sich eine entsprechende Reaktion. Indes informierte sie Thierry, dass sie die nächsten Tage verreist sei. Es tue ihr leid.

Letzteres war eine Höflichkeitsfloskel. Es tat ihr nicht wirklich leid. Wobei sie Thierry seine Affäre weniger zum Vorwurf machte. Sie fuhr ja selbst zweigleisig. Entsprechend liberal waren ihre Moralvorstellungen. Der Knackpunkt war, dass sie mit offenen Karten spielte, während es Thierry vorzog, eine Lügengeschichte zu erfinden, um sich heimlich mit einer anderen Frau zu treffen. Das war der grundlegende Unterschied. Über das eine konnte man reden und gemeinsam und für sich selbst entscheiden, ob man damit klarkam. Das andere, also seine Nummer, hatte den bitteren Beigeschmack des Betrugs. Sie fühlte sich hintergangen.

Thierry sah sie fragend an. Natürlich wollte er wissen, was es mit ihrer Reise auf sich habe. Sollte sie ihm sagen, dass sie eine Verabredung im *Negresco* habe? Ob er ihr vielleicht ein spezielles Zimmer empfehlen könne?

Fast hätte Isabelle über ihren Einfall gelacht. Aber sie beherrschte sich und verzog keine Miene. Sie antwortete wahrheitsgemäß, dass sie sich einige Tage ins Kloster zurückziehen werde.

Weil er von ihrem aktuellen Fall wusste, kam er sofort auf das *Monastère des bonnes sœurs*. Doch sei für ihn nicht einsichtig, welchen ermittlungstechnischen Effekt ein mehrtägiger Aufenthalt im Kloster haben könne.

Sie hob eine Augenbraue und lächelte. Erstens wisse er nicht alles über ihren Fall, zweitens sei er Bürgermeister und kein Kriminalkommissar, weshalb er schon berufsbedingt nicht alles verstehen könne, und drittens seien meditative Auszeiten in Klöstern gerade *en vogue* und gut für das seelische Gleichgewicht. Sie freue sich auf diese Erfahrung.

Thierry meinte, dass er in der Abgeschiedenheit eines Klosters nach kurzer Zeit ganz sicher verrückt würde. Für ihn sei die beste Meditation, mit seinem alten Fischkutter hinaus aufs Meer zu fahren, die frische Luft zu atmen und die Wellen zu spüren. Übrigens hätten sie das schon länger nicht mehr gemacht, fiel ihm ein. Das sollten sie ganz dringend ins Auge fassen, sobald sie wieder Zeit habe.

Isabelle fand, dass das prinzipiell eine gute Idee war. Früher hatte er sie häufig auf seinen Kutter eingeladen, mit Picknickkorb und einer Flasche Rosé. Damals hatte sie seine Art des *l'art de vivre* bewundert. Diese Kunst des entspannten Lebens war ihm in der letzten Zeit irgendwie abhandengekommen. Immerhin erinnerte er sich noch daran.

44

G leich nach ihrer Ankunft sagte die Mutter Oberin, dass ihr die Klosterzelle der verstorbenen Schwester Albertine zur Verfügung stehe. Jasmin habe den Raum sauber gemacht und frisches Bettzeug bereitgelegt.

Isabelle fragte, ob es mit den Regeln des Klosters vereinbar sei, für die Zeit ihres Aufenthaltes die Tracht einer Nonne zu tragen. Hortensia antwortete, dass sie nicht wisse, ob das mit den Regeln des Ordens vereinbar sei, aber sie habe bereits ein Habit in den Schrank ihrer Zelle hängen lassen. Mit der weißen Haube einer Novizin. Das gehe in Ordnung, denn eine Novizin bereite sich ja erst darauf vor, eine Nonne zu werden, und habe noch kein Gelübde abgelegt. In Isabelles speziellem Fall werde halt aus diesem frommen Wunsch nichts werden. Hortensia lächelte. Wobei man ja nie wissen könne.

Später stand Isabelle alleine in Albertines Klosterzelle. Es herrschte absolute Ruhe. Es war wahrhaft totenstill. Durch die dicken Mauern des Klosters drang kein Geräusch. Sie schnippte mit den Fingern, sozusagen zur Kontrolle und um auszuschließen, dass sie einen Hörsturz hatte. Nun war ja schon Fragolin ein ruhiger Ort mit wenig Fremdgeräuschen, aber im Vergleich zu diesem Kloster ging es dort zu wie in Paris auf den Champs-Élysées.

Isabelle entnahm ihrer Reisetasche ihre Pistole und sah sie nachdenklich an. Sie hatte keine Ahnung, was sie im Kloster erwartete, aber die Vorstellung, dass sie ihre Dienstwaffe brauchen könnte, war nicht nur abwegig, sondern fast schon paranoid und gotteslästerlich. Sie wickelte die Pistole in ein Handtuch und legte sie zurück in die Tasche. Ihr Handy hatte kein Netz, also konnte sie es ausschalten und ebenfalls wegpacken. Außerdem gab es in der Zelle keine Steckdose für das Ladekabel. Sie öffnete den kleinen Schrank, um ihre Tasche zu verstauen. An der Innenseite der Tür war ein Spiegel angebracht. Die Frau, die ihr dort entgegenblickte, versetzte sie in Erstaunen. Natürlich, das war sie selbst – aber im Habit einer Nonne. Marguerite hatte ihr geholfen, es anzulegen. Isabelle fand sich so verändert, dass sie mit den Augen zwinkern musste, um bestätigt zu finden, dass es sich wirklich um keine andere Person handelte. Dabei war ihr Gesicht völlig unverändert, denn auch sonst war sie im Alltag fast ungeschminkt. Ausschlaggebend war wohl die Haube, die dem Brauch des Ordens folgend so angelegt war, dass kein Haar hervorschaute.

Isabelle blickte an sich hinunter. Ihre Tunika wurde von einem Gürtel zusammengehalten, der laut Jasmin *Zingulum* genannt wurde. An den Füßen trug sie offene Ledersandalen. Im Spiegel schenkte sie sich ein Lächeln. Sie hatte es so gewollt – und jetzt musste sie in die Kapelle zum gemeinsamen Gebet.

Später half sie Marguerite in der Küche, indem sie Gemüse fürs Abendessen klein schnippelte. Danach ging sie mit Adèle im Kreuzgang spazieren. Die Nonne zeigte ihr die Grabplatte der Superiorin Laetitia, die nach dem Genuss des klösterlichen Kräuterlikörs unter Krämpfen gestorben war. Die Urne mit Albertines Asche stand vorübergehend in einer Nische, mit frischen Blumen davor. Später zündete Isabelle im Refektorium die Kerzen an. Jasmin begleitete sie zur verborgenen Pforte, die den Nonnen als geheimer Durchschlupf ins Freie diente. Diesmal war sie verriegelt. Von innen steckte der Schlüssel. Gut so.

Schließlich begab sich Isabelle alleine auf Entdeckungsreise durchs menschenleere Kloster. Ein wenig unheimlich war das schon. Das Licht war oft schummrig, die Türen quietschten in den Scharnieren, und trotz ihrer Sandalen hallten ihre Schritte wider. In dieser Kulisse, dachte sie, könnte man gut einen mittelalterlichen Gruselfilm drehen. Es war wirklich eine Tragödie, dass das weiträumig angelegte *Monastère* nur noch im Kernbereich von einer Handvoll Nonnen bewohnt wurde. Es waren gerade noch vier an der Zahl. Sie konnte den Vorschlag des *Abbé* Gaylord Gawain verstehen, die verbliebenen Schwestern in ein Nonnenkloster in Aquitanien zu integrieren. In den Mauern hier mussten sie sich ja vorkommen wie lebendig begraben. Umgekehrt würden die Mönche des *Abbé* dem *Monastère* neues Leben einhauchen. Das müsste auch der Familie Falcon-Fontallier gefallen und wäre sicher im Sinne ihrer Stiftung. Andererseits fand sie es ehrenwert, dass man die Entscheidung den Nonnen überließ. Wenn die *bonnes sœurs* in dem ihnen vertrauten *Monastère* bleiben wollten, dann war das ihr freier und vielleicht auch Gottes Wille, den es zu respektieren galt.

Nach einigen Irrwegen gelangte sie in den großen Kapitelsaal mit dem hohen Rippengewölbe und den vier mächtigen Säulen in der Mitte. In der ihr bereits bekannten Nische entdeckte sie die regungslose Gestalt der Mutter Oberin. Hortensia saß zusammengesunken auf der gemauerten Rundbank. Isabelle war richtiggehend erleichtert, als sie von ihr angesprochen wurde. Also lebte sie noch.

»Komm, setze dich zu mir«, sagte sie.

Isabelle folgte ihrem Wunsch. Dass Hortensia sie gerade geduzt hatte, führte sie auf ihr Ordenshabit zurück. In den Augen der Superiorin war sie keine Kommissarin mehr, sondern eine Nonne. Wenigstens im Augenblick.

»Nun, wie gefällt es dir bei uns?«, fragte Hortensia.

Isabelle überlegte. »Es ist eine spirituelle Erfahrung, die ich so nicht erwartet hätte.«

»Spirituell? Ich verstehe darunter die geistige Hinwendung zu Jesus Christus.«

»Ich meinte eher eine Spiritualität, die sich aus der Entschleunigung im Kloster ergibt und aus der Loslösung von allem Materiellen. Die Welt da draußen erscheint mir plötzlich unendlich weit weg. Dabei bin ich erst wenige Stunden hier.«

»Der Effekt wird sich mit fortschreitender Zeit verstärken«, sagte Hortensia voraus. »Ob die Vergeistigung schließlich zu Gott führt, bleibt hingegen ungewiss.«

»Die Einsamkeit macht Ihnen nichts aus?«, fragte Isabelle.

Hortensia ließ sich mit der Antwort Zeit.

»Welche Einsamkeit meinst du? Die Einsamkeit, bedingt durch die abgelegene Lage des *Monastère?* Diese Vereinsamung ist ein Segen. Oder meinst du die Einsamkeit im Kloster selbst?« Sie seufzte. »Da hast du recht, meine Liebe, diese Einsamkeit schlägt aufs Gemüt. Albertine hatte ein fröhliches Wesen. Ich vermisse ihr Lachen. Aber es ist Gottes Wille, dass wir standhaft bleiben. Es ist wie eine Prüfung. Im Glauben an Jesus Christus kann auch der einsamste Mensch nicht einsam sein.«

»Ich habe mit Sébastien und André Falcon-Fontallier gesprochen«, sagte Isabelle. »Sie haben ein Kloster in Aquitanien erwähnt, wohin Sie umsiedeln könnten.«

»Ich weiß, und im Gegenzug würden hier Mönche einziehen. Meine liebe Isabelle, das geht natürlich nicht. Unser Kloster heißt nun mal *Monastère des bonnes sœurs.* Die guten Schwestern, das sind wir. Mönche haben hier nichts verloren.«

Isabelle wunderte sich ein wenig über ihre Entschiedenheit. Aber zweifellos hatte Hortensia recht. Jedenfalls brauchte das Kloster einen neuen Namen.

»Übrigens waren die beiden gestern hier«, fuhr Hortensia fort. »Sie wollten mir persönlich und im Namen der Stiftung ihr tief empfundenes Beileid aussprechen. Der Tod unserer Mitschwester Albertine hat sie zutiefst erschüttert. Bei der Gelegenheit haben sie mir erneut versichert, dass wir *in aeternum*, also auf ewig in diesem Kloster bleiben könnten.« Sie rang sich ein gequältes Lächeln ab. »Halt solange noch eine von uns am Leben ist.«

»Gibt es denn keine Möglichkeit, für den Orden neue Schwestern zu finden?«

»Das ist schwierig, meine Liebe. Ich wüsste nicht, wie. Ich verstehe nichts mehr von der Welt da draußen. Über Albertines Schwester Denise hat als Letzte Jasmin zu uns gefunden. Und was dich betrifft …«

»Ich werde nicht bleiben, das wissen Sie.«

Hortensia schüttelte den Kopf. »Das meinte ich nicht. Du könntest mal mit Denise sprechen.«

»Albertines Schwester ist sehr krank.«

»Stimmt. Sie wird uns keine Novizinnen mehr vermitteln können. Gott stehe ihr bei.« Hortensia sah starr vor sich hin. Dann hatte sie einen Einfall. »Vielleicht kennst du vom Schicksal geschlagene Frauen, die wie einst Albertine bei uns Zuflucht finden wollen?«

»Leider nein, jedenfalls nicht kurzfristig. Was ist mit der Stiftung Falcon-Fontallier? Könnte nicht Sébastien tätig werden?«

»Wir haben darüber gesprochen. Aber Sébastien hat auch keine Idee. Man kann ja keine Stellenanzeige in die Zeitung setzen: Nonnen gesucht!«

Isabelle musste schmunzeln. Die Mutter Oberin hatte trotz allem Humor.

»Jetzt schauen wir zunächst, dass es den verbliebenen Schwestern im Kloster gut geht«, erwiderte Isabelle. »Deshalb bin ich ja hier.«

»Du suchst nach Albertines Mörder? Aber da suchst du am falschen Ort.«

»Das ist mir klar. Ich weiß auch nicht, wonach ich suche und warum gerade hier.«

»Was ist mit Laetitia? Du glaubst wirklich, dass auch die ehrwürdige Superiorin keines natürlichen Todes gestorben ist?«

»Sagen wir so: Ich halte es für möglich. Und ich will ausschließen, dass es zu weiteren Vorkommnissen kommt.«

»Isabelle, Isabelle. Dein Beruf hat dich zu einem misstrauischen Menschen gemacht. Du glaubst an das Böse.«

»Ich *glaube* nicht an das Böse, ich *weiß*, dass es existiert.«

45

Die erste Nacht im Kloster würde Isabelle nie vergessen. Nicht weil so viel passierte, sondern genau aus dem gegenteiligen Grund. Zunächst hatte um achtzehn Uhr die Glocke zum Angelus-Gebet geläutet. Eine halbe Stunde später das gemeinsame Abendessen im Refektorium. Im Anschluss das Abendlob aus dem Stundenbuch.

»Nous disons merci pour tout ce que nous a été donné ce jour-là ou ce que nous avons bien fait ...«

Isabelle sprach leise mit. »Wir sagen Dank für alles, was uns an diesem Tag zuteilwurde oder was wir recht vollbracht haben ...«

Nach diesem Komplet zogen sich die Nonnen in ihre Zellen zurück. Und dann kam – nichts.

Zu einer Zeit, da normalerweise oft die schönsten Stunden des Tages anbrachen, lag Isabelle hellwach auf ihrem Bett und wusste nicht, was sie tun sollte. Sie hatte niemanden, mit dem sie sich unterhalten konnte. Ihr Handy hatte kein Netz. Zum Lesen hatte sie nichts dabei. Und einen Fernseher gab es natürlich auch nicht. Allein der Gedanke daran kam wahrscheinlich schon einer Sünde gleich. Eine Flasche Wein könnte helfen. Aber das war ein frommer Wunsch. Oder auch nicht so fromm. Sie hatte vergessen, nach Messwein zu fragen. Alternativ gäbe es ja den selbst gemachten Kräuterlikör. Doch in Albertines aufgeräumter Zelle gab es natürlich keinen. Außerdem war die ehrwürdige Superiorin Laetitia nach diesem Getränk unter Krämpfen verstorben. Was aber mit großer Wahrscheinlichkeit auf einen wenig bekömmlichen »Zusatzstoff« zurückzuführen war. Dummerweise tat das Herumliegen ihrem Bein nicht gut. Sie erhob sich und nahm eine von Léos Tabletten. Immerhin stand eine Karaffe mit Wasser bereit. In ihr schwamm eine tote Mücke, die sie herausfischte. Das kleine Fenster in der Zelle war so weit oben, dass man sich auf einen Stuhl stellen musste, um hinauszusehen. Was sich nicht lohnte, denn der Blick reichte nur wenige Meter weit bis zu einer hohen Mauer.

Isabelle schlich sich barfuß aus ihrer Zelle und geisterte eine Weile durchs Kloster. Langsam fand sie sich zurecht. Sie überzeugte sich davon, dass die verborgene Pforte abgesperrt war. Das schwere Eichentor am Haupteingang war ohnehin verrammelt wie bei einer Burg, mit einem großen Querbalken und gleich mehreren Schlössern.

Irgendwann war sie wieder in ihrer Klosterzelle. Immer noch viel zu früh. In Fragolin spielten sie vor dem Rathaus wahrscheinlich gerade Boule. Clodine würde langsam ihre Verkaufsständer zurück in den Laden räumen. Vor dem *Café des Arts* war kein Tisch frei. Und in Jacques' Bistro fehlte im Service der Aushilfskellner Lucas. Der saß vermutlich auch in einer Zelle, allerdings mit Gitterstäben davor. Im Vergleich war ihre direkt komfortabel. Was wohl die anderen Nonnen gerade machten? Konnte es sein, dass sie schon schliefen?

Ihr Blick fiel auf den einzigen Lesestoff in ihrem Raum. Auf einem Brett unter dem großen Kreuz lag eine Bibel. Isabelle zündete eine Kerze an und setzte sich mit dem Buch der Bücher an ihren kleinen Tisch. Wann hatte sie das letzte Mal in der Bibel gelesen? Vermutlich in der Schule im Religionsunterricht. Als erwachsene Frau war sie dann aus der Kirche ausgetreten. Wo sollte sie anfangen? Altes Testament oder Neues Testament? Mit dem 1. Buch Mose? Am Anfang schuf

Gott Himmel und Erde ... Oder besser gleich mit Kain und Abel? Da ging es wenigstens um Mord und Totschlag. Sozusagen der erste überlieferte Kriminalfall der Menschheit. Isabelle dachte über das Motiv nach. Bruderhass aus Eifersucht? Vermutlich fand man in der Bibel alle denkbaren Beweggründe für eine Bluttat. Und es war davon auszugehen, dass sich irgendwo auch das Motiv für den Mord an einer Nonne fand. Dennoch würde ihr das Lesen in der Bibel nicht wirklich auf die Sprünge helfen. Was natürlich der falsche Ansatz war. Die Heilige Schrift war nicht dazu da, ihr bei der Arbeit zu helfen. Isabelle lagerte ihr Bein hoch, schlug irgendeine Seite auf – und begann zu lesen.

Am nächsten Morgen wusste sie nicht, wann sie ins Bett gegangen und eingeschlafen war. Die Kerze jedenfalls hatte sie zuvor ausgeblasen. Geweckt wurde sie um sechs Uhr durch eine Kirchenglocke. Sie lud zum Angelus-Gebet, so viel hatte sie schon gelernt. Es folgte in der Kapelle das Morgenlob. Und um sieben Uhr traf man sich nach den Laudes zum Frühstück im Refektorium. Im Unterschied zu gestern Abend war Isabelle jetzt hundemüde. Dennoch hatte sie den festen Willen, am vorgeschriebenen Tagesablauf im Kloster teilzunehmen. Sie massierte kurz ihr Bein, dann stand sie auf.

Stunden später ließ sich Isabelle gerade von Adèle den Kräutergarten erläutern, den Albertine angelegt und gepflegt hatte, als Jasmin zu ihnen kam. Sie fragte, ob sie Schwester Marguerite gesehen hätten. Sie suche schon eine Weile nach ihr. Hortensia fange an, sich Sorgen zu machen. Isabelle und Adèle beteiligten sich an der Suche. Sie kamen an der Pforte vorbei, die nach außen führte. Der Schlüssel steckte zwar noch immer, aber sie war nicht mehr verriegelt. Isabelle sah Adèle fragend an. Die

Schwester nahm ihre Nickelbrille ab und rieb sich die Augen. Dann führte sie zwei Finger an den Mund und tat so, als ob sie eine Zigarette rauchen würde.

Isabelle verstand sofort. Offensichtlich schlich sich Marguerite gelegentlich hinaus, um einem Laster zu frönen. Im Kloster wäre sie über kurz oder lang von der Mutter Oberin erwischt worden.

Isabelle sagte, dass sie sich draußen mal umsehe, und schlüpfte durch die Pforte ins Freie. Nach einigen Schritten traf sie auf Jérôme. Der Hausmeister war damit beschäftigt, ein Regenrohr zu reparieren. Er sah sie mit gerunzelter Stirn an. Offensichtlich dachte er darüber nach, ob es im Kloster eine neue Nonne gab, von der er nichts wusste.

Isabelle fragte ihn, ob er Schwester Marguerite gesehen habe. Jérôme nickte. Sie sei vor einiger Zeit bei ihm vorbeigekommen und habe ihm eine Zigarette angeboten. Er deutete zum Waldrand. Dann sei sie über die Wiese da hinübergelaufen. Seitdem habe er sie nicht mehr gesehen.

Isabelle zögerte. Ihr gingen verschiedene Szenarien durch den Kopf. Die meisten waren ganz harmlos, aber nicht alle. Sie sollte zurück ins Kloster gehen und ihre Pistole holen. Aber damit verlor sie Zeit. Womöglich würde sie das später bereuen. Also entschloss sie sich, Marguerite zum Wald zu folgen. Dabei rief sie mehrfach laut ihren Namen. Keine Reaktion. Sie drehte sich um und sah, wie Jérôme eine Leiter an die defekte Regenrinne lehnte. Von ihrer Suchaktion nahm er keine Notiz. Er war wirklich ein seltsamer Vogel.

»Marguerite, *où es-tu?* Wo bist du?«

Am Waldrand blieb sie einen Moment stehen und sah sich um. Auf dem Boden entdeckte sie eine Schachtel Zigaretten. Isabelle bückte sich und hob sie auf. Sie war halb voll. Das war nicht gut, gar nicht gut.

Isabelle fand einen Pfad, der sich durch die Bäume schlängel-
te. Sie schob einen Zweig zur Seite und folgte ihm.

»Marguerite, *où es-tu?*«

Plötzlich splitterte direkt neben ihrem Kopf Holz. Ein kurzer
Blick auf den Baumstamm genügte. Jemand hatte gerade auf
sie geschossen. Unwillkürlich dachte sie an den Jäger Bruno.
Aber der hatte auf seinem Jagdgewehr keinen Schalldämpfer.
Isabelle duckte sich und rannte gebückt in die entgegenge-
setzte Richtung. Sie blieb mit der Kutte in einem Busch hängen und stürzte. Zu allem Überfluss begann genau jetzt ihr
Bein heftig zu pochen. Beim Aufstehen sackte es weg. Was
womöglich ihr Leben rettete, denn wieder splitterte Holz.
Aus welcher Richtung der Schuss kam, konnte sie nur vermuten. Verdammter Mist. Keine Pistole, dazu die bei der Flucht
hinderliche Kutte einer Nonne, ein schlappes Bein – und ein
Unbekannter, der mit Schalldämpfer auf sie schoss und sie
nur äußerst knapp verfehlte. Deckung hatte er hinter den vielen Bäumen genug. Sie nahm die Haube ab und begann über
den Waldboden zu robben. Wieder verfing sie sich mit der
Kutte. *Merde, merde* … Für einen Moment blieb sie regungs-
los liegen und lauschte. Kein Geräusch war zu hören, nur das
ferne Krächzen eines Vogels. Es half nichts, sie musste sich
einen Überblick verschaffen. Planlos über den Boden zu krie-
chen machte keinen Sinn. Isabelle klammerte sich an einen
Ast und richtete sich allmählich auf. Ihr Bein versagte völlig.
Ohne den stützenden Baum wäre sie gleich wieder umgefal-
len. Es war niemand zu sehen. Oder doch? Nein, sie hatte sich
getäuscht.

Plötzlich spürte sie im Nacken ein Kribbeln. Sie kannte das
Gefühl, es verhieß nichts Gutes. In ihrer aktiven Zeit hatte sie
einen siebten Sinn für Bedrohungen entwickelt. Langsam
drehte sie sich um. Wenige Meter vor ihr stand ein Mann. Sein

Gewehr war direkt auf ihren Kopf gerichtet. Die Waffe hatte einen relativ kurzen Lauf, mit Schalldämpfer und einem Laserzielvisier. Sie kannte das Modell. Es war ganz sicher nicht für die Jagd bestimmt, jedenfalls nicht für die Jagd auf Tiere. Bei dem Mann, der sie starr fixierte, handelte es sich nicht um Bruno, so viel stand fest. Sie hatte ihn noch nie gesehen.

Ihr ging durch den Kopf, dass sie keine Gelegenheit mehr bekommen würde, seine Identität festzustellen. Sie hatte viele Jahre im aktiven Terroreinsatz hinter sich. Sie wusste, wenn jemand keine Chance mehr hatte – in diesem Fall war sie es selbst.

»Es ist Zeit, Abschied zu nehmen«, flüsterte der Mann.

»Warum?«

Sie hatte nicht wirklich mit einer Antwort gerechnet. Da sie dem Idioten nicht zusehen wollte, wie er den Abzug betätigte, schloss sie die Augen. Und sie verabschiedete sich von Jacqueline, von Apollinaire, von Rouven, von Clodine und Thierry. Vom Arzt Léo Lambart, der sie weder am Rücken operieren noch danach mit ihr tanzen würde. Sie sagte Fragolin und der wunderschönen Provence *adieu*. Von Mutter Hortensia verabschiedete sie sich und von den anderen Nonnen. Und nicht zuletzt schickte sie einen letzten Gruß an Maurice Balancourt, der seine besten Leute auf diesen Dreckskerl ansetzen und ihn ganz sicher zur Strecke bringen würde. Das war kein wirklicher Trost, aber irgendwie doch.

46

Der Schuss war ohrenbetäubend laut. Die Kugel aus einem Gewehrlauf flog schneller als der Schall. Wie konnte es sein, dass sie ihn hörte? Wäre sie tot, war das schlecht möglich. Und was war mit dem Schalldämpfer?

Isabelle öffnete die Augen. Der Angreifer lag vor ihr am Boden – mit zerfetztem Kopf und in einer Blutlache, die rasch größer wurde. Sie fuhr sich durchs Gesicht. Sie hatte einige Spritzer abbekommen. Von rechts kam aus dem Wald ein Mann auf sie zu, den sie nach wenigen Sekunden erkannte. Bruno hielt sein Gewehr immer noch im Anschlag und zielte unablässig auf den am Boden liegenden Mann. Erst als er sah, dass von ihm definitiv keine Gefahr mehr ausging, sicherte er seine Waffe und hängte sie sich über die Schulter.

»*Ça va bien?*«, fragte er mit kratziger Stimme und ohne sie dabei anzusehen.

Sie bestätigte, dass es ihr gut ging. Und sie dankte ihm dafür, dass er ihr gerade das Leben gerettet hatte.

»*De rien*, gern geschehen«, murmelte er.

Angesichts der Tragweite seines Eingreifens war diese Alltagsfloskel etwas speziell.

Bruno begutachtete den zerschossenen Schädel. Er habe schweres Kaliber für die Saujagd geladen, erklärte er. Es klang ganz so, als wollte er sich beim Toten für die vernichtende Wirkung seines Schusses entschuldigen.

»Hast wenigstens nicht leiden müssen, du blöder Wichser«, stellte er fest. Dann wandte er sich vom Leichnam ab, richtete seinen Blick erstmals auf Isabelle und kniff die Augen zusammen. »Ich kenn Sie doch. Sind Sie nicht die durchgeknallte Sonderbeauftragte des Ordens?«

Isabelle fiel ihre letzte Begegnung ein. Er hatte sie sicherlich nicht in bester Erinnerung.

»Tut mir leid«, antwortete sie ausweichend.

Es war schon eine Ironie des Schicksals, dass sie ausgerechnet ihm ihr Leben verdankte. Einem wortkargen, ungewaschenen Eigenbrötler, der bei den Nonnen schon deshalb unbeliebt war, weil er mit seinem Jagdeifer den himmlischen Frieden störte.

»Ein drittes Mal hätte der Typ nicht vorbeigeschossen«, konstatierte Bruno. »Nicht aus dieser kurzen Entfernung.«

»Wohl kaum«, pflichtete sie ihm bei. »Ich hatte schon mit dem Leben abgeschlossen«, gab sie ehrlich zu.

Er grinste schief. »Kann nicht schaden, wenn einem der Arsch mal auf Grundeis geht.«

Sie verzieh ihm diesen Spruch. Im Moment würde sie ihm fast alles nachsehen.

»Kennen Sie den Mann?«, fragte sie.

»Noch nie gesehen. Schleicht in meinem Wald herum und murkst Nonnen ab. *C'est fou!*«

Isabelle brauchte eine Weile, bis sie schaltete. Nonnen? Hatte er gerade im Plural gesprochen? Ihr fiel Marguerite ein. Sie hatte das Kloster verlassen, um die Schwester zu suchen. Gefunden hatte sie nur eine halb volle Zigarettenschachtel.

»Ist Ihnen die Ordensschwester Marguerite begegnet?«, fragte sie.

Bruno räusperte sich und spuckte auf den Boden. »Könnte man so sagen«, antwortete er. »Ob sie allerdings Marguerite heißt, weiß ich nicht.«

Man musste ihm alles einzeln aus der Nase ziehen. Immerhin sprach er in vollständigen Sätzen.

»Haben Sie eine Ahnung, wo sie jetzt sein könnte?«

»*Bien sûr*, das weiß ich sogar ganz genau.« Er zog eine Grimasse. »Aber für Sie ist das nichts. Wir sollten die Polizei rufen.« Er deutete auf den Leichnam vor ihren Füßen. »Schon wegen diesem Heini hier. Sie müssen zu Protokoll geben, dass ich ihn erschießen musste. Sonst wären jetzt *Sie* tot. Das war sozusagen Notwehr.«

»Haben Sie ein *portable* dabei und eine Netzverbindung?«

Er holte sein Handy aus der Jagdweste und schaute aufs Display. »Das Netz könnte besser sein, aber es sollte funktionieren.«

»Kann ich es haben? Ich möchte den Sous-Brigadier Apollinaire Eustache von der *Police nationale* anrufen. Sie sind ihm bereits begegnet, er hat Ihnen Ihren Jagdausweis zurückgebracht. Der Sous-Brigadier ist ein fähiger Mann, er wird alles Weitere in die Wege leiten. Seine Nummer hab ich im Kopf.«

Wortlos überreichte er ihr sein Handy.

Apollinaire war gleich dran. Sie erklärte ihm in wenigen Sätzen, was gerade passiert war. Dann bat sie ihn, mit der Meldung an die Zentrale in Toulon noch einige Minuten zu warten. Sie müsse vorher noch was überprüfen. Dazu sei es nötig, ihre Identität offenzulegen. Sie habe keinen Ausweis dabei, deshalb müsse er Bruno aufklären.

Bruno nahm seine Baseballkappe ab und kratzte sich am Kopf. Man konnte ihm die Verwirrung ansehen.

Isabelle schaltete den Lautsprecher ein und hielt ihm das Handy entgegen.

»Hier spricht Sous-Brigadier Apollinaire Jacobert Eustache von der *Police nationale* in Fragolin«, brüllte ihr Assistent. »Können Sie mich verstehen?«

»*Oui, oui, fort et clair*, laut und deutlich«, bestätigte Bruno verschüchtert.

»Die Madame, der Sie mit Ihrem entschlossenen Einsatz soeben das Leben gerettet haben, ist meine Chefin. Sie arbeitet undercover, und so können Sie nicht wissen, dass es sich um die mit besonderen Vollmachten ausgestattete Kommissarin Isabelle Bonnet handelt. Sie haben Ihren Anweisungen unbedingt Folge zu leisten.«

»Danke, Apollinaire, das reicht«, unterbrach sie ihn. »Sie können schon mal losfahren. Ich rufe gleich wieder an. Capitaine Richeloin können Sie später vom Auto aus kontaktieren.«

»Sehr wohl, Madame le Commissaire. Brauchen wir schwere Waffen und Schutzwesten?«

»Nein, jetzt nicht mehr. Außerdem habe ich Bruno an meiner Seite, der gibt einen guten Leibwächter ab.«

Über Brunos verknittertes Gesicht huschte der Anflug eines Lächelns. Das Kompliment hatte ihm sichtlich geschmeichelt. Isabelle sah ihn auffordernd an. »So, jetzt zeigen Sie mir bitte, wo wir Marguerite finden.«

Noch immer hielt sie sich mit einer Hand am Baum fest. Vorsichtig testete sie ihr linkes Bein. Wenn sie langsam einen Schritt vor den anderen setzte, ging es.

»Sind Sie doch verletzt?«, fragte Bruno. Dabei sah er sie besorgt an. Eine menschliche Regung, die sie von ihm nie und nimmer erwartet hätte. Der Waldschrat wurde ihr immer sympathischer.

»Nicht wirklich. Ein altes Kriegsleiden«, scherzte sie.

Bruno fand einen abgebrochenen Ast, der sich als Stock eignete.

Sie humpelte hinter ihm her. Es war nicht weit.

Zwischen zwei Bäumen steckte ein Spaten in der Erde. Beim Näherkommen erkannte sie eine halb ausgehobene Grube. Und dahinter …

»*Et voilà*«, sagte Bruno mit einer ausladenden Handbewegung, ganz so, als ob er gerade etwas besonders Schönes präsentieren würde. Das Gegenteil war der Fall.

Marguerites Leiche war in eine durchsichtige Plastikfolie gewickelt und mit einem Paketband fest verschnürt. Isabelle konnte ihr Gesicht erkennen und sie eindeutig identifizieren.

»Der Typ wollte sie hier verscharren«, sagte Bruno. »Ich bin zufällig vorbeigekommen. Er hat mich nicht bemerkt. Dann hat er Ihre Rufe gehört. ›Marguerite, *où es-tu?*‹ Er hat seine Arbeit abgebrochen, sein Gewehr genommen und sich an Sie herangepirscht. Ich habe erst geschaut, ob die Nonne in der Folie noch lebt. Na ja, das hätte ich mir sparen können. Dann bin ich ihm hinterher. Den Rest der Geschichte kennen Sie.«

»Kann ich bitte noch mal Ihr *portable* haben?«

Sie erreichte Apollinaire im Auto. Im Hintergrund hörte sie die Sirene laufen. Die könne er ausschalten, sagte sie. Es sei alles vorbei, es gebe keinen Grund zur Eile. Dann berichtete sie vom Fund der Leiche Marguerites. Er solle umgehend in Toulon anrufen und direkt mit Richeloin sprechen. Der könne alles mobilisieren, was er für nötig halte. Am wichtigsten sei die Spurensicherung, aber das verstehe sich von selbst. Sie werde im Kloster auf Apollinaire und die Kollegen warten und sie dann zum Tatort führen. Im Grunde seien es ja zwei Tatorte. Im zweiten Fall sei der Täter das Opfer. Dessen Identität festzustellen habe erste Priorität. Richeloin solle versuchen, die Presse rauszuhalten. So, das sei es für den Augenblick. Alles Weitere später. Jetzt müsse sie zurück ins Kloster und die schlimme Nachricht überbringen.

Isabelle überlegte, was sie in der Zwischenzeit mit Bruno anstellen sollte. Am besten kam er mit. Im klösterlichen Vorhof stand eine Bank, dort war er sicher aufgehoben. Weder würde er sich still und heimlich davonmachen, noch könnten ihn die Kollegen von der *Police nationale* in die Mangel nehmen. Sie wollte ihn nicht alleine seinem Schicksal überlassen. Sie würde dafür sorgen, dass er keine Schwierigkeiten bekam. Das war sie ihm schuldig.

47

In den nächsten Stunden fand Isabelle keine ruhige Minute. Am liebsten hätte sie sich in Albertines Klosterzelle verkrochen und eine Weile still aufs Bett gelegt. Stattdessen tauschte sie nur schnell die zerrissene Kutte gegen ihre zivile Kleidung und wusch sich das Gesicht und die Hände. Von Hortensia erhielt sie einen Gehstock, mit dem sie unablässig zwischen den »Schauplätzen« und den handelnden Personen hin und her humpelte. Die Mutter Oberin und die beiden Nonnen Adèle und Jasmin hatten sich nach Erhalt der Schreckensnachricht in die Kapelle zurückgezogen, um zu beten. Jérôme läutete unablässig die Kirchenglocke und hörte damit erst auf, als Apollinaire behauptete, das fortwährende Getöse störe die polizeiliche Ermittlungsarbeit. Tatsächlich ging die »Totenglocke« gehörig auf die Nerven.

Auf dem Platz vor dem Kloster hatten Richeloins Männer ein provisorisches Zelt aufgebaut, das als Hauptquartier fungierte. Im Wald waren die Areale um die beiden Leichen großräumig mit Bändern abgesperrt, überflüssigerweise, denn hier kam sowieso kein Unbeteiligter vorbei. Die Forensiker der Spurensicherung hatten ihre weißen Schutzanzüge an und gingen ihrer Arbeit nach.

Bruno machte seine Aussage. Isabelle war dabei und passte auf, dass sich kein Fehler einschlich. Der aufnehmende Beamte, offenbar stammte er aus dem Norden, musste häufig nachfragen, weil er Brunos provenzalisches Nuscheln nicht verstand. Es dauerte, bis das Protokoll fertig war. Die Fakten waren korrekt wiedergegeben, darauf kam es an. Brunos Gewehr wurde als Beweismittel vorübergehend beschlagnahmt, was er unter Protest hinnahm. Dann durfte er gehen. Isabelle gab ihm zum Abschied erst die Hand, dann ließ sie sich zu einer Umarmung hinreißen. Es kostete sie nicht mal eine Überwindung, obwohl Bruno roch, als ob er in einem Schweinestall leben würde.

Die Waffe des Täters war ein Spezialmodell fürs Militär. Das hatte Isabelle schon auf den ersten Blick festgestellt – auf den ersten Blick, der fast ihr letzter geworden wäre. Fragte sich nur, wie eine solche Waffe in den Besitz des Schützen gelangen konnte?

Der Mann hatte keinen Ausweis dabei, und auch sonst gab es keinen Hinweis auf seine Identität. Aber er hatte einen Autoschlüssel einstecken. Beamte waren bereits ausgeschwärmt, um das Fahrzeug zu finden. Seine Fingerabdrücke ließ Apollinaire gerade durch den Polizeicomputer laufen. Es war also nur eine Frage der Zeit. Das Gesicht des Täters konnte bei der Identifizierung nicht weiterhelfen – schlicht deshalb, weil von seinem Kopf nicht viel übrig war.

Mit Richeloin führte sie ein kurzes Vieraugengespräch. Ihr Hinken erklärte Isabelle damit, dass sie auf der Flucht mit dem Fuß umgeknickt sei. Nicht weiter schlimm. Der Capitaine schüttelte immer wieder fassungslos den Kopf. Angefangen habe alles ganz »harmlos« mit dem vermeintlichen Unfall einer Nonne in den Gärten von Rayol, sinnierte er. Jetzt gebe es eine weitere tote Nonne, eingewickelt in eine Plastikfolie. Ihrem mutmaßlichen Mörder habe ein Jäger den Kopf weggepustet. Und fast wäre mit Isabelle noch eine Kommissarin der *Police nationale* mit draufgegangen. So was nenne man eine Eskalationsspirale. Das sei wie bei der Olivenernte, erst schlage man nach einer lästigen Mücke, dann falle man von der Leiter und sei tot.

Isabelle fand den Vergleich idiotisch. Außerdem hätte Richeloin angesichts ihres möglichen Ablebens etwas mehr Empathie zeigen können. Aber wahrscheinlich war es besser so. Sie war ja selbst eine Freundin nüchterner Betrachtungsweisen.

Kaum war Richeloin aufgebrochen, um zurück nach Toulon zu fahren, tauchte vor dem Kloster ein Priester auf. Sie erkannte den Prior der *Chartreuse* bei Fragolin. Von ihm hatte sie den entscheidenden Hinweis auf das *Monastère des bonnes sœurs* bekommen. Er habe von dem schrecklichen Unglück gehört und sei hier, um den Nonnen Trost zu spenden, sagte der Prior. Das sei unter Ordensbrüdern und -schwestern so üblich. Die beiden Beamten, die das Tor zum Kloster bewachten, ließen ihn passieren.

Isabelle war es ein Rätsel, wie er so schnell von den Ereignissen erfahren hatte. Sie würde ihn später fragen.

Kurz darauf kam der nächste Besuch. Mit Sébastien gab sich der Stiftungssekretär persönlich die Ehre. Er wolle den Ordensschwestern im Namen der Familie Falcon-Fontallier seine tief empfundene Anteilnahme aussprechen. Auf ihre Frage erklärte er, über André Falcon-Fontallier von dieser Tragödie erfahren zu haben. Der wiederum sei von einem Journalisten angerufen worden.

Verdammt, dachte Isabelle, offenbar war es nicht gelungen, die Presse rauszuhalten. Unter den vielen Menschen vor dem Kloster befanden sich demnach nicht nur Polizisten. Egal, es war nicht mehr zu ändern. Für sie hatte das die Konsequenz, das *Monastère* vorläufig nicht mehr zu verlassen. Sie hatte keine Lust, einem Journalisten in die Arme zu laufen. Erst recht war sie nicht erpicht darauf, morgen ihr Bild in der Zeitung zu entdecken, vielleicht noch mit Nennung ihres Namens. Isabelle liebte es, in der Provence zu leben und zu arbeiten, und zwar nach ihren eigenen Regeln, und wenn es ging, unter Ausschluss der Öffentlichkeit.

Für die nächste Stunde amtierte Apollinaire als ihr verlängerter Arm. Er rannte raus und rein, überbrachte Nachrichten wie zum Beispiel, dass man das Auto des Täters gefunden habe, und gab Isabelles Anweisungen weiter. Richeloin hatte ihr ganz offiziell die Leitung übertragen. Isabelle musste zugeben, dass er ein guter Verlierer war. Auch sonst hatte er sich mit ihr längst arrangiert. Ähnlich wie Capitaine Briand von der Gendarmerie in Fragolin wusste er es zu schätzen, dass sie gerne im Hintergrund blieb. Sobald es Erfolge zu vermelden gab, tauchte sie regelmäßig ab und überließ ihnen die Ehre.

Isabelle traf im Refektorium Hortensia, Adèle, Jasmin und den Prior aus der *Chartreuse* bei Fragolin. Sie setzte sich dazu, und sie redeten eine Weile über die Geschehnisse. Hortensia machte einen verzweifelten Eindruck. Adèle putzte sich fortwährend die von Tränen verschmierte Brille. Jasmin füllte kleine Becher mit dem klostereigenen Kräuterlikör. Und der Prior, der so ganz anders war als der *Abbé* Gaylord Gawain aus Montpellier, sprach mit warmherziger Stimme Worte des Trostes. Von Isabelle erhofften sie sich Erklärungen, die sie nicht geben konnte. Warum gerade Marguerite? Warum zuvor Albertine? Weshalb sollte auch sie selbst umgebracht werden? Fragen über Fragen, auf die sie keine Antworten geben konnte. Was war das für ein Mann, der jetzt tot im Wald lag? Was könnte er für ein Motiv haben, wahllos Nonnen zu ermorden? Wahllos? Nun, das wohl weniger. Er hatte es auf die Ordensschwestern des *Monastère des bonnes sœurs* abgesehen, aus welch geistesgestörten Beweggründen auch immer. Lagen seine Mordmotive vielleicht doch in der Vergangenheit? Könnte sein. Oder auch nicht. Womöglich würde sie das nie in Erfahrung bringen. Der Täter war zu keiner Aussage mehr fähig.

Isabelle verabschiedete sich von den Nonnen und dem Prior. Sie suchte Apollinaire und bat ihn, den Polizeiwagen zu holen. Sie zeigte ihm die versteckte Pforte. Dort warte sie auf ihn. Die Kollegen vor Ort wussten, was sie zu tun hatten. Da konnte sie sich genauso gut heimfahren lassen. Ihren privaten Renault, mit dem sie gekommen war, würde sie vor dem Kloster stehen lassen. Den könnten sie in den nächsten Tagen immer noch holen.

Jetzt, da alles vorbei war, spürte sie plötzlich ihre Erschöpfung. Sie hatte das Gefühl, dass sie nicht mehr lange durchhalten würde. Sie wollte zurück nach Fragolin und dort erst unter die Dusche, dann auf ihrer Dachterrasse in den Liegestuhl im Schatten des Sonnenschirms. Einfach entspannen, ohne etwas zu denken, ohne sich auszumalen, dass der Tag auch ganz anders hätte enden können. Müde genug war sie, um das zu schaffen – und doch ahnte sie, dass das nicht klappen würde.

48

Seit Langem benötigte sie keine Schlaftabletten mehr, aber sie hatte noch welche. Und am nächsten Morgen war sie froh, dass sie eine genommen hatte. Oder waren es zwei gewesen? Noch etwas benebelt nahm sie eine kalte Dusche. Irgendwann setzte die Erinnerung ein, nicht langsam und in verträglichen Dosen, sondern mit brachialer Gewalt. Plötzlich war alles wieder da. Das Bild der in Plastikfolie gewickelten Marguerite. Ihr Mörder, der mit einer Spezialwaffe auf sie selbst angelegt hatte. Die Sekunden, in denen sie dachte, sie würde sterben. Schließlich Brunos rettender Schuss und der zerfetzte Schädel des Angreifers.

Sie suchte ihr Handy, das sie über Nacht auf stumm geschaltet hatte. Auf dem Display sah sie eine Vielzahl entgangener Anrufe. Außerdem einige Textnachrichten. Eine war von Rouven. Es war die einzige, die sie sofort las. Die anderen würden bis nach dem Frühstück warten müssen. Rouven ahnte nichts von den gestrigen Ereignissen, aber von seinem Freund Léo Lambart hatte er erfahren, dass sie dringend operiert werden müsse. So viel zum Thema ärztliche Schweigepflicht. Aber in diesem besonderen Fall ging das in Ordnung. Rouven drängte sie, mit dem Eingriff nicht lange zu warten. Er sei gerade in Basel, aber wenn sie seine Hilfe brauche, sage er alle Termine ab und könne in wenigen Stunden bei ihr sein.

Fast war Isabelle versucht, sein Angebot anzunehmen. Sie hatte das Gefühl, dass ihr seine Nähe guttun würde. Andererseits war sie es gewohnt, schwierige Situationen alleine zu meistern. Auch persönliche Krisen. Psychische und körperliche Probleme eingeschlossen. Diese erst recht.

In ihrer Antwort deutete sie ihm die gestrigen Ereignisse an. Besser so, als wenn er von dritter Seite oder aus der Zeitung davon erführe. Sie versprach, ihn im Laufe des Tages anzurufen. Aber mit ihr sei alles in Ordnung. Kein Grund zur Sorge.

Beim Verlassen ihrer Wohnung zögerte sie. Sollte sie den Stock zur Hilfe nehmen, den ihr Hortensia gegeben hatte? Das sah reichlich blöd aus und würde in Fragolin für Gesprächsstoff sorgen. Andererseits hatte der gestrige Tag bewiesen, dass auf ihr linkes Bein kein Verlass mehr war. Ein plötzlicher Sturz sah noch viel blöder aus und würde erst recht für Getuschel sorgen. Sie erinnerte sich an ihre gestrige Ausrede: Sie war umgeknickt und hatte sich den Knöchel verstaucht. So was konnte passieren. Auf dem alten Kopfsteinpflaster in den Gassen von Fragolin hatten manche schon gesunden Fußes ihre Schwierigkeiten. Also sollte sie nicht länger zögern. Außerdem hatte Hortensias antiker Stock einen hübschen silbernen Griff und die Patina langer Klosterjahre.

Kurz darauf saß sie im *Café des Arts,* um zu frühstücken. Das tat sie eher selten, aber heute hatte sie Lust darauf. Aus einem einfachen Grund: Fast hätte es dieses Frühstück nicht mehr gegeben! Mit einem Gläschen *Crémant* feierte sie ganz im Stillen und für sich allein. Der Ober hatte sie bei der Bestellung des Schaumweins fragend angesehen. Ob sie heute etwa Geburtstag habe? Sie hatte lächelnd verneint. Und doch hatte er recht. Tatsächlich war es eine Art zweiter Geburtstag. Wenn man das Unglück am Arc de Triomphe hinzuzählte, war es sogar schon ihr dritter. Isabelle dachte an die sprichwörtlich sieben Leben einer Katze – und sagte sich, dass sie es nicht darauf ankommen lassen sollte, ob sie auch so viele hatte. Vielleicht war ihr Kontingent mit dem gestrigen Tag erschöpft? Sie sollte in Zukunft besser auf sich aufpassen.

Eine halbe Stunde später kam sie ins Kommissariat. Apollinaire warf einen besorgten Blick auf ihren Stock, sagte aber nichts. Dafür war sie ihm dankbar. Das Märchen vom verstauchten Knöchel könnte sie ihm ohnehin nicht auftischen.

»*Quoi de neuf?*«, fragte sie. »Gibt's was Neues?«

Grinsend formte er mit dem Zeige- und Mittelfinger ein Victory-Zeichen. »Wir haben den Beweis«, sagte er. Und nach einer kurzen Pause: »Genau genommen haben wir mehrere Beweise und sachdienliche Angaben. Was ich sagen will, es passt alles zusammen, das Bild ist rund, der Fall gewissermaßen aufgeklärt.«

Isabelle spielte mit dem Gedanken, den Gehstock nach ihm zu werfen. Er würde es wohl nie lernen, unmittelbar auf den Punkt zu kommen.

Apollinaire rieb sich die Nase. »Wo soll ich anfangen?«

»Kann ich Ihnen auch nicht sagen.«

»Vielleicht mit dem Wichtigsten?«

»*Bonne idée,* großartiger Vorschlag.«

»Also, der Mann, der auf Sie geschossen hat, ist eindeutig der Mörder der Nonne Albertine. Die DNA unter ihren Fingernägeln stimmt mit seiner überein. Darüber hinaus hat er an den Unterarmen verkrustete Kratzspuren. *Quod erat demonstrandum.* Was zu beweisen war.«

Isabelle kannte seine Vorliebe für diese lateinische Phrase. Im aktuellen Fall war sie sogar zutreffend. Sie hatten also den Täter aus den Gärten von Rayol – nur schade, dass er tot war und nichts mehr über seine Motive sagen konnte.

»Es ist ebenso bewiesen«, fuhr Apollinaire fort, »dass der Mann auch die Nonne Marguerite umgebracht hat. Laut Forensik per Genickbruch, indem er ihren Kopf von hinten rabiat zur Seite gedreht hat. Ganz schön brutal.«

Brutal? Ja, das war es ganz sicher. Außerdem musste man wissen, wie es geht. Kampfsportler lernten so was.

Sie nickte. »Bleibt als kleiner Trost, dass es schnell ging. Marguerite dürfte nicht viel gelitten haben. Ganz im Unterschied zu Albertine, die nach ihrem Sturz noch gelebt hat.«

»Jedenfalls ist Yanis jetzt tot«, stellte Apollinaire fest. »Er kann keine unschuldigen Nonnen mehr umbringen.«

»Yanis?«

Er schlug sich an die Stirn. »Sehen Sie? Ich habe doch gleich gesagt, ich weiß nicht, wo ich anfangen soll. Jetzt hätte ich fast das Entscheidende vergessen. Der Killer heißt Yanis Canteloupe. Woher wir das wissen? Die Kollegen haben sein geparktes Auto gefunden, in einer nahe gelegenen Forststraße. Im Handschuhfach war seine Brieftasche. Und eine Pistole.«

»Welches Modell?«

»Ich hab's mir aufgeschrieben.« Apollinaire suchte auf seinem Schreibtisch nach einem Zettel. »Eine Glock 17.«

»Neun Millimeter Parabellum«, ergänzte Isabelle reflexartig. Die Pistole zählte zu den Standardwaffen der Spezialkräfte. Sie kannte sie gut. »Was weiß man von diesem Yanis Canteloupe?«

Er zuckte mit den Schultern. »Noch nichts. Scheint ein unbeschriebenes Blatt zu sein.«

»Glaube ich nicht. Versuchen Sie mehr über ihn herauszufinden.«

»Ich mach mich gleich dran.« Apollinaire entdeckte einen gelben Zettel, den er sich als Memo an den Monitor geklebt hatte. »Richeloin hat vorhin angerufen. Er möchte Sie sprechen.«

Isabelle war nicht überrascht. Der Capitaine aus Toulon hatte sich seit gestern Nachmittag nicht mehr gemeldet.

»Ich gratuliere Ihnen zum Erfolg«, begann Richeloin das Gespräch.

Isabelle konnte ihm nicht folgen. »Zu welchem Erfolg? Marguerite ist tot.«

»Aber ihr Mörder ist es auch. Der Spuk hat ein Ende. Das ist ein großer Erfolg. Ich habe für vierzehn Uhr eine Pressekonferenz angesetzt. Wollen Sie dabei sein?«

Das war eine rhetorische Frage. Er wusste, dass sie ihm die Bühne überlassen würde. Wie immer.

»Nein, Sie machen das ganz sicher hervorragend alleine«, antwortete sie. »Wenn möglich halten Sie meinen Namen raus. Da wäre ich Ihnen dankbar.«

»Das wird schwierig, aber ich werde es versuchen.«

Das wiederum war Heuchelei. Denn natürlich würde er ihren Namen mit Freuden unerwähnt lassen und den Ermittlungserfolg für sich alleine reklamieren. Es sei ihm vergönnt.

»Lassen Sie mich noch sagen«, fuhr er fort, »wie froh ich bin, dass Ihnen nichts passiert ist.«

Na bitte, also doch so was wie Anteilnahme. Fragte sich nur, ob diese ehrlich war.

»Vielen Dank.« Sie lachte. »Auch ich bin froh.«

»Kann ich mir denken. Wir können also den Fall als abgeschlossen betrachten.«

»Finden Sie? Interessiert es Sie gar nicht, warum dieser Yanis Canteloupe die beiden Nonnen umgebracht hat?«

»Wollen Sie meine ehrliche Antwort? Nein, das interessiert mich einen feuchten Kehricht. Die Motive eines Verrückten kann ich sowieso nicht nachvollziehen. Vielleicht hatte er eine schlimme Kindheit und wurde regelmäßig von einer Nonne gezüchtigt? Was weiß ich? Wir können ihn nicht mehr fragen.«

»Was antworten Sie der Presse?«

»Dass auf dieser Welt leider allzu viele Irre unterwegs sind. Und dass wir die Person des Mörders und seine Vorgeschichte natürlich noch genauer unter die Lupe nehmen werden. Bla, bla, bla. Das muss reichen.«

»Nun gut.«

»Sind Sie etwa anderer Ansicht? Was würden Sie antworten?«

Isabelle überlegte. »Wahrscheinlich das Gleiche«, sagte sie dann.

»Also sind wir derselben Meinung?«

»Nicht wirklich. Mich interessiert nämlich durchaus, warum Yanis Canteloupe die beiden Nonnen umgebracht hat. Ich wäre fast die dritte gewesen.« Sie verschwieg ihm, dass mit Laetitia auch die frühere Superiorin auf rätselhafte Weise verstorben war. Auch dass es Drohbriefe gegeben hatte. Sie behielt einiges für sich. »Ich glaube nicht, dass er verrückt war«, fuhr sie fort, »weshalb ich noch einige Nachforschungen zu seiner Person anstellen werde.«

»Das sei Ihnen unbenommen.«

»Sie halten mich auf dem Laufenden, falls Sie was zur Person des Yanis Canteloupe in Erfahrung bringen?«, bat sie ihn.

»Selbstverständlich. Aber erwarten Sie sich nicht zu viel, wir werden uns da nicht groß reinhängen. Es gibt wichtigere Dinge. Außerdem ändert das nichts am Ergebnis. Zwei Nonnen sind tot, ihr Mörder auch. Es ist vorbei!«

Es machte wenig Sinn, dachte Isabelle, ihm erneut zu widersprechen. Sollte er nur glauben, dass es vorbei war. In gewisser Weise stimmte es sogar. Aber nur, wenn man kurzsichtig war, also über den Tellerrand nicht hinaussah – oder nicht sehen wollte, weil es einfacher, weil es bequemer war. Für Richeloin war der Fall abgeschlossen. Für Isabelle noch nicht. Docteur Lambart und sein Skalpell würden warten müssen. Nur ein klein wenig noch. Gewiss nicht allzu lange. Bis dahin hatte sie ja Hortensias Stock.

49

Es war ein Vormittag der Telefonate. Nach Capitaine Richeloin hatte sie Jacqueline aus Paris in der Leitung. Isabelle schilderte ihr kurz die gestrigen Ereignisse. Ihrer Freundin verschlug es fast die Sprache. Dabei hatte ihr Isabelle verschwiegen, wie gefährlich es wirklich gewesen war.

Prompt stellte Jacqueline genau jene Frage, für die sich Richeloin nicht zu interessieren schien: Was um Himmels willen könne einen Mann wie diesen Yanis Canteloupe veranlassen, Nonnen umzubringen? Ein Verrückter würde ganz anders vorgehen und zudem nicht versuchen, die Tat zu verschleiern. Bei Albertine habe er es wie einen Unfall aussehen lassen. Marguerite habe er offenbar so in der Erde verscharren wollen, dass man sie nie mehr gefunden hätte.

Ihre Freundin, dachte Isabelle, war zweifellos gescheiter als der Capitaine in Toulon.

»Kommt hinzu«, ergänzte sie, »dass er eine militärische Waffe mit Schalldämpfer und Laservisier hatte und im Handschuhfach eine Glock-Pistole. Das ist nicht die Ausrüstung eines Geistesgestörten.«

»Ja, das wäre sehr ungewöhnlich. Was willst du jetzt machen?«

»Für mich ist der Fall noch nicht abgeschlossen. Ich bleib dran.«

»Das war mir klar. Andere Frage: Wie geht's deinem Bein?«

Isabelle gab eine ausweichende Antwort. Sie war nicht in der Stimmung, darüber zu reden.

Es blieb nicht aus, dass Jacqueline sie im Anschluss zu Maurice Balancourt durchstellte. Der hatte offenbar wieder in seinen normalen Arbeitsalltag zurückgefunden. Nur mit seiner notorischen »Allwissenheit« klappte es noch nicht. Tatsächlich erfuhr er erst von ihr von den gestrigen Ereignissen. So was wäre ihm früher nicht passiert. Zumindest hätte er geblufft und so getan, als ob er selbstverständlich schon über alles im Bilde wäre. Er ließ sich die Vorgänge im Detail schildern. Isabelle verschwieg ihm, dass auf ihrer Flucht nicht nur die Nonnentracht hinderlich gewesen, sondern sie vor allem durch ihr Bein in Nöte geraten war. Von ihren gesundheitlichen Problemen würde er noch früh genug erfahren, spätestens kurz vor der anstehenden Operation. Oder noch besser erst danach.

Für Balancourt stand außer Frage, dass sie ihre Ermittlungen fortsetzen würde. Dazu kannte er sie zu gut. Er wünschte ihr *bonne chance* und verabschiedete sich mit einem Hustenanfall. Isabelle schwante Schlimmes. Offenbar rauchte er wieder Zigarren – und zwar bereits am Vormittag.

Apollinaire deutete auf einen Karton. »Madame, ich habe hier noch einige Beweismittel, die ich am Tatort sichergestellt habe. Darunter das *portable* des Mörders.«

Er schaffte es immer wieder, sie mit seiner Schusseligkeit zu überraschen.

»Sie haben sein *portable*? Weshalb haben es nicht Richeloins Leute einkassiert?«

Er grinste. »Weil sie festgestellt haben, dass es durch einen sechsstelligen Code gesichert ist. Damit war es für sie wertlos. Irgendwann haben sie das *portable* aus den Augen verloren. Da habe ich es in meiner Fürsorge an mich genommen.«

Apollinaire nahm das Handy aus dem Karton und zeigte es ihr.

Sie kniff die Augen zusammen. »Aber anfangen können wir damit nichts, oder? Ein sechsstelliger Code lässt sich nicht knacken.«

»Das wäre aussichtslos«, gab er zu.

Sein Grinsen wurde dennoch immer breiter. Sie ahnte, dass er es wieder mal spannend machte.

»Aber?«

»Die Kollegen haben übersehen, dass das *portable* über einen Fingerabdrucksensor verfügt. Der sechsstellige Code dient nur zur Sicherheit. Normalerweise entsperrt man es auf dem Homebutton mit dem Abdruck des Daumens.«

»Was uns jetzt auch nicht weiterhilft«, stellte Isabelle fest.

Er sah sie triumphierend an. »Ist doch schon alles erledigt. Ich habe die Sperre ausgeschaltet. Das *portable* ist offen wie ein Scheunentor.«

»Ausgeschaltet? Wie haben Sie das gemacht?«

Apollinaire hüstelte verlegen. »Als gestern mal niemand hingeschaut hat, bin ich zu Yanis' Leiche und habe seinen Daumen auf den Homebutton gedrückt. Schwupps, schon war ich drin. Dann bin ich zu den Einstellungen und habe die Sperre aufgehoben. War ein Kinderspiel.«

Sie hatte es schon immer gewusst. Ihr Assistent war vielleicht schusselig, oft auch ein wenig verrückt, vor allem aber war er großartig – manchmal sogar fast genial.

Sie spendete ihm leisen Applaus. »Kompliment, das haben Sie gut gemacht.«

Apollinaire konnte seinen Gesichtsausdruck in Sekunden wechseln. Gerade freute er sich noch sichtlich über ihr Lob. Schon legte er die Stirn in Falten und zog die Mundwinkel nach unten.

»Leider ist nicht viel Verwertbares drauf. Yanis hat wohl regelmäßig alles gelöscht. Es gibt nur eine spärliche Anrufliste der letzten Tage, aber keine einzige Textnachricht und keine Kontaktdaten. Das Ganze mit Prepaid-Karte. Entweder war der Mann sehr, sehr vorsichtig oder ein Kommunikationsmuffel.«

»Wahrscheinlich beides, aber vor allem wohl vorsichtig. Das passt ins Bild: Yanis war ein kühl denkender Profi und kein Amok laufender Spinner.«

»Ich bin die Liste mit den Anrufen durchgegangen und habe Testanrufe durchgeführt. Bei einer Mobilnummer geht niemand ran. Sie ist nirgends registriert und kann nicht zugeordnet werden. Fehlanzeige. Bei einer anderen meldet sich ein *Chambre d'hôte* in Cogolin. Ich habe gleich aufgelegt, aber vielleicht hat Yanis dort übernachtet? Im Karton habe ich einen Haus- und Wohnungsschlüssel mit einem Sektkorken als Anhänger. Dann gibt es noch drei Anrufe von derselben Festnetznummer. Der Anschluss gehört einer Gudrun Pilleboue, achtundzwanzig Jahre, Fremdsprachenkorrespondentin, ledig.«

Sie schüttelte ungläubig den Kopf. Wann hatte Apollinaire das alles erledigt? Heute Morgen, als sie noch unter der Dusche stand oder später im *Café des Arts* frühstückte? Und wie konnte er mit diesen brandheißen Informationen bis jetzt warten? Für Apollinaire brauchte man gute Nerven.

»Wo wohnt diese Gudrun Pilleboue?«, fragte sie.

»In einem Vorort von Marseille.«

Isabelle sah auf die Uhr. Es war erst später Vormittag. Genug Zeit also für einen Ausflug. Erst Cogolin und dann Marseille. Aber Marseille war zu weit, um auf gut Glück hinzufahren. Sie nahm das Telefon und rief bei Gudrun Pilleboue an.

»Hallo, Madame, hier spricht die *Électricité de Marseille*. Wir müssen routinemäßig einige Sicherungskästen und Zähler überprüfen. Ein Mitarbeiter wäre heute Nachmittag in Ihrer

Gegend. Sind Sie zu Hause? Dauert höchstens zehn Minuten.«

»Leider nein, ich muss gleich weg. Aber morgen Vormittag würde es gehen. Gegen elf Uhr?«

»Moment, ich muss schauen. Ja, das passt. Ich schicke jemanden vorbei. Vielen Dank. Und noch einen schönen Tag.« Isabelle legte auf und blickte zu Apollinaire. »Kennen Sie sich mit Sicherungskästen aus?«

»Wo denken Sie hin? Natürlich nicht.« Er lächelte. »Wird aber wohl nicht nötig sein.«

»Nein, Sie tragen dafür auch die falsche Uniform. Dann steht also für morgen Marseille auf dem Plan. Jetzt fahren wir erst mal nach Cogolin und schauen uns das *Chambre d'hôte* an. Im Anschluss können wir zum Kloster fahren und mein dort geparktes Auto holen.«

50

Apollinaire war schon vorgegangen. Isabelle sperrte das Büro zu und lief gerade durch die Vorhalle des Rathauses, als ihr Thierry Blès entgegenkam. Er sah ihren Gehstock und nahm sie besorgt in den Arm. Sie spürte, dass das nicht gespielt war. Eigentlich war er wie immer, warmherzig und einfühlsam. Zu dumm nur, dass sie von seiner Affäre in Nizza wusste. Trotzdem gab es keinen Grund, ihm nicht von der ärztlichen Untersuchung zu erzählen. Das Ganze sei völlig harmlos, sagte sie, es bedürfe nur einer kleinen Operation, um den verirrten Bombensplitter zu entfernen. Gleich im Anschluss könne sie den Stock im Kloster zurückgeben und wieder mit dem Joggen beginnen. Sie war nicht ganz so zuversichtlich, wie sie tat, auch kannte sie die Risiken der Operation, doch Thierry musste nicht alles wissen. Er umarmte sie erneut und drückte sie. Alles werde gut werden, das spüre er. Thierry sprach sie auf die dramatischen Ereignisse von gestern an. In der heutigen Ausgabe des *Var-Matin* sei ein großer Bericht über die Ermordung einer Nonne im *Monastère des bonnes sœurs*. Isabelles Name sei im Artikel nicht erwähnt. Aber er könne eins und eins zusammenzählen und sich denken, dass sie eine entscheidende Rolle gespielt habe. Er habe ja von ihrem Vorhaben gewusst, für einige Tage in die Rolle einer Nonne zu schlüpfen. Er sei froh, dass ihr nichts passiert sei. Bei nächster Gelegenheit müsse sie ihm haarklein alles erzählen. Er sah sie nachdenklich an. Unwillkürlich hatte sich Isabelle einige Schritte von ihm entfernt. Er spüre, dass zwischen ihnen nicht alles in Ordnung sei, sagte er. Das tue ihm unendlich leid. Warum sie nicht sage, was vorgefallen sei. Irgendetwas müsse doch geschehen sein?

Isabelle strich sich eine Locke aus dem Gesicht. Schon seltsam, da wollte er von ihr erfahren, was vorgefallen sei. Auf die Idee, die Ursache bei sich selbst zu suchen, kam er erst gar nicht.

Sie sah sich um. Zwar standen sie alleine in der Vorhalle des *Hôtel de ville*, dennoch war das nicht der rechte Ort für eine private Aussprache. Der richtige Zeitpunkt war es auch nicht. An der Wand neben ihnen hingen die gerahmten Ölporträts der früheren Bürgermeister von Fragolin. Darunter ihr Vater, Maire Frédéric Bonnet. Er war sozusagen der Vorvorvorgänger von Thierry, gestorben bei einem Autounfall, als sie noch ein kleines Mädchen war.

Sie deutete auf das Bild ihres Vaters. Der habe ihr mal nach einem Streich die Leviten gelesen. Sie könne sich noch genau an seine Worte erinnern. Er könne ihr jede Dummheit verzeihen, habe er gesagt, aber nur dann, wenn sie ihn nicht anschwindle. Sie müsse ihm gegenüber immer ehrlich sein – und vor allem auch sich selbst gegenüber. Letzteres sei für ein kleines Mädchen schwer zu verstehen gewesen. Heute wisse sie, wie er das gemeint habe.

Thierry sah sie ratlos an. Warum sie ihm diese Geschichte erzähle, fragte er, einfach so und ohne jeden Zusammenhang.

Isabelle wunderte sich über seine Begriffsstutzigkeit. Oder hatte er die Nacht in Nizza komplett aus seinem Gedächtnis getilgt? Dann wäre er ein Fall für die Psychiatrie.

Sie lächelte nachsichtig. Er solle über die Worte ihres Vaters nachdenken, schlug sie vor. Sie halte ihn, Thierry, für einen außergewöhnlich intelligenten Mann, weshalb er von selbst auf die Antwort kommen müsse.

Apollinaire war bereits vorgefahren und wollte ihr ins Auto helfen.

Er solle das unterlassen, wies sie ihn brüsk zurück. Schließlich sei sie kein Invalide – und sie wolle auch nicht so wahrgenommen werden.

Auf der Fahrt nach Cogolin hatte sie Zeit, über all die Dinge nachzudenken, die sie beschäftigten. Das waren nicht gerade wenige. Sie täte gut daran, die Liste baldmöglichst zu dezimieren.

Das *Chambre d'hôte* war ein hübsches Häuschen am Ortsrand, mit blauen Fensterläden und einem gepflegten Garten. Ein Urlaubsdomizil wie aus dem Katalog. Es fiel ihr schwer, sich Yanis Canteloupe hier als Gast vorzustellen. Ein kaltblütiger Mörder, der von hier seine Aktionen plante? Oder gab es einen anderen Grund, warum er hier angerufen hatte? Egal, gleich würden sie es erfahren.

Eine alte Frau machte ihnen auf, deren hochgesteckte Frisur an ein Vogelnest erinnerte. Beim Sprechen rutschte es hin und her. Sie erschrak sichtlich, als sie den Polizeiwagen sah und Apollinaire in seiner Uniform.

Isabelle zeigte ihr die Schlüssel mit dem Sektkorken als Anhänger.

»Gehören die Schlüssel zu Ihrem Haus?«, fragte sie.

»*Oui, oui, naturellement.* Zimmer drei im ersten Stock«, stammelte die Frau.

»Darf ich fragen, wer dort wohnt?«

»Monsieur Canteloupe. Tut mir leid, er ist nicht da. Kann ich was ausrichten?«

»Sehr freundlich, aber das wird nicht möglich sein«, antwortete Isabelle. »Ihr Feriengast ist gestern verstorben.«

Catherine, so hieß die alte Frau, musste sich an der Tür festhalten. Isabelle gestand sich ein, dass sie eine Todesnachricht schon mal rücksichtsvoller übermittelt hatte. Aber bei Yanis handelte es sich um keine Person, die der Frau nahestand, sondern um einen Mieter.

Mit einer schnellen Bewegung schnappte sich Catherine den Schlüssel.

»So, so, er ist verstorben? Dabei hat er einen ausgesprochen vitalen Eindruck gemacht.«

»Wie gut kannten Sie ihn?«, fragte Apollinaire, der hinter Isabelle stand, über ihren Kopf hinweg.

Catherine sah ihn empört an. »Ich darf schon bitten. Was denken Sie? Natürlich kannte ich ihn kaum, und schon gleich nicht so, wie Sie sich das vorstellen.«

Isabelle konnte nur mit Mühe ein Grinsen unterdrücken.

»Verzeihen Sie mir meine Indiskretion«, antwortete Apollinaire, ohne eine Miene zu verziehen. »Seit wann wohnt der Herr bei Ihnen?«

Ihr Vogelnest wippte. »Da muss ich in meinem Gästebuch nachsehen. Vielleicht seit zwei Wochen. Er hat im Voraus bezahlt, bis zum nächsten Sonntag.«

»Wie hat er so seine Tage verbracht?«, fragte Isabelle. »Lesend auf der Terrasse?«

»Nein. Er ist jeden Morgen aufgebrochen und oft erst spät abends zurückgekehrt. Er hat nicht viel von sich erzählt, aber nach meinem Eindruck war er sehr an den Sehenswürdigkeiten unserer Region interessiert.«

»Wir würden uns gerne sein Zimmer anschauen?«

Catherine hob abwehrend die Hände. »Da ist alles korrekt. Saubere Matratze, warmes Wasser, jeden Tag frische Handtücher …«

»Darum geht es nicht«, unterbrach sie Apollinaire. »Ihrem Haus sieht man doch schon von außen an, wie gepflegt es ist.«

»Danke. Sie sind ja doch ganz nett.«

Isabelle deutete auf die Tür. »Dürfen wir?«

»Selbstverständlich. Und Sie sind sich sicher, dass Monsieur Canteloupe wirklich tot ist?«

Apollinaire nickte und deutete auf seine Uniform. »Wir sind von der Polizei. Das ist offiziell.«

»Dann können Sie bitte gleich seine Sachen mitnehmen. Später mache ich sein Zimmer sauber und kann es ab morgen wieder vermieten.«

»Dann hätten Sie bis nächsten Sonntag quasi eine doppelte Miete kassiert«, stellte Apollinaire fest.

Catherine riss die Augen auf. »Ich verstehe, das wäre nicht korrekt. Vielen Dank, dass Sie mich darauf aufmerksam machen.«

Das Fremdenzimmer war freundlich eingerichtet, mit einem kleinen Balkon und mit Blick auf den gepflegten Garten. Im ersten Moment sah es fast unbewohnt aus. Nichts lag herum. Yanis Canteloupe war offenbar sehr auf Ordnung bedacht gewesen. Alle Klamotten waren im Schrank verstaut, korrekt zusammengefaltet oder akkurat auf Kleiderbügeln. Die Toilettenartikel im Bad befanden sich parallel ausgerichtet im Waschbeutel. Nur die Zahnbürste steckte einsam im Glas.

»Ein Pedant«, stellte Apollinaire fest.

»Oder ein Mann mit militärischem Hintergrund«, sagte Isabelle, »da gewöhnt man sich so was an.«

Apollinaire hob einen Koffer vom Kleiderschrank.

»Ganz schön schwer.« Er prüfte die Zahlenschlösser. »Und leider abgesperrt.«

Er ließ sie allein, um aus dem Auto Werkzeug zu holen. Währenddessen durchsuchte Isabelle die Schubladen. Die meisten waren leer. In einer gab es einen Karton mit Prospekten. Darunter ein grünes Faltblatt mit dem schönen Titel *Voyage en Méditerranées,* herausgegeben von der *Domaine du Rayol,* mit Übersichtsplan und liebevollen Erläuterungen zur Vielfalt der Pflanzenwelt. Das Vorhandensein dieses Prospekts war kein Beweis – außerdem brauchten sie keine Beweise mehr. Sie nahm eine Landkarte zur Hand, die in großem Maßstab das Hinterland des Maurenmassivs abbildete. Das *Monastère des bonnes sœurs* war mit einem Filzstift markiert. Auch kein Beweis – nur passte alles perfekt zusammen. Sie stellte den Karton auf den Tisch, dazu den Waschbeutel mit der Zahnbürste. Catherine hatte ja gebeten, alle Habseligkeiten ihres verstorbenen Hausgastes mitzunehmen. Isabelle erklärte diese hiermit für beschlagnahmt. Die Kleidungsstücke aus dem Schrank verstaute sie in einer großen Reisetasche. Nicht so ordentlich, wie es Yanis getan hätte, aber er konnte sich ja nicht mehr beschweren.

Apollinaire kam mit dem Werkzeugkasten aus dem Auto zurück. Er spuckte in die Hände. »*On y va,* dann wollen wir mal!« Mit einem feinen Stichel und einem dünnen Schraubenzieher näherte er sich dem Schloss am Koffer.

Isabelle schüttelte missbilligend den Kopf. »Bitte keine Mikrochirurgie!« Sie reichte ihm den größten Schraubenzieher aus dem Werkzeugkasten und einen Hammer. »Tun Sie sich keinen Zwang an. Yanis wird Sie wohl kaum wegen Sachbeschädigung verklagen.«

Obwohl Apollinaire darauf verwies, dass er veranlagungsmäßig eher ein Feinmotoriker sei, schaffte er es mit einigen kräftigen Schlägen, den Koffer aufzubrechen.

Sein hohes Gewicht erklärte sich durch das verstaute Waffenarsenal.

Apollinaire pfiff durch die Zähne. »*Je suis impressionné,* ich bin beeindruckt.«

»Ich auch«, kommentierte Isabelle mit Kennerblick. Sie nahm ein Nachtsichtgerät zur Hand. »Neueste Generation, ist dem Militär und Spezialeinheiten der Polizei vorbehalten.«

»Wissen Sie, woran ich denke?«, fragte Apollinaire.

Sie hob eine Augenbraue. »Sie werden es mir gleich sagen.«

»Dass dieser Yanis Canteloupe ein Profikiller war«, stellte er fest.

»Er war jedenfalls kein Schmetterlingssammler.«

»Und ich denke noch was.«

»Nur zu!«

»Dass er früher womöglich bei den Fremdenlegionären war …«

»Weiter!«

»Ganz so wie im früheren Leben dieser Obermönch Gaylord Gawain aus Montpellier. Der war auch mal bei der *Légion étrangère.*«

Isabelle überlegte, dass Apollinaire gerade ausgesprochen hatte, was ihr schon länger im Kopf herumging. Die Vorstellung, dass Yanis Canteloupe ein gedungener Mörder war, lag auf der Hand. Ebenso der Gedanke, dass er von Gawains Orden den Auftrag hatte, die verbliebenen Nonnen aus dem *Monastère des bonnes sœurs* zu »entfernen« – mit oder ohne Wissen des *Abbé.*

»Wir werden diesem Verdacht nachgehen«, sagte sie.

Im Koffer entdeckte sie zwischen zwei Kleinwaffen eine in Papier gewickelte Flasche. Sie packte sie aus – und staunte. Fast andächtig hielt sie einen Kräuterlikör in den Händen. Nicht irgendeinen, sondern genau jenen, den es nur im *Monastère des bonnes sœurs* gab, den Albertine nach alten Rezepturen zubereitet hatte und nach dessen Genuss die frühere Superiorin Laetitia unter Krämpfen und mit Schaum vor dem Mund verstorben war. Isabelle selbst hatte auch eine Flasche in der Küche stehen, ein Geschenk von Adèle. Noch ungeöffnet.

Stellte sich die Frage, wie Yanis zu dieser Flasche kam? Sie war im Handel nicht erhältlich. Nachdenklich wickelte sie den Kräuterlikör wieder ein und legte ihn zurück in den Koffer.

51

Sie hatten Yanis' Habseligkeiten im Kofferraum, als sie von Cogolin kommend am *Monastère des bonnes sœurs* eintrafen. Auch den Koffer mit dem Waffenarsenal, das für einen Kleinkrieg ausgereicht hätte. Auf der Fahrt war Isabelle vieles durch den Kopf gegangen. Sie hatte Wahrscheinlichkeiten abgewogen. Und sie hatte auch Unwahrscheinliches in Erwägung gezogen. Erst beim Aussteigen vor dem Kloster brachte sich ihr Bein unliebsam in Erinnerung. Zwar schmerzfrei, aber kraftlos verweigerte es den Gehorsam. Isabelle fragte sich, ob es ein gutes Zeichen war, dass sie ihre eigenen Probleme vorübergehend vergessen hatte. Docteur Léo Lambart jedenfalls würde ihre Ignoranz nicht gutheißen.

Sie stützte sich auf Hortensias Stock und humpelte zur großen Pforte des Klosters. Apollinaire blieb derweil beim Auto. Sie betätigte den Türklopfer aus Bronze in Form eines Fabelwesens, mit einem schweren Ring im Maul. Was hatte es für eine Bewandtnis damit? Es spielte keine Rolle.

Es dauerte eine Weile, bis Adèle erst durch die Klappe guckte und ihr dann aufmachte. Im Vorhof saß eine junge Frau auf der Bank. Sie trug keine Nonnentracht, war von dunkler Hautfarbe und heulte. Isabelle brauchte einige Sekunden, bis sie die Novizin Jasmin erkannte. Während Adèle in Richtung Kreuzgang davontrippelte, setzte sich Isabelle zu ihr.

Jasmin gestand ihr, dass sie vor wenigen Minuten erst ein Gespräch mit der Mutter Oberin geführt hatte. Sie habe Hortensia gesagt, dass sie nach den aktuellen Ereignissen ihren Glauben verloren habe. Sie sehe sich außerstande, ihr Gelübde zu leisten und ihr Leben Gott zu weihen. Einem Gott, der die Ermordung ihrer Mitschwestern Albertine und Marguerite zugelassen habe. Hortensia habe sie zwar nicht verstanden, und vielleicht sei es auch ein großer Fehler, das Ordensgelübde zu verweigern und den Weg zurück in die unruhige Welt außerhalb des Klosters zu suchen, aber sie könne nicht anders. Sie sei eine zerrissene Seele.

Isabelle nahm ihre Hände und sah sie wortlos an. Sie konnte sie verstehen. Dennoch machte sie sich Sorgen, ob Jasmin dort klarkommen würde, wo sie schon einmal Schiffbruch erlitten hatte, nämlich im Rotlichtmilieu von Marseille. Denise würde ihr nicht helfen können, dazu war sie zu krank. Außerdem lebte sie in Hyères.

»Was willst du jetzt machen?«, fragte Isabelle.

»Keine Ahnung«, schluchzte die Novizin, die keine mehr war und ohne ihr Ordensgewand auch nicht mehr so aussah.

»Du wartest hier auf mich«, entschied Isabelle. »Dann nehme ich dich mit nach Fragolin. Dort überlegen wir, wie es weitergeht.« Isabelle hauchte ihr einen Kuss auf die Stirn. »Vielleicht fällt uns was ein. Einverstanden?«

»Das würdest du für mich tun?«

Isabelle lächelte. »Na klar. Wir Frauen müssen zusammenhalten, erst recht, weil wir beide mal das Habit einer Nonne getragen haben.«

Jasmin langte sich an die Brust. »Ich aber habe es ernst gemeint, bei dir war es nur eine Tarnung.«

Isabelle dachte nach. Natürlich hatte Jasmin recht, bei ihr war es nur Camouflage gewesen. Doch hatte sie in den wenigen Stunden eine merkwürdige Veränderung verspürt. Um ihren Glauben war es nicht gut bestellt, aber das zurückgezogene und nach innen gekehrte Dasein einer kontemplativen Nonne schien ihr nicht mehr so abwegig wie zuvor. Zweifellos gab es Lebensentwürfe, die jenseits ihrer normalen Vorstellung lagen – und die dennoch bedenkenswert waren. Die aber auch wie im Falle von Jasmin scheitern konnten. Isabelle nahm sich vor, ihr zu helfen. Aber erst musste sie mit der Mutter Oberin sprechen.

Hortensia erwartete sie wie gewohnt in der gemauerten Nische im Kapitelsaal. Mit einem Blick auf den Gehstock erkundigte sie sich, ob es ihrem Bein besser gehe. Als Isabelle mit einem angedeuteten Lächeln verneinte, sagte die Mutter Oberin, dass sie den Stock gerne behalten dürfe, zunächst als Stütze und später als Andenken an das *Monastère des bonnes sœurs*, das es bald nicht mehr geben würde.

»Bald nicht mehr geben wird?«, wiederholte Isabelle und sah sie fragend an.

Hortensia strich sich mit zittriger Hand über die Stirn. »Unser Kloster hat keine Zukunft mehr. Die ehrwürdige Superiorin Laetitia ist von uns gegangen. Ihr folgte auf tragische Weise unsere geliebte Mitschwester Albertine. Dann wurde direkt vor unseren Mauern auf bestialische Weise Marguerite umgebracht.« Sie atmete einige Male durch, um dann fortzufahren: »Selbst du hättest fast dein Leben lassen müssen. Jasmin, unser liebes Mädchen aus Afrika, hat ihren Glauben verloren und wird weggehen. Ich kann es ihr nicht verdenken. Das *Monastère des bonnes sœurs* hat seine Unschuld verloren, die heilige Erde wurde entweiht. Ein vom Satan besessener Mörder ist zwar gerichtet worden, aber seine Sünden kann ich nicht vergeben. Auch *mein* Glaube wird gerade einer schweren Prüfung unterzogen. Ich bete viel und erflehe himmlischen Trost und Rat.« Wieder musste Hortensia innehalten, um sich zu sammeln. »Ich frage den Herrn, wie ich mich verhalten soll«, sprach sie schließlich weiter, so leise, dass sich Isabelle nach vorne beugen musste, um sie zu verstehen. »Und ich suche nach Erklärungen. Was für eine Bewandtnis hatten die Drohbriefe an unserer Pforte? Wir wurden aufgefordert, das Kloster zu verlassen, andernfalls würde uns großes Unglück ereilen. Hätte ich diese Botschaften ernst nehmen sollen? Habe ich fahrlässig gehandelt und auf diese Weise den Tod meiner geliebten Mitschwestern zu verantworten?«

»Das dürfen Sie nicht einmal denken«, sagte Isabelle, die bislang geschwiegen hatte. »Es ist überhaupt nicht erwiesen, dass da ein Zusammenhang besteht. Und selbst wenn, können Sie doch nichts dafür.«

»Mag sein, mein Kind. Ich hoffe es inständig. Jedenfalls hat unser Kloster das Glück verlassen. Gott hält seine schützende Hand nicht mehr über uns. Außerdem sind nur noch Adèle und ich übrig geblieben. Wir können hier nicht alleine weiterleben. Ich habe lange mit dem ehrwürdigen Prior der *Chartreuse* bei Fragolin gesprochen. Er ist ein weiser und mitfühlender Bruder. Er hat mir geraten, nun doch das Angebot des Klosters in Aquitanien anzunehmen und dort Zuflucht zu suchen. Der Orden steht ebenfalls in der Tradition des Dominikaner-Paters Lataste und würde uns ehrlichen Herzens willkommen heißen. Ich habe Sébastien bereits informiert.«

Isabelle schoss durch den Kopf, dass mit dieser Entscheidung der Plan des *Abbé* Gaylord Gawain aufgegangen war. Das *Monastère des bonnes sœurs* würde von den Nonnen aufgegeben werden. Also musste er sich nur noch mit Sébastien und der Stiftung Falcon-Fontallier einig werden, dann könnte sein Mönchsorden das Kloster übernehmen. Falls Yanis Canteloupe in seinem Auftrag tätig gewesen sein sollte, hätte er seine Mission erfüllt. Freilich hatte er nichts mehr davon – er war tot.

52

Wie sich herausstellte, hatte Jasmin einen Führerschein, weshalb Isabelle erst gar nicht versuchen musste, ihren Renault selbst zu fahren. Sie setzte sich auf den Beifahrersitz und überließ Jasmin das Steuer. Apollinaire war schon unterwegs. Jasmin kam mit dem Wagen gut zurecht. Isabelle bereitete sie auf Fragolin vor und machte ihr das Angebot, die nächsten Tage bei ihr zu wohnen. Sie habe eine ausklappbare Gästecouch, und irgendwie würden sie sich schon arrangieren. Jasmin lächelte. Nach ihrer Zeit im Kloster sei sie von einer hohen Bedürfnislosigkeit.

Auf halber Strecke hatte Isabelle einen Einfall. Sie rief den Stiftungssekretär Sébastien auf seiner Mobilnummer an und fragte, ob man sich kurz treffen könne. Wie sich herausstellte, war er gerade im Büro von André Falcon-Fontallier. Selbstverständlich stünden sie alle beide für ein Gespräch zur Verfügung. Er gab die Adresse durch. André Falcon-Fontallier residierte auf einem Weingut an der *Route de la Berle*. Von Maleribes an der Bucht von Saint-Tropez solle sie die D61 nehmen, die hinunter nach Ramatuelle führe. Von dort gehe es dann rechts ab. Man könne auch anders fahren, aber so sei es am leichtesten zu finden. Auf ihrem Weg nach Fragolin war das zwar ein gehöriger Umweg, aber sie versprach vorbeizukommen.

Jasmin fuhr erstaunlich routiniert, da konnte sie ihre Chauffeursdienste noch etwas länger in Anspruch nehmen. Außerdem hatte sie gerade nichts Besseres zu tun.

Das Weingut der Falcon-Fontalliers erwies sich als veritables Château mit einer von Pinien gesäumten Auffahrt und einem repräsentativen Hauptgebäude. Jasmin parkte im Schatten einer Pinie. Isabelle fragte, ob sie mit hineinkommen wolle. Sie schüttelte energisch den Kopf. Nein, sie wolle lieber beim Auto bleiben. Isabelle versprach, bald wieder zurück zu sein, dann lief sie zum Eingang. Sébastien erwartete sie schon. Sie habe eine hübsche Fahrerin, stellte er mit Blick auf Jasmin fest, die am Auto lehnte und sich gerade eine Zigarette anzündete. Isabelle musste lächeln. Ohne ihre Ordenstracht erkannte er sie nicht.

Sébastien fragte, wie es ihrem Bein gehe. Die Frage, dachte sie, hätte er sich sparen können. So, wie sie mit dem Gehstock rumhumpelte, ergab sich die Antwort eigentlich von selbst. Aber es war nett gemeint. Vor allem musste er glauben, dass sie sich bei dem Attentat vor dem Kloster verletzt hatte.

Sébastien ging voraus. André Falcon-Fontallier erwarte sie in seinem Büro. Es ging eine breite Wendeltreppe hinauf in den ersten Stock, dann durch einen Ausstellungsraum mit Architekturmodellen. Sébastien bekam einen Anruf. In der Zeit sah sie sich um. Sie betrachtete die einzelnen Modelle und erinnerte sich, dass André nicht nur ein partyerprobter und begehrter Junggeselle war, sondern sich auch im Immobiliengeschäft und in der Projektentwicklung betätigte. Na ja, mit irgendwas musste man sich auch als ein Falcon-Fontallier beschäftigen. Nur Champagner trinken und schöne Frauen verführen mochte auf Dauer etwas langweilig sein.

Sein Büro befand sich in einem riesigen Raum mit Stuckaturen an der hohen Decke und einem mittelalterlichen Fresko hinter dem Designerschreibtisch. André begrüßte sie galant mit Handkuss. Das war ihr schon lange nicht mehr passiert. Unwillkürlich dachte sie an seinen Vater Thaddeus-Baptiste

Falcon-Fontallier. Von dem alten Herrn hätte sie das eher erwartet. Aber wahrscheinlich wurde man in diesen Kreisen so erzogen.

André brachte zum Ausdruck, dass seine Familie ihr zu großem Dank verpflichtet sei. Er hoffe nur, dass sich die Verletzung am Bein gut auskurieren lasse. Er solle ihr herzlichste Grüße von seinen Eltern übermitteln. Man würde sich glücklich schätzen, sie bald zu einem privaten Diner einladen zu dürfen, zusammen mit Rouven Mardrinac, dem alten Freund der Familie.

»Ich komme gerade vom *Monastère des bonnes sœurs*«, sagte Isabelle. »Von der Mutter Oberin habe ich erfahren, dass sie das Kloster aufgeben wird.«

Sébastien nickte. »Ja, das ist traurig.«

»Wir stehen noch unter Schock«, ergänzte André. »Schon allein wegen der schrecklichen Ereignisse, und nun auch noch Hortensias zwar nachvollziehbare, aber traurige Entscheidung. Mein Vater wird sie morgen besuchen, aber ich glaube nicht, dass er ihre Meinung ändern kann.«

»Ganz bestimmt nicht«, sagte Sébastien. »Hortensia und Adèle können das Kloster schließlich nicht alleine führen. Es fehlt jede Perspektive.«

»Wie soll es mit dem Kloster weitergehen?«, fragte Isabelle. »Kommt jetzt der *Abbé* Gaylord Gawain zum Zug?«

Auf die Antwort war sie gespannt. Deshalb war sie hier.

André schüttelte den Kopf. »Das kann ich mir nicht vorstellen. Nach seiner ersten Anfrage hatten wir ja im Familienrat beschlossen, dass das *Monastère* keinesfalls an Mönche gehen kann. Schließlich trägt es die *bonnes sœurs* schon in seinem Namen.«

»Aber wenn es keine Nonnen mehr gibt?«, hakte Isabelle nach.

André verzog das Gesicht. »Das ist ein Problem, Sie haben recht. Leider können wir meinen Großvater, der die Stiftung gegründet hat, nicht mehr um Rat fragen. Jean-Baptiste würde vielleicht doch mit dem *Abbé* sprechen. Hauptsache, das Kloster kann von einem christlichen Orden weitergeführt werden.«

»Hat er sich schon gemeldet?«

»Wer? Der *Abbé*? Nein, noch nicht. Wie sollte er auch? Hortensias Entscheidung ist ja erst wenige Stunden alt.«

»Sagen Sie mir Bescheid, sobald er anruft«, bat Isabelle.

»Natürlich, aber wie kommen Sie darauf, dass er es tun wird?«

Sie lächelte. »Liegt doch auf der Hand, oder?«

Sébastien nickte. »Irgendwie schon. Aber was antworten wir ihm?«

»Gar nichts«, entschied André. »Ein Kloster ist keine Firma, die plötzlich zum Verkauf steht. Falls er sich wirklich melden sollte, dann sagen Sie ihm, dass wir noch unter Schock stehen und vorerst keine Entscheidung treffen werden.«

53

Gegen Abend wurde Isabelle klar, dass sie mit ihrer Einladung allzu spontan gehandelt hatte. Sie verfügte zwar tatsächlich über ein ausklappbares Gästesofa, aber ihre Wohnung war zu klein, um Jasmin bei sich aufzunehmen. Isabelle brauchte ihre Ruhe und Privatsphäre. In ihrer gegenwärtigen Situation sogar mehr denn je. Sie fragte in der *Auberge des Maures* nach einem freien Zimmer, aber das Hotel war ausgebucht. Selbst mit ihren guten Kontakten war da nichts zu machen. Sie war schon dabei, sich in ihr Schicksal zu fügen, da löste sich das Problem plötzlich von selbst. Denn als sie mit Jasmin im Bistro *Chez Jacques* gerade die Speisekarte studierte, kam Clodine des Wegs und setzte sich dazu. Wie es ihre Art war, kam sie mit Jasmin schnell ins Gespräch. Eine halbe Stunde später kannte sie bereits große Teile ihrer Lebensgeschichte. Allerdings verschwieg Jasmin ihre Zwangsprostitution in Marseille. Natürlich erwähnte auch Isabelle sie mit keinem Wort. Wenig später fiel Clodine ein, dass sie eine supertolle Übernachtungsmöglichkeit für Jasmin habe. In ihrem Haus stehe gerade eine Ferienwohnung leer, und sie habe den Schlüssel dazu.

Clodine konnte oft ziemlich nervig sein, dachte Isabelle, aber sie hatte viel Herzenswärme – und gelegentlich gute Einfälle, so wie gerade eben.

Es blieb nicht aus, dass auch Thierry am Bistro vorbeigeschlendert kam. Und natürlich schnappte er sich sofort einen Stuhl, um ihnen Gesellschaft zu leisten. Lächelnd meinte er, dass das zu seinen Pflichten als Bürgermeister zähle. Drei Damen an einem Tisch hätten Anspruch auf seine persönliche Betreuung. Außerdem sei es ihm eine Ehre, mit Jasmin einen so attraktiven Gast in Fragolin begrüßen zu dürfen.

Isabelle sah ihn zweifelnd an. War er immer schon so schleimig gewesen, oder kam es ihr gerade nur so vor? Möglicherweise tat sie ihm unrecht, weil sie momentan schlecht auf ihn zu sprechen war. Früher hatte sie seine südfranzösische Lebensart gemocht. Etwas Charmieren gehörte dazu. Jetzt aber fand sie sein Gesülze plötzlich peinlich. Oder störte es sie, dass er seine Augen kaum von Jasmin lassen konnte? Er schien ein Faible für dunkelhäutige Frauen zu haben. Sie dachte an seine Affäre in Nizza und die Vorgeschichte in Paris.

Isabelle nahm an der Unterhaltung immer weniger und irgendwann gar nicht mehr teil. Längst war sie mit ihren Gedanken ganz woanders. Das Gespräch von Thierry, Jasmin und Clodine rauschte wie ein Wasserfall an ihr vorüber. Währenddessen ließ sie die vielfältigen Eindrücke des zurückliegenden Tages Revue passieren. Das morgendliche Gespräch mit Thierry in der Vorhalle des Rathauses sparte sie aus. Sie begann beim *Chambre d'hôte* in Cogolin und den Hinterlassenschaften des Yanis Canteloupe, angefangen bei den Prospekten und Landkarten über sein Waffenarsenal bis hin zur eingewickelten Flasche Kräuterlikör aus dem *Monastère des bonnes sœurs*. Sie blendete über zum Kloster und sah sich mit Hortensia im Kapitelsaal sitzen. Sie hörte die Mutter Oberin sagen, dass das Kloster keine Zukunft mehr habe und durch die Gräueltaten entweiht sei. Ihr kam einmal mehr der *Abbé* Gaylord Gawain in den Sinn, dem die aktuellen Ereignisse in die Karten spielten. Dann ihr Besuch bei André Falcon-Fontallier und dem Stiftungssekretär Sébastien. Die beiden waren ehrlich betroffen und sahen sich außerstande, eine Entscheidung zu treffen. Was hätte der Stiftungsgründer Jean-Baptiste gewollt? Sie wussten es nicht. Isabelle kam wieder zurück zum *Abbé* und zu Yanis. Ihre Gedanken gingen durcheinander, sie überholten sich und suchten nach Abzweigungen. Das *Chambre d'hôte* und das *Monastère*. Albertine, die tote Nonne von Rayol. Marguerite, die zum Zigarettenrauchen durch eine verborgene Pforte aus dem Kloster geschlüpft war. Der Jäger Bruno, der ihr das Leben gerettet hatte. Und Capitaine Richeloin in Toulon, für den der Fall abgeschlossen war. Aber das war er nicht. Es musste eine Erklärung geben. Sie kam sich vor, als ob sie die Enden vieler Fäden in der Hand halten würde und unfähig wäre, sie richtig miteinander zu verknüpfen. Ob der morgige Tag weiterhelfen würde? Sie dachte an den bevorstehenden Termin bei Gudrun Pilleboue in einem Vorort von Marseille. Warum hatte Yanis so häufig mit ihr telefoniert? Noch ein Faden. Mit welchen anderen gehörte er verknüpft?

Clodine gab ihr einen Rempler. »Hey, wo bist du mit deinen Gedanken? Thierry hat dich schon dreimal gefragt, ob du zum Dessert eine *crêpe Suzette* magst, flambiert mit Grand Marnier. Jasmin und ich haben schon Ja gesagt.«

Crêpe Suzette? Als ob es gerade nichts Wichtigeres gäbe. Jetzt hatte sie den sprichwörtlichen Faden verloren. Wo war sie gerade gewesen? Ach so, bei ihrem morgigen Termin. Sie würden früh aufbrechen müssen.

»*Je suis désolée*«, entschuldigte sich Isabelle. »Tut mir leid. *Crêpe Suzette?* Immer gerne. Aber danach ziehe ich mich zurück. Ich bin hundemüde.«

Clodine nahm Isabelle in die Arme. »Kannst du gerne machen. Ich kümmere mich um unsere neue Freundin.«

Gut so, dachte Isabelle. Auf jeden Fall besser, als wenn sich Thierry um Jasmin kümmern würde. Obwohl ihm das unbenommen war. Eigentlich war es egal. Sie war jetzt wirklich zu schläfrig, einen vernünftigen Gedanken zu Ende zu bringen, welchen auch immer.

Wie durch eine Nebelwand hörte sie Thierry erzählen, wie die *crêpe Suzette* in Monte-Carlo am Tisch des späteren englischen Königs Edward VII. durch eine Ungeschicklichkeit eines Kochlehrlings »erfunden« wurde. Er hatte die Crêpe versehentlich mit einem Likör in Brand gesetzt. Isabelle kannte die Anekdote. Thierry erzählte sie fast immer, wenn es *crêpe Suzette* gab. Auch dass Edward in Begleitung einer schönen Dame namens Suzette gewesen sei. Der Kochlehrling habe es später zu großem Ruhm gebracht. Da sehe man mal wieder, dass man keine Angst vor Fehlern haben solle. Oft komme was Gutes dabei raus. Ihrer Meinung nach war das eine kühne Schlussfolgerung und in den meisten Fällen ein gewaltiger Trugschluss. Darüber sollte er mal nachdenken.

54

Noch vor ihrem Wecker wurde sie am nächsten Morgen vom Klingelton ihres Handys aus dem Schlaf gerissen. Rouven war dran, der aus Tokio anrief und wieder einmal mit der Zeit durcheinandergeraten war. Den Termin in Japan habe er nicht geplant gehabt, aber ein verschollener van Gogh sei wieder aufgetaucht, der habe ihn wie magnetisch angezogen. Leider gebe es ein Konsortium chinesischer Kunstliebhaber, die den Preis ohne Sinn und Verstand nach oben trieben. Da sei er ausgestiegen. Zum Trost habe er eine Flasche Pétrus geöffnet und trinke sie jetzt alleine aus. Morgen komme er zurück in die alte Welt. Sollten sich die Chinesen den van Gogh doch aufs Klo hängen.

Isabelle schmunzelte. So abfällig pflegte sich Rouven sonst nicht auszudrücken. Was zwei Schlüsse nahelegte: Erstens hatte er wohl schon einiges vom Rotwein getrunken, und zweitens wurmte es ihn doch gewaltig, dass er beim Gemälde nicht zum Zuge gekommen war.

Er erkundigte sich nach ihrem Wohlbefinden und ermahnte sie eindringlich, sich möglichst bald bei Docteur Lambart unter das Messer zu legen. Er habe keine Lust, sie im Rollstuhl über das Deck der *Dora Maar* zu schieben. Dabei könnte sie versehentlich über Bord gehen. Zudem hinterließen die Gummiräder auf dem Teakholz hässliche Abriebspuren.

Isabelle mochte seinen Humor. Außerdem hatte er recht – was die Dringlichkeit der Operation betraf. Sonst natürlich nicht.

Eine knappe Stunde später traf sie im Kommissariat ein. Apollinaire erwartete sie schon. Er reichte ihr ein Blatt mit den Lebensdaten des Yanis Canteloupe. Die Kollegen aus Toulon hätten es gerade gefaxt. Isabelle warf einen Blick darauf. Viel dürftiger ging es kaum. Geburtsort und Lebensalter kannten sie schon aus seinen Ausweispapieren. Die Personenbeschreibung hätten sie sich sparen können. Aber der aktuelle Wohnort? Fehlanzeige. Beruf? Unbekannt. Verheiratet, Kinder? Offenbar weder noch. Na großartig. Aber eine wichtige Information gab es doch. Yanis Canteloupe war bis zu seiner ehrenhaften Verabschiedung vor wenigen Jahren Berufssoldat gewesen. Er hatte in der *Armée de terre* gedient, genauer gesagt in einer *Brigade des forces spéciales*. Das passte – auch zu seinem Waffenarsenal.

Apollinaire fuchtelte mit seiner Kaffeetasse herum, die nicht ganz leer war und prompt überschwappte. Er wolle sie darauf aufmerksam machen, sagte er, dass auch die Fremdenlegion dem Heer unterstellt sei. Wahrscheinlich gebe es gemeinsame Manöver. Jedenfalls gehöre nicht viel Fantasie dazu, sich vorzustellen, dass sich Yanis Canteloupe und der *Abbé* Gaylord Gawain von früher kannten. Was wiederum weitere Gedankenspiele erlaube. Isabelle stimmte ihm zu. Sie würden mit dem *Abbé* ein eindringliches Gespräch führen müssen. Noch besser wäre freilich, wenn man was gegen ihn in der Hand hätte und ihn unter Druck setzen könnte. Von Yanis Canteloupe würden sie nichts Belastendes mehr erfahren. Oder vielleicht doch? Dann jedenfalls, wenn sie in seiner Hinterlassenschaft irgendeinen Hinweis auf seinen Auftraggeber finden würden, und sei er noch so vage. In diesem Fall könnte sie versuchen, dem ehrenwerten *Abbé* eine Falle zu stellen. Aber das war Wunschdenken. Wie es schien, war Yanis Canteloupe ein vorsichtiger Mann gewesen, der keine Spuren hinterließ.

Blieb vorläufig als einzige Hoffnung ihr um elf Uhr anstehender Besuch bei Gudrun Pilleboue in Marseille, einer achtundzwanzigjährigen Fremdsprachenkorrespondentin, mit der Yanis häufig telefoniert hatte. Was vieles bedeuten konnte. Oder nichts.

Sie trafen pünktlich am Zielort ein. Auf jemanden von der *Électricité de Marseille* würde Gudrun Pilleboue nicht lange warten. Isabelle ließ Apollinaire das Auto in einer Nebenstraße parken. Noch wusste sie nicht, ob sie sich als Polizeibeamtin ausweisen würde. Er würde unten warten und nur nachkommen, wenn sie ihm ein Signal aufs Handy schickte.

Das Haus gehörte zu einem Block mit vielen Mietwohnungen. Der Komplex sah relativ friedlich und geordnet aus. Zwar befanden sich an den Wänden Graffiti, und die Mülltonnen waren umgeworfen, aber es gab Jugendliche, die lachend Fußball spielten, eine Mutter schob einen Kinderwagen, und auf einer Bank saß ein altes Ehepaar. Im Vergleich zu den drogenverseuchten und gewalttätigen *Banlieues* war das hier eine paradiesische Idylle. Sie würde also nicht fürchten müssen, dass Apollinaire als uniformierter Vertreter der Staatsmacht in der Zwischenzeit Probleme bekäme.

Gudrun Pilleboue wohnte im siebten Stock. Weil die Haustür offen stand, ging sie gleich hinauf. Nein, das tat sie natürlich nicht. Sie nahm den Lift. Die Flure waren lang genug.

Kurz nach dem Läuten wurde die Tür geöffnet. Vor ihr stand die junge Frau, zu der Yanis Canteloupe zumindest telefonisch intensiven Kontakt gepflegt hatte. Es heißt, dass es für den ersten Eindruck nur eine Zehntelsekunde brauche – und dass er meist zutreffend sei. Nun, ihr erster Eindruck war, dass die Mademoiselle sexy aussah und gewiss auf Männer wirkte. Sie war schlampig angezogen, barfuß und ungeschminkt. Sie wirkte nicht so, als ob sie gleich aus dem Haus gehen würde. Die Fremdsprachenkorrespondentin sah man ihr nicht an. Aber sie wirkte sympathisch. Auch nicht ordinär – nur ein bisschen. Gerade so, wie es sich viele Männer erträumten.

Gudrun Pilleboue sah sie verwirrt an. Einen Außendienstmitarbeiter der *Électricité de Marseille*, der gekommen war, um routinemäßig den Sicherungskasten und Zähler zu überprüfen, hatte sie sich gewiss anders vorgestellt. Ganz sicher auch ohne Gehstock.

Isabelle hatte überlegt, wieder in irgendeine Rolle zu schlüpfen. Doch sie entschied sich spontan dagegen. Sie stellte sich korrekt als Kommissarin vor und zeigte den Ausweis der *Police nationale*. Von der *Électricité de Marseille* komme niemand, sagte sie. Sie bitte, diese Ausrede zu entschuldigen. Ob sie reinkommen dürfe?

Nach kurzem Zögern willigte Gudrun Pilleboue ein. In ihrem Gesicht zeigte sich plötzlich aufkeimende Sorge. Sie führte Isabelle ins Wohnzimmer. Es war nett eingerichtet, aber in einem genauso schlampigen und unaufgeräumten Zustand wie ihr Äußeres. Ordnung schien ihr nicht im Blut zu liegen. Doch die Wohnung hatte ihren Charme.

»Wie lange wohnen Sie schon hier?«, fragte Isabelle.

»Schon Jahre.«

»Gefällt es Ihnen?«

»Na ja, nicht wirklich.« Gudrun Pilleboue sah sie fragend an. »Aber Sie sind nicht hier, um mit mir über meine Wohnung zu reden, oder?«

»Kennen Sie einen gewissen Yanis Canteloupe?«, antwortete Isabelle mit einer Gegenfrage.

»Yanis? Ja, natürlich kenne ich ihn. Wieso?«

»In welcher Beziehung stehen Sie zu ihm?«

»Wir sind befreundet.«

Isabelle hob eine Augenbraue. »Das heißt?«

»Na ja, halt so richtig befreundet. Wir sind ein Paar. Jetzt sagen Sie schon, warum Sie hier sind. Ist Yanis was geschehen?«

»Tut mir leid, ich habe eine traurige Nachricht für Sie. Yanis Canteloupe lebt nicht mehr. Mein aufrichtiges Beileid.«

Gudrun Pilleboue wurde bleich. Sie schwankte und musste sich setzen.

»Wollen Sie damit sagen, dass Yanis tot ist?«

Nun, genau das hatte sie soeben zum Ausdruck gebracht. Wenn jemand nicht mehr lebt, ist er gemeinhin tot. Aber Gudrun war sichtlich geschockt. Die Wahrheit dringt da nicht sofort ins Bewusstsein. Vor allem will man sie nicht wahrhaben. Und man braucht Gewissheit. Irrtum ausgeschlossen.

»*Mes sincères condoléances*«, wiederholte Isabelle ihre Beileidsbekundung. »Yanis Canteloupe ist vor einigen Tagen in einen Schusswechsel verwickelt und tödlich getroffen worden.«

Den genauen Zeitpunkt behielt sie bewusst für sich. In einen Schusswechsel verwickelt? Das hätte sie auch drastischer formulieren können.

»Hat er leiden müssen?«, fragte Gudrun Pilleboue.

Isabelle zuckte das Bild durch den Kopf, wie Yanis dicht vor ihr stand und im Begriff war, sie zu töten. Dann der Schuss aus Brunos Gewehr.

»Nein, hat er nicht.« Und das war nicht gelogen. »Wann haben Sie ihn das letzte Mal gesehen?«

»Ich weiß nicht genau. Vielleicht vor zehn Tagen?«

»So lange? Wissen Sie, was er in der Zeit gemacht hat?«

Gudrun Pilleboue zögerte. Isabelle glaubte ihr anzusehen, wie sie nach einer Antwort suchte, die mit der Wahrheit nicht viel zu tun haben musste.

»Er war auf Dienstreise«, sagte sie ausweichend.

»Tatsächlich? Darf ich fragen, was Ihr Freund beruflich gemacht hat?«

Wieder brauchte sie Zeit. Offensichtlich hatten sie nie besprochen, was sie auf entsprechende Fragen der Polizei antworten sollte. Was zwei Schlüsse zuließ: Entweder hatte er sie nicht ins Vertrauen gezogen, oder er hatte nicht damit gerechnet, dass es eine solche Befragung je geben könnte.

»Yanis ist Unternehmensberater.« Sie schluckte und korrigierte sich: »Er *war* Unternehmensberater.«

Unternehmensberater? Das war eine nette Berufsbezeichnung für jemanden, der professionell Menschen umbrachte. Seine Problemlösungsstrategien waren ausgesprochen radikal.

Isabelle, die beim Betreten der kleinen Wohnung kurz ins offen stehende Schlafzimmer hatte schauen können, ließ ihren Blick durchs Wohnzimmer schweifen. Dabei überlegte sie, wie sie weiter verfahren sollte.

»Sie wissen nicht zufällig, welchen Beratungsauftrag er aktuell hatte«, fragte Isabelle. »Und für wen er konkret gearbeitet hat?«

»Nein, das weiß ich nicht. Er hat nie über seine Arbeit gesprochen.«

Das war glaubhaft. Was aber nicht hieß, dass sie es glauben musste.

»Hat er je einen Abt oder ein Kloster erwähnt?«

Sie schüttelte energisch den Kopf. »Nein, hat er nicht. Was sollte Yanis mit einem Abt zu tun haben?«

Isabelle verzichtete auf eine Erklärung. »Und Sie arbeiten als Fremdsprachenkorrespondentin?«, wechselte sie das Thema.

»Das stimmt. Englisch und Spanisch.«

»Müssen Sie da nicht zur Arbeit?«

»Nein, ich habe einige Tage frei.«

»Während Yanis auf Dienstreise ist? Schade, sonst hätten Sie gemeinsam Urlaub machen können.«

»Ja, schade.« Sie wischte sich eine Träne aus dem Gesicht. »Jetzt werden wir niemals mehr gemeinsam Urlaub machen.« Isabelle deutete auf Ferienkataloge und Reiseführer, die auf einem Beistelltisch lagen. »Zum Beispiel Martinique? War das Ihr nächstes Ziel?«

»Martinique?« Gudrun Pilleboue fuhr sich verlegen durchs Gesicht. »Ja, da wollten wir hin. Was soll jetzt aus meinem Leben werden?«

»Dort soll es schön sein. Aber ganz schön teuer. Wie lange wollten Sie bleiben?«

»Lange«, sagte sie leise mehr zu sich selbst und ohne groß nachzudenken.

Irgendwie tat ihr diese Gudrun Pilleboue leid. Mit Martinique verband sie die Frage, was aus ihrem Leben werden sollte. Ein Urlaub war nicht das Leben. Ein langer Urlaub auch nicht. Außer er war für besonders lange geplant, sozusagen für immer. Isabelle beschloss, eine andere Gangart einzulegen. Leider konnte sie die junge Frau nicht länger mit Glacéhandschuhen anfassen.

»Madame Pilleboue, ich muss Sie dringend bitten, mir die Wahrheit zu sagen«, forderte sie sie auf. »Hat Yanis versprochen, mit Ihnen nach seinem aktuellen Auftrag nach Martinique auszuwandern?«

Gudrun Pilleboue sah sie entgeistert an. »Wie kommen Sie denn darauf?«

»In Ihrem Schlafzimmer stehen zwei große Aluboxen, wie man sie für Fernreisen verwendet, allerdings nicht für einen Kurzurlaub. Und erst recht nicht für einen normalen Umzug.« Sie deutete in eine Ecke des Wohnzimmers. »Auch da steht eine offene Alubox. Daneben haben Sie einige Bilderrahmen gestapelt, die Sie offenbar mitnehmen wollen und von der Wand abgehängt haben. Die Ränder sind noch auf der Tapete zu sehen.«

Gudrun Pilleboue blickte unsicher hin und her. »Die Boxen sind von Yanis, da hat er seine persönlichen Dinge drin.«

»Wirklich? Darf ich nachschauen?«

Sie machte eine abwehrende Handbewegung. »Nicht nur von ihm«, gab sie zu, »auch von mir ist einiges in den Boxen.«

»Also habe ich recht. Sie wollten für länger ins Ausland, stimmt's? Deshalb haben Sie auch schon mit dem Arbeiten aufgehört.«

Gudrun Pilleboue, die gerade noch verunsichert gewirkt hatte, gab sich einen Ruck. »Selbst wenn? Ist das verboten?«, antwortete sie trotzig. »Und was hat das mit meinem Yanis zu tun? Was soll überhaupt diese ganze Fragerei? Sie sind hier, um mir zu sagen, dass Yanis tot ist. Schlimm genug. Und jetzt fragen Sie mir Löcher in den Bauch. Sie sagten, er sei bei einer Schießerei ums Leben gekommen? Was ist überhaupt passiert? Hat man den Täter gefasst?«

Das war eine gute Frage. Den Täter gefasst? Gudrun Pilleboue schien gar nicht erst auf die Idee zu kommen, dass Yanis selbst der Täter war und erst in letzter Instanz das Opfer. Offenbar hatte sie keinen Schimmer, wie seine »Unternehmensberatung« konkret aussah. Dennoch musste Isabelle die Daumenschrauben weiter anziehen, auch wenn sie es nicht gern tat.

»Madame Pilleboue, ich muss Ihnen leider sagen, dass sich Ihr Freund eines Verbrechens schuldig gemacht hat.«

Das war eine maßlose Untertreibung. Er hatte kaltblütig mindestens zwei Nonnen umgebracht.

Gudrun Pilleboue schaute sie ungläubig an. Isabelles Gefühl nach war das nicht gespielt.

»Ich beschuldige Sie der Mitwisserschaft«, fuhr Isabelle fort. »Entweder sagen Sie mir jetzt die ganze Wahrheit, oder ich lasse Sie auf der Stelle verhaften. Unten wartet ein Sous-Brigadier in Uniform. Es wird ihm ein Vergnügen sein, Ihnen Handschellen anzulegen und Sie abzuführen.«

Das war hart. Aber es ging nicht anders.

Gudrun Pilleboue legte eine Hand auf ihre Brust. »Mitwisserschaft? Von was soll ich was gewusst haben?«, stammelte sie. »Yanis hat nie von seiner Arbeit erzählt. Ich bin unschuldig, das müssen Sie mir glauben.«

»Ich muss wissen, wer sein Auftraggeber war. Er muss Ihnen doch irgendwas erzählt haben?«

»Hat er nicht. Ich weiß nur, dass das sein letzter Auftrag sein sollte. Yanis hat gesagt, danach könne er aufhören. Er kassiere die zweite Rate, und dann gehe es ab nach Martinique.«

Zweite Rate? Gudrun Pilleboue stand unter Stress. Da rutschte schon mal was raus.

»Was ist mit der ersten Rate? Wo ist das Geld?«

Ihr Blick flatterte. Erst jetzt merkte sie, dass sie das besser verschwiegen hätte.

»Welche erste Rate? Ach so, ja. Wo das Geld ist? Ich habe keine Ahnung.«

»Vielleicht in seiner roten Reisetasche, die auf Ihrem Schlafzimmerschrank steht?«

Sie riss die Augen auf. »Woher wissen Sie, dass das seine Tasche ist?«

»Ich weiß es halt«, antwortete Isabelle. Tatsächlich wusste sie es nicht, aber die Vermutung lag nahe, denn im *Chambre d'hôte* hatte Yanis eine identische Reisetasche dabeigehabt.

»Da ist kein Geld drin. Sie können gerne nachschauen.«

»Mache ich später, aber ich glaube Ihnen.« Isabelle dachte nach. Das Geld war nicht wirklich wichtig. Die Scheine würden sich kaum zurückverfolgen lassen. Dennoch würde sie die Höhe der ersten Rate interessieren. »Oder hat Ihnen Yanis den Schlüssel zu einem Schließfach gegeben?«

Während Gudrun Pilleboue die letzten Fragen sofort und ohne Nachdenken beantwortet hatte, reagierte sie jetzt mit Verzögerung. Die Pause war nur kurz, aber lange genug, dass Isabelle misstrauisch wurde.

»Ich habe keine Schüssel«, verhaspelte sich Gudrun Pilleboue. »Schüssel?«

»Ich meine natürlich Schlüssel. Yanis hat mir keinen gegeben.«

Alles klar. Es gab ein Schließfach. Und sie hatte den Schlüssel. Aber sie würde ihn nicht rausrücken. Was zu verstehen war. Vielleicht reichte die erste Rate für Martinique, wenn man alleine reiste? Ein Schlüssel war so klein, dass sie ihn gut verstecken konnte. Allerdings könnte es sein, dass ihr Yanis nicht verraten hatte, wo sich das Schließfach befand. Wahrscheinlich in einer Bank. Aber in welcher? Den Schlüsseln sah man es meist nicht an.

»Falls Sie nicht wissen, wo der Schlüssel passt, geben Sie mir Bescheid«, sagte Isabelle. »Vielleicht kann ich Ihnen helfen.«

»Ich sagte doch, ich weiß nichts von einem Schlüssel.«

»Ist ja gut. So, und jetzt möchte ich mir Yanis' Tasche anschauen.« Isabelle sendete Apollinaire das vereinbarte Zeichen. »Sous-Brigadier Eustache wird gleich klingeln. Bitte machen Sie ihm auf.«

Gudrun Pilleboue sah sie panisch an. »Bin ich jetzt verhaftet?«

»Weil Sie mich angelogen haben? Nein, sind Sie nicht. Aber Sie geben ihm Ihren Ausweis und versprechen, sich zur Verfügung zu halten. Er gibt Ihnen meine Handynummer. Falls Sie Marseille verlassen, ohne Bescheid zu geben, lasse ich Sie zur Fahndung ausschreiben.«

55

Hatte sie Gudrun Pilleboue zu hart angefasst? Oder war sie im Gegenteil immer noch zu rücksichtsvoll gewesen? Während Apollinaire das Auto auf die A50 an Aubagne vorbei Richtung Toulon steuerte, dachte sie darüber nach. Hätte sie von Yanis' Freundin mehr in Erfahrung bringen können? Sie glaubte nicht wirklich daran. Jedenfalls nichts Entscheidendes. Wo das Geld der ersten Rate abgeblieben war, spielte gerade keine Rolle. Viel interessanter war die Information, dass nach Erledigung des Jobs eine zweite Rate anstand. Wenn es wirklich darum gegangen war, die Nonnen aus dem Kloster zu vertreiben, hatte Yanis seinen Job erfolgreich zu Ende gebracht. Blieb die wesentliche Frage, in wessen Auftrag er gehandelt hatte. Fast zwingend kam sie auf den *Abbé* Gaylord Gawain und seinen Mönchsorden. Es passte gut, dass beide ein militärisches Vorleben hatten. Der *Abbé* hatte der Gewalt abgeschworen, das mochte sogar stimmen, aber traf womöglich nicht auf jeden seiner Mönche zu – und ganz gewiss nicht auf den »Unternehmensberater« Yanis Canteloupe. Egal, ob ihn der *Abbé* höchstpersönlich beauftragt hatte oder einer seiner Mönche, mit oder ohne sein Wissen, die Zahlung der zweiten Rate hatten sie sich gespart. Besser hätte es also gar nicht laufen können. Auftrag ausgeführt. Zum Vorzugspreis der ersten Rate. Und der Killer tot. Er würde nichts mehr verraten können.

Der Besuch bei Gudrun Pilleboue hatte zwar nicht den großen Durchbruch gebracht, dachte Isabelle, aber etwas klüger war sie jetzt schon. Nun lag es an ihr, das Beste daraus zu machen. Sie hatte auch eine Idee.

Der Weg zurück nach Fragolin ließ sich mit einem Abstecher nach Hyères verbinden. Obwohl es für ihre Ermittlungen keinen Belang mehr hatte, wollte sie bei Denise vorbeischauen. Sie würde ihr nicht erzählen, dass der Mörder ihrer Schwester für seine Tat mit dem Leben bezahlt hatte. Schon deshalb nicht, weil Denise an einen Unfall glaubte. Es brachte nichts, die schwer kranke Frau mit der Wahrheit zu konfrontieren. Im Grunde wusste Isabelle selbst nicht, warum sie Denise besuchen wollte. Vielleicht, weil sie nicht mehr lange leben würde? Sie erinnerte sich an ihre Worte. »Ich hoffe, dass ich bald einschlafe und nicht mehr aufwache.« Dann hatte sie sanft gelächelt und gesagt, dass sie sich darauf freue, ihre Schwester im Jenseits wiederzusehen.

Als Apollinaire in Hyères vor dem schmalen Stadthaus der Denise Clément parkte und Isabelle die geschlossenen Fensterläden sah, beschlich sie eine traurige Vorahnung. Sie stieg aus und läutete, aber diesmal machte niemand auf. Stattdessen öffnete sich am Nachbarhaus im ersten Stock ein Fenster, und ein alter Mann streckte den Kopf hinaus. Neugierig sah er auf den Polizeiwagen. Isabelle rief hinauf und fragte, ob er wisse, wo Denise Clément sei.

Doch, das wisse er, antwortete der Mann. Selbstverständlich wisse er das, schließlich seien sie Nachbarn.

Und wo?

Sie sei ins Krankenhaus gebracht worden, antwortete er. Dort sei sie gestern verstorben. Weil sie ein guter und frommer Mensch gewesen sei, dürfte sich ihre Seele jetzt im Himmel befinden. Ihre sterbliche Hülle dagegen dürfte zum nahe gelegenen *cimetière* gebracht und dort aufgebahrt werden. Gott sei ihrer Seele gnädig. Der himmlische Vater habe ein Einsehen gehabt und sie von ihrem Leiden erlöst.

Was war denn das für ein seltsamer Kauz? Seine Frömmigkeit passte zu Denise. Abgesehen davon hatte sie das Gefühl, nur noch von Verrückten umgeben zu sein.

Wie auch immer, sie war zu spät gekommen. Überrascht war sie nicht. Sie erinnerte sich, dass sie bei ihrem vergangenen Besuch zum Abschied das Gefühl verspürt hatte, es könnte für immer sein. Das Gefühl hatte nicht getrogen. Denise war im Unterschied zu ihrer Schwester eines natürlichen Todes gestorben. Was nicht viel änderte. Tot war tot.

Auf der Weiterfahrt versuchte Isabelle sich wieder auf den Fall zu konzentrieren. Dass Denise nicht mehr lebte, durfte sie nicht davon abhalten, logisch zu denken. Nach einer Weile nahm sie ihr Handy und rief im Kloster des *Abbé* Gaylord Gawain an. Der ehrwürdige Vater sei gerade nicht zu sprechen, wurde ihr beschieden. Er sei in der Kirche beim Beten. Aber nach Beendigung seiner *prières* rufe er sie gerne zurück. Isabelle bedankte sich, legte auf und sah Apollinaire von der Seite an. Der wandte seinen Blick nicht von der Straße. Wie immer fuhr er mit höchster Aufmerksamkeit. Ihm fehlte die lässige Routine eines Vielfahrers. Eher wirkte er wie ein Fahrschüler bei der Prüfung. Es machte auch keinen Unterschied, ob er seinen privaten 2CV steuerte oder wie gerade ein Einsatzfahrzeug der *Police nationale*.

»Der *Abbé* ist unser einziger Verdächtiger«, sagte er mit unverändert starrem Blick. »Richtig?«

»Natürlich ist er das. Er oder einer seiner Mönche. Irgendjemand muss Yanis den mörderischen Auftrag erteilt und den Vorschuss bezahlt haben.«

»Er hat es selbst gemacht«, entschied Apollinaire. »Dennoch werden wir es ihm nicht nachweisen können. Und freiwillig wird er es kaum zugeben.«

»Freiwillig nicht. Aber vielleicht unfreiwillig?«

Apollinaire wagte es, die Straße für Sekundenbruchteile außer Acht zu lassen, um ihr einen skeptischen Blick zuzuwerfen. »Der *Abbé* ist ein ehemaliger Fremdenlegionär«, stellte er fest. »Ein harter Hund, der lässt sich nicht einschüchtern.«

»Glaube ich auch nicht. Deshalb bedarf es einer raffinierteren Vorgehensweise.«

»Und wie sollte die aussehen?«

Sie zuckte mit den Schultern. »Weiß ich auch noch nicht. Erst mal möchte ich mit ihm ein unverfängliches Telefonat führen und seine aktuelle Stimmungslage ergründen. Dann sehen wir weiter.«

»Madame, ich bin zuversichtlich. Ihnen wird was einfallen. Um den großen Weisen Laotse zu zitieren: Das Schwache wird das Starke besiegen, weil das Harte dem Weichen unterliegt.«

Isabelle spielte die Empörte. »Wer ist hier schwach und wer ist stark? Nur weil ich eine Frau bin und gerade am Stock gehe ...«

»Pardon, Madame, so habe ich das nicht gemeint. Laotse meinte doch nur ...«

»... dass man lernen solle zu schweigen«, unterbrach sie ihn lächelnd, »dann merke man, dass man zuvor zu viel geredet hat.«

»Das Zitat ist korrekt«, stellte er verblüfft fest.

»Also handeln Sie danach und konzentrieren Sie sich auf den Straßenverkehr. Ich nutze die Zeit und denke nach.«

»*À votre service.* Sehr wohl, Madame.«

Sie hatte nicht erwartet, dass der Rückruf des *Abbé* so schnell erfolgen würde. Er erreichte sie noch auf der Fahrt. Wie war es zu deuten, dass er sich so rasch meldete? War das Ausdruck seiner Unschuld, weil ihm nichts Übles schwante, oder drückte die Eile seine Anspannung aus?

»Madame le Commissaire, Sie wollten mich sprechen? Wie kann ich Ihnen helfen?«

»Ich hoffe, ich habe Sie nicht bei Ihrem Gebet gestört?«

»Keineswegs, Madame, bei der Zwiesprache mit Gott lasse ich mich nicht stören. Erst danach bin ich wieder von dieser Welt.«

»Haben Sie schon gehört, dass die Mutter Oberin Hortensia nach den tragischen Ereignissen beschlossen hat, das *Monastère des bonnes sœurs* aufzugeben?«

»Selbstverständlich, denn die ehrwürdige Mutter ist damit ja meiner Empfehlung gefolgt, bei den Schwestern in Aquitanien Zuflucht zu suchen. Ich bin voller Zuversicht, dass sie richtig entschieden hat und dort ihren Frieden finden wird.«

»Das war quasi eine göttliche Fügung«, sagte Isabelle, »denn die Aufgabe des *Monastère* kommt Ihnen ja nicht ungelegen.«

»Höre ich da leichten Spott in Ihrer Stimme? Die göttliche Fügung sollten wir hier besser aus dem Spiel lassen. Warum meinen Sie, dass mir Hortensias Entscheidung nicht ungelegen kommt?«

»Ihr Vorhaben, das *Monastère des bonnes sœurs* zu übernehmen, lässt sich ja jetzt realisieren. Ich vermute, dass Sie sich mit der Stiftung Falcon-Fontallier einigen werden.«

»Soso, das vermuten Sie. Obgleich ich nicht weiß, warum Sie sich dafür interessieren, muss ich Sie enttäuschen. Dazu wird es nicht kommen.«

»Warum?«

»Weil wir in der Zwischenzeit ein anderes Kloster gefunden haben, in dem wir von ganzem Herzen willkommen sind. Das *Monastère des bonnes sœurs* hätte zwar gut gepasst, aber es hat nicht sollen sein. Sébastien, der Stiftungssekretär, weiß bereits Bescheid. Sicherlich wird sich ein anderer Orden finden, der das *Monastère* weiterführt. Jedenfalls wünsche ich dem Kloster eine glückliche und friedliche Zukunft und Gottes Segen.«

Isabelle war überrascht. Auf die Idee war sie nicht gekommen, dass sich der *Abbé* gegen das *Monastère* entscheiden könnte. Ihr fielen auf die Schnelle gleich mehrere Schlussfolgerungen ein. Entweder sprach der *Abbé* die Wahrheit, und es hatte sich genau so zugetragen – was sie nicht glauben wollte. Oder er war sicherheitshalber zweigleisig gefahren und hatte nicht nur bei dem *Monastère des bonnes sœurs,* sondern auch bei einem anderen Kloster sein schmutziges Spiel gespielt – was schon sehr viel wahrscheinlicher war. Oder er hatte aufgrund der eskalierenden Ereignisse kalte Füße bekommen und sich mit der Absage aus der Schusslinie begeben – was ihr am plausibelsten erschien.

»Madame, sind Sie noch dran?«, fragte er.

Es ärgerte sie, dass er glauben könnte, ihr hätte es die Rede verschlagen.

»Ja, jetzt wieder. Wir hatten wohl ein Funkloch. Ich gratuliere Ihnen, dass Sie ein anderes Kloster gefunden haben. Darf ich fragen, wie es heißt?«

»Es handelt sich um die *Abbaye Saint-Pierre de la Brenne.*«

Es gab das andere Kloster also wirklich, er hatte nicht geblufft.

»Darf ich Sie noch was fragen?«

Sie hörte ihn verhalten lachen. »Nur zu, ich habe nicht erwartet, dass Sie mich ausschließlich wegen des Klosters sprechen wollten.«

»Kennen oder kannten Sie einen gewissen Yanis Canteloupe?«

»Yanis? Ein schöner Name. Im Griechischen leitet er sich von der Gnade Gottes ab. Und im Arabischen meint man damit den treuen Freund und Weggefährten.«

Er machte eine Pause, als ob er dem treuen Freund und Weggefährten etwas Nachklang verleihen wollte. Dieser Gaylord Gawain war in der Tat ein Mann von großer Suggestion – sogar am Telefon.

»Um Ihre Frage zu beantworten«, fuhr er mit sonorer Stimme fort. »Nein, ein Yanis Canteloupe ist mir unbekannt. Warum fragen Sie?«

Ja, warum fragte sie? Sie konnte ihn ja kaum mit ihrem Verdacht konfrontieren.

»Nur so«, gab sie die dümmste aller Antworten. Es war ihr fast peinlich, dass ihr spontan keine bessere einfiel.

Wieder hörte sie ihn leise lachen. »Ich verstehe. Sie wollen mich nicht ins Vertrauen ziehen. Das ist schade, aber nicht zu ändern. Darf ich jetzt auch eine Frage stellen?«

»Ja, bitte.«

»Wie geht es Ihrer Gesundheit?«

Ihrer Gesundheit? Sie bekam eine Gänsehaut. Bei ihrer ersten und bisher einzigen Begegnung hatte er ihr unvermittelt eine baldige Genesung gewünscht. Einfach so, ohne von ihren Problemen wissen zu können. Damals hatte sie noch kein bisschen gehinkt.

»Ausgezeichnet, danke der Nachfrage«, antwortete sie.

»Madame Bonnet, wie ich Ihnen schon das letzte Mal sagte, halte ich Sie für eine bemerkenswerte Frau. Auch verfügen Sie über die Gabe der Lüge, was in Ihrem Beruf hilfreich sein dürfte. Aber auch ich verfüge über eine Gabe: Ich spüre, wenn ich angelogen werde. Weshalb ich Ihnen erneut eine baldige

Genesung wünsche und den Rat gebe, das Schicksal nicht herauszufordern. *Au revoir.* Und Gott sei mit Ihnen. *Dieu vous garde!*«

Das war's. Er hatte aufgelegt.

Isabelle atmete tief durch. Das Schicksal nicht herausfordern? Ein Mann der Kirche sprach vom Schicksal, nicht von Gottes Wille? Meinte er damit ihre Erkrankung – oder verbarg sich dahinter eine Drohung? Selten noch hatte sie es mit einem Mann zu tun gehabt, der sie in ähnlicher Weise verunsicherte. Wahrscheinlich noch nie!

Den Nachmittag verbrachte Isabelle im Kommissariat. Sie versuchte ihre Gedanken zu sortieren. Mal saß sie am Schreibtisch, dann wieder ging sie auf und ab. Mal mit, mal ohne Stock. Sie machte sich eine frische Tasse Kaffee. Anschließend stand sie an der Fensterbank und betrachtete ihren Kaktus, der – wie sie von Apollinaire wusste – der Gattung *Pilosocereus chrysostele* angehörte und jeden Tag gleich aussah. Über den Platz vor dem *Hôtel de ville* lief gerade Thierry. Er sah sie am Fenster stehen und winkte ihr zu. Geistesabwesend erwiderte sie seinen Gruß. Sie setzte sich vor ihren Computer und checkte ihre E-Mails. Dann rief sie Sébastien an und ließ sich bestätigen, dass der *Abbé* tatsächlich kein Interesse mehr am *Monastère des bonnes sœurs* hatte. Der Stiftungssekretär bedauerte die Absage, denn jetzt hätte man vielleicht doch eine Einigung erzielen können. Isabelle sah Apollinaire über die Schulter, der am Computer in ihrem Auftrag einige Recherchen durchführte. Sie nahm einen Anruf von Rouven entgegen, der von Tokio kommend gerade in Paris einschwebte. Ohne van Gogh als Begleiter. Die Reise hatte sich nicht gelohnt. Er war dennoch guter Dinge und versprach, in den nächsten Tagen nach

Südfrankreich zu kommen. Dann schleife er sie eigenhändig nach Sainte-Maxime zu Docteur Lambart und lege sie dort auf den Operationstisch. Sie stellte ihm frei, das zu tun. Bis dahin hoffte sie mit ihrer Arbeit fertig zu sein. Apropos, ihr fielen noch einige Fragen ein, die sie mit ihm besprach. Mit Rouven konnte man über vieles reden. Mindestens so gut konnte man mit ihm schweigen. Aber am Telefon machte das wenig Sinn.

Isabelle nahm ihr Smartphone, lud alle Fotos, die sie in der letzten Zeit gemacht hatte, auf ihren PC, stützte ihren Kopf in die Hand und schaute sie sich an. Viele waren es nicht, aber einige interessante waren dabei, vor allem eines. Es kam auf die Betrachtungsweise an. Sie sprach mit Apollinaire darüber. Der kratzte sich mit dem Bleistift am Kopf und meinte, dass das Leben voller Rätsel und Überraschungen sei.

Natürlich sprachen sie über den *Abbé* Gaylord Gawain, über seinen Orden, die Mönche und das neue Kloster, die *Abbaye Saint-Pierre de la Brenne*. Apollinaire hatte einige neue Informationen zusammengetragen, aber es war nichts darunter, was ihnen weiterhalf. Was hatte sie im Auto zu Apollinaire gesagt? Es bedürfe einer raffinierteren Vorgehensweise. Raffiniert im Sinne von trickreich, von listig, sogar von hinterlistig. Eine Idee in ihrem Kopf nahm immer konkretere Formen an. Eigentlich war es ganz einfach.

Auf dem Heimweg machte sie Pause im *Café des Arts*. Clodine und Jasmin saßen davor. Es freute sie zu sehen, dass es ihrer ehemaligen Mitschwester gut zu gehen schien. Isabelle war mehr denn je davon überzeugt, dass ein lebenslanges Dasein im Kloster nichts für sie gewesen wäre. Jetzt half sie stundenweise bei Clodine im Laden. Sie kam mit anderen Menschen in Kontakt, sie verkaufte Seifen, die nach Lavendel rochen, und Poster, die eine Tänzerin zeigten und Henri Matisse. Abends saß sie mit anderen Gästen auf einer provenzalischen Terrasse, vor sich eine Schale mit eingelegten Oliven. Sie lachte und trank Rosé. *Vivre le moment présent!* Es kann so einfach sein.

56

Schon am frühen Morgen tätigte Isabelle einen Anruf, dessen Dringlichkeit ihr in der Nacht plötzlich durch den Kopf geschossen war. Sie erreichte Capitaine Richeloin, der es mit dem Dienstbeginn sehr genau nahm und deshalb schon am Schreibtisch saß – wahrscheinlich, um in Ruhe Zeitung zu lesen und ein Croissant in den *café au lait* zu tunken. Obwohl sie ihm jede Begründung verweigerte, erklärte er sich nach kurzer Diskussion bereit, eine gewisse Gudrun Pilleboue in Untersuchungshaft zu nehmen. Alternativ solle er sie unter Polizeischutz stellen.

Da setze er sie lieber in eine Zelle, erklärte er, das sei billiger. Für kurze Zeit gehe das ohne richterlichen Beschluss. Auf den Papieren vermerke er: *Danger de destruction de preuve*. Verdunkelungsgefahr, Unterschlagung von Beweismitteln.

Das war, dachte Isabelle, gar nicht mal so falsch. Immerhin hatte Gudrun Pilleboue Geld unterschlagen. Aber davon musste Richeloin nichts wissen. Er würde sie einfach wegsperren – zu ihrem eigenen Schutz.

Zwei Stunden später war es so weit. Apollinaire hatte ein Handy präpariert. Abgehende Gespräche waren anonym und nicht zurückzuverfolgen. Außerdem hatte er eine App aufgespielt, die ihre Stimme verfremdete.

Sie hatte Glück, er war gleich am Telefon. Sie kam sofort auf den Punkt. Sie sei die Lebensgefährtin von Yanis Canteloupe, behauptete sie. Sie sei über alles informiert und kenne die

Vereinbarungen. Deshalb wisse sie, dass nach Abschluss des Auftrags eine zweite Zahlung vereinbart sei. Tragischerweise sei Yanis in Ausübung seiner Tätigkeit ums Leben gekommen. Aber er habe seine Aufgabe erfüllt. Deshalb verlange sie die Zahlung der zweiten Rate. Umgehend, heute Abend. Andernfalls verständige sie die Polizei. Yanis habe alles genauestens protokolliert und ihr zudem Beweismittel überlassen. Keine Widerrede, keine Diskussion. Bis heute Abend. Er solle das Geld bereithalten. Er höre wieder von ihr. *Au revoir.*

Isabelle legte auf, ohne eine Reaktion abzuwarten.

»Jetzt verstehe ich, warum Sie Gudrun Pilleboue weggesperrt haben«, sagte Apollinaire. »Falls der *Abbé* von ihr weiß, würde er sie womöglich umbringen.«

Isabelle sah ihn lächelnd an. Da hatte er einerseits recht, andererseits auch wieder nicht.

Apollinaire wiegte skeptisch den Kopf hin und her. »Sie meinen, er fällt darauf rein?«

»Ich hoffe es. Spätestens heute Abend wissen wir es.«

»Was ist, wenn er das Geld nicht so schnell beschaffen kann?«

»Er wird trotzdem kommen und versuchen, sich mit der vermeintlichen Freundin zu einigen. Er kann nicht riskieren, dass sie ihn bei der Polizei verpfeift.«

»Oder er schickt einen seiner Mönche, um die Freundin zu erschießen«, spekulierte er.

Isabelle hob eine Augenbraue. »Er wird ganz sicher keinen Mönch schicken«, sagte sie. »Davon können Sie ausgehen.«

»Äh, warum?«

»Sie sind doch sonst nicht so schwer von Begriff.«

Apollinaire sah sie ratlos an. Er klopfte sich mit dem Lineal gegen die Stirn und wiederholte dabei leise: »Nicht so schwer von Begriff?« Plötzlich erhellte sich seine Miene. »Wie blöd bin ich denn? Jetzt verstehe ich.« Er begann zu lachen. »Ich hab's kapiert.«

»Wurde aber auch Zeit. Doch in einem Punkt haben Sie recht: Es könnte sein, dass er versuchen wird, Yanis' Freundin aus dem Weg zu räumen. Darauf müssen wir uns einstellen.«

Isabelle griff zum Telefon und rief erneut bei Capitaine Richeloin in Toulon an. Er bestätigte ihr, dass besagte Gudrun Pilleboue bereits verhaftet sei und unterwegs ins Untersuchungsgefängnis. Natürlich musste ihm klar sein, dass ihre Person auf irgendeine Weise in Zusammenhang mit den Nonnenmorden stand. Aber er ging wohl davon aus, dass er von Isabelle noch rechtzeitig ins Bild gesetzt würde. Mit etwas Glück könnte er sich anschließend wieder mit fremden Lorbeeren schmücken. Und deshalb zierte er sich auch nicht lange, als sie ihm eine weitere Bitte vortrug. Sie war etwas komplizierter. Er versprach, die entsprechenden Vorbereitungen zu treffen und auf ihre Anweisungen zu warten. Sie lächelte. Mehr konnte sie von ihm nicht verlangen.

Isabelle legte auf, lehnte sich zurück und verschränkte die Hände über dem Kopf. Hatte sie etwas vergessen? Galt nur noch festzulegen, wo die Übergabe des Geldes stattfinden sollte – und zu hoffen, dass sie sich nicht auf dem Holzweg befand.

57

Eine kleine Änderung nahm sie an ihrem Plan doch noch vor. Ursprünglich hatte sie als Übergabeort mit der Ruine einer alten abgelegenen Kapelle geliebäugelt, die sich am Straßenrand auf dem Weg zum *Monastère des bonnes sœurs* befand. Ein Gotteshaus, auch wenn es nur ein kleines war und schon verfallen, schien ihr angemessen, einen Mann zu überführen, der den ganz und gar unchristlichen Auftrag gegeben hatte, Nonnen zu ermorden. Doch sprach bei nüchterner Betrachtung einiges gegen diese Location. Sie war vielleicht filmreif, barg aber viele Risiken. Bis hin zu Apollinaires Befürchtung, sie könnte in ihrer Rolle als Yanis' Freundin Opfer eines Anschlags werden. Zwar ließen sich entsprechende Vorsichtsmaßnahmen treffen, aber irgendwie machte es keinen Sinn. Isabelle kam der Gedanke, dass man an den Anfang des Falles zurückkehren könnte. Wo hatte alles begonnen? In den botanischen Gärten der *Domaine du Rayol*, genauer gesagt auf der Terrasse des *Café La Ferme*. Dort hatte sie mit ihrer Freundin Jacqueline gesessen und Rosé getrunken, als plötzlich Sanitäter und Polizisten vorbeigeeilt kamen. Einige Zeit später waren sie vor der toten Nonne auf den Klippen gestanden – und alles hatte seinen Anfang genommen.

Isabelle überlegte, dass die *Domaine du Rayol* als Ort des Zusammentreffens viel geeigneter war als die alte Kapelle, nicht so dramatisch, aber gewissermaßen im Gedenken an die Nonne Albertine. Es sprach auch nichts dagegen, die Übergabe in der Öffentlichkeit zu inszenieren. Quasi in einer entspannten

Atmosphäre – also am besten direkt im *Café La Ferme*. Blieb ein Problem: Es hatte am späteren Abend nicht mehr geöffnet.

Isabelle nahm das präparierte Handy, entschied sich aber gegen einen Anruf, sondern schickte eine SMS: »Geldübergabe morgen Vormittag 11 Uhr im Café La Ferme in der Domaine du Rayol. Persönliches Erscheinen ist Pflicht! Sonst verständige ich sofort die Polizei. Bitte kurze Bestätigung. Salut!«

Die Terminverschiebung sollte ihm recht sein. So blieb ihm mehr Zeit, das Geld zu beschaffen. Sie hatte ja keine Ahnung, um welche Summe es sich handelte. Aber so wenig dürfte es nicht sein, wenn es zusammen mit der ersten Rate für einen vorgezogenen Ruhestand auf Martinique gereicht hätte.

Sie lief gerade über den Cours Mirabeau, das Kopfsteinpflaster verfluchend und mindestens genauso ihr aufsässiges Bein, da hörte sie das »Bling« einer eingehenden Textnachricht. Instinktiv schaute sie zunächst auf ihr eigenes Handy, doch da war nichts. Dann checkte sie das Handy, mit dem sie die Übergabe vereinbart hatte. Apollinaire hatte die Einstellungen so geändert, dass es zwar anonym blieb, aber den Austausch von Textnachrichten erlaubte. Isabelle hätte vor Freude am liebsten einen Luftsprung gemacht. Sie hatte eine Antwort erhalten, in der kürzestmöglichen Form: das Emoji einer Hand mit dem Daumen nach oben. Besser ging es nicht. Dieses simple Okay-Zeichen steckte voller Informationen. Zunächst bestätigte es den morgigen Termin. Das war schon mal wichtig. Aber es kam auch einem Schuldeingeständnis gleich, sonst machte es keinen Sinn. Ihr Bluff schien zu funktionieren. Aus Angst davor, aufzufliegen, würde er die zweite Rate bezahlen – und damit zugeben, Yanis' Auftraggeber gewesen zu sein. Und er würde, sofern er ihre SMS richtig gelesen hatte, persönlich erscheinen. Morgen um elf im *Café La Ferme* der *Domaine du Rayol*. Wenn alles so war, wie es sich gerade darstellte, und das Glück sie nicht verließ, hatte sich der Mann damit selbst ans Messer geliefert. Sie könnte den Fall abschließen und das tun, was ihr immer dringlicher erschien, nämlich einen Operationstermin vereinbaren. Denn mit dem freudigen Luftsprung war das so eine Sache – sie wäre in ihrem momentanen Zustand gar nicht in der Lage, ihn auszuführen.

58

Sie hatte gut geschlafen, trotz des aufregenden Tages, der ihr bevorstand. Das passierte ihr häufig. Vor absehbaren Stresssituationen schlief sie wie ein Murmeltier, während sie in Phasen der totalen Entspannung stundenlang wach liegen und wirre Gedanken wälzen konnte. Vielleicht sollte sie für mehr Aufregung in ihrem Leben sorgen? Quatsch, darauf konnte sie verzichten. Dann hätte sie ja gleich in Paris bleiben können. Warum war sie in der Provence? Weil sie die Ruhe suchte und die mediterrane Leichtigkeit des Seins. Anfänglich war ihr Thierry als Vorbild erschienen. Heute wusste sie, dass seine lässig zur Schau getragene Lebenskunst Fassade war. So konnte man sich täuschen.

Wenn jemand eine Form des *l'art de vivre* beherrschte, dann war das Rouven Mardrinac. Er war zwar mobil wie kaum ein anderer und führte von außen betrachtet ein unstetes Leben, aber er tat dies fast schon tiefenentspannt, er scherte sich keinen Deut um Konventionen – und er verstand die Kunst des Genießens. Zugegeben, er konnte es sich leisten. Aber im Unterschied zu all den *nouveaux riches* und Parvenüs, von denen es an der Côte d'Azur fast so viele gab wie Sand an der Plage de Pampelonne, nahm er sich nicht wichtig. Es war ihm egal, was die Leute von ihm dachten. Auch das war womöglich ein Privileg, nämlich das Vorrecht des alten Geldes. Rouven musste niemandem etwas beweisen, er ließ sich nur schwer aus der Ruhe bringen, er goss sich stattdessen lieber ein Glas Wein ein, zündete sich eine Zigarre an und legte die Füße auf den Tisch.

Neues und altes Geld? Isabelle fragte sich, warum sie gerade heute darüber nachdachte. Sie lächelte, denn sie wusste die Antwort. Auch war ihr klar, wieso sie soeben unwillkürlich Thierry mit Rouven verglichen hatte. Geld spielte dabei keine Rolle, eher Vertrauen und Glaubwürdigkeit und auch das Gefühl von Nähe und Geborgenheit. Isabelle pfiff auf Luxus, er bedeutete ihr nichts, im Gegenteil, sie fand ihn oft widerwärtig und dekadent. Kurioserweise machte es bei Rouven nichts aus, dass er sich jeden Luxus der Welt gönnen konnte. Wahrscheinlich, weil er keine Sekunde darüber nachdachte und mit derselben Selbstverständlichkeit auf einem klapprigen Fahrrad durch Saint-Tropez kurvte, wie er seinen alten Bentley vorfahren ließ. Er merkte den Unterschied nicht, er kannte es nicht anders, er war so aufgewachsen.

Thierry versus Rouven? Musste sie sich entscheiden? Eigentlich nicht, aber sie hatte es längst getan. Sie zog das Nachthemd über den Kopf, ging ins Bad und nahm eine kalte Dusche.

Zwei Stunden später fuhr sie in Canadel-sur-Mer auf den Parkplatz der *Domaine du Rayol*. Apollinaire saß am Steuer ihres privaten Renault. Sie hatte bewusst auf den Dienstwagen verzichtet, weil sie jede Polizeipräsenz vermeiden wollte. Deshalb hatte ihr Assistent auch keine Uniform an, sondern eines seiner schrillen Hawaiihemden. Isabelle schmunzelte. Das rot-gelbe Blumenmuster passte sogar ganz gut zu einem botanischen Garten wie Rayol. Vermutlich hatte er es deshalb ausgewählt. Apollinaire achtete auf Details. Wie auch seine verschiedenfarbigen Strümpfe meist eine Botschaft versteckten. Heute entdeckte sie auf ihnen stilisierte Handschellen. Wo gab es solche Strümpfe zu kaufen? Oder ließ er sie von Shayana besticken? Jedenfalls passten auch sie zu ihrem heutigen Vorhaben.

Die Situation war zu ernst, dachte Isabelle, um sich von Albernheiten ablenken zu lassen. Sie richtete ihre Gedanken auf die bevorstehenden Geschehnisse. Natürlich wusste sie nicht, was passieren würde, aber sie hatte ihre Erwartungen.

Eine halbe Stunde zu früh traf sie im *Café La Ferme* ein. Der zeitliche Vorsprung war beabsichtigt. Isabelle fand auf der Terrasse einen strategisch günstigen Platz, wo man sie nicht gleich sah, aber von wo sie alles im Blick hatte. Vor ihr eine Karaffe Wasser mit Eis und frischer Zitrone. Sie hatte einen Strohhut auf und eine dunkle Sonnenbrille. Das musste als Tarnung reichen. Noch waren nur wenige Gäste im Café, aber es füllte sich langsam. Natürlich war es eine mutige Entscheidung, sich mit einem Mann, der skrupellos Nonnen ermorden ließ, in aller Öffentlichkeit zu treffen. Aber sie hatte alles genau überlegt und glaubte, es war richtig so. Sie stellte den Blickkontakt zu einigen Besuchern her. Einer holte sich gerade einen Kaffee. Ein anderer gönnte sich einen Eisbecher. Ihren Gehstock hatte sie an der Lehne ihres Stuhles eingehängt. Vor ihr auf dem Tisch lagen beide Handys, also ihr eigenes und das zweite, mit dem sie den Kontakt aufgenommen hatte. Ihre schwarze Bluse verbarg ein Holster an ihrem Gürtel mit ihrer Dienstwaffe, die sie aus Paris mitgebracht hatte und die viel besser war als die Standardpistolen der Kriminalpolizei. Noch vor wenigen Tagen wäre sie unbewaffnet zu diesem Termin erschienen. Aber sie hatte sich selbst versprochen, besser auf sich aufzupassen.

Wie vereinbart war Apollinaire abgetaucht. Er überwachte den Eingang zur *Domaine* im *Hôtel de la Mer*. Von dort gab es mehrere Wege, die zum *Café La Ferme* führten. Sie sah auf die Uhr. Noch fünf Minuten.

Auf ihrem Handy blinkte eine SMS auf. »Er kommt. Rucksack. Rote Baseballkappe.«

Na bitte, gleich war es so weit. Eigentlich war es schon so gut wie vorbei. Sie müsste ihn nur noch festnehmen. Aber sie hatte Gesprächsbedarf.

Aus den Augenwinkeln sah sie den Mann mit der roten Baseballkappe auftauchen. Er war groß und hatte einen schlaksigen Gang. Er lief an ihr vorbei, blieb stehen und sah sich um. Isabelle lächelte zufrieden. Sie hatte ihm keine weiteren Anweisungen gegeben. Jetzt wusste er nicht, was er tun sollte. Aber er war hier, das war entscheidend.

Isabelle nahm den Strohhut ab, hob die Hand und winkte ihm zu.

Er blickte zu ihr herüber und erkannte sie.

»Hallo«, rief sie, »Monsieur Falcon-Fontallier, was für ein Zufall. Schön, Sie zu sehen.«

André Falcon-Fontallier sah sie verunsichert an. »Madame Bonnet? Das ist wirklich ein Zufall. Was machen Sie denn hier?«

Sie lächelte. »Das Gleiche könnte ich Sie fragen. Seit wann interessieren Sie sich für Botanik?« Sie deutete auf einen freien Stuhl an ihrem Tisch. »Kommen Sie, setzen Sie sich zu mir!«, forderte sie ihn auf.

Sichtlich verwirrt und von der Situation überfordert, schaute André hin und her.

»Geht leider nicht«, sagte er, »ich habe eine Verabredung.«

Wieder lächelte Isabelle. »Ich weiß, aber Ihre Verabredung wird nicht kommen. Oder besser gesagt, sie ist schon hier. Ich bin die Freundin, die Ihnen die SMS geschickt hat.«

In seinem Gesicht begann es nervös zu zucken.

»Ich darf Sie nochmals bitten, Platz zu nehmen. Keine Sorge, es ist nicht so, wie es ausschaut. Ich bin nicht als Polizistin hier, wenn Sie verstehen, was ich meine.«

»Nein, verstehe ich nicht.«

»Nun setzen Sie sich schon. Ich erkläre es Ihnen.«

Er nahm den Rucksack ab und setzte sich.

»Darf ich mal reinschauen?«, fragte sie. Ohne eine Antwort abzuwarten, griff sie zum Rucksack. Erst wollte er sie davon abhalten, dann aber scheute er das Aufsehen eines Handgemenges. Sie öffnete den Rucksack und sah, dass er voller Geldbündel war. Wie schön. Sie machte ihn wieder zu und stellte ihn unter den Tisch zwischen ihre Beine. »Ich sehe, wir haben uns verstanden. Monsieur Falcon-Fontallier, Sie glauben, mich zu kennen, doch da täuschen Sie sich. Ich könnte Sie jetzt verhaften, aber was habe ich davon? Das wunderbare Geld im Rucksack würde beschlagnahmt. Jammerschade. Ich könnte es gut gebrauchen.«

Er runzelte die Stirn. »Aber Sie sind doch die Freundin von Rouven Mardrinac? Sie brauchen kein Geld.«

Mit diesem Einwand hatte sie gerechnet. Das war sozusagen die Schwachstelle in ihrer Geschichte.

»Mein lieber André, ich darf doch André sagen?«

Er nickte stumm.

»Also, an Rouven habe ich mich rangemacht, weil er reich ist. Aber er hat mich rausgeschmissen. Wir sind getrennt. *Merde!* Da kann ich mir doch eine Gelegenheit wie mit Ihnen nicht entgehen lassen, das können Sie sicher verstehen.«

Langsam schien er wirklich zu verstehen. Sie konnte fast sehen, was in seinem Kopf vorging. Ihm wurde gerade klar, dass alles gut ausgehen könnte. Er musste nur die Scheine im Rucksack abschreiben, um eine korrupte Polizistin zu bestechen. Das kam unterm Strich aufs Gleiche raus, als wenn er der Freundin von Yanis Canteloupe das Geld gegeben hätte.

»Woher wissen Sie von der zweiten Rate?«, fragte er.

»Ich bin eine gute Polizistin.« Sie schmunzelte. »Eigentlich bin ich das, und dann auch wieder nicht.«

Er sah Isabelle zweifelnd an. Dann machte er mit der Hand eine kreisende Bewegung neben dem Ohr. »Nur damit es keine Missverständnisse gibt: Sie kassieren das Geld, und ich bin ein freier Mann. Richtig?«

»Ganz genau. Das wäre der Deal.«

»Okay, aber dann will ich die Beweise haben, von denen Sie am Telefon gesprochen haben, und alle Aufzeichnungen.«

Sie zog eine Augenbraue nach oben. »Beweise, Aufzeichnungen? Es gibt keine. Genauso wenig, wie es eine Freundin gibt.« Jetzt machte sich in seinem Gesicht doch wieder Ratlosigkeit breit.

»Aber woher konnten Sie dann wissen, dass ich …«, stotterte er. »Ich meine, dass ich, Sie wissen schon, was ich meine?«

»Dass Sie Yanis Canteloupes Auftraggeber waren?«, vervollständigte sie seinen Satz und grinste. »Ich sagte doch, ich bin eine gute Polizistin. Jedenfalls habe ich eine gute Beobachtungsgabe und kann recherchieren.«

»Was sollte ich für ein Motiv haben?«, fragte er plötzlich erregt. Versuchte er jetzt doch, sich herauszureden, nun, da er wusste, dass sie keine Beweise hatte? Genau deshalb spielte sie ihm die Rolle der korrupten Polizistin vor. Denn bei einer offiziellen polizeilichen Befragung würde er nichts zugeben. Er würde alles abstreiten. Tatsächlich hatte sie keine Beweise – nur diesen Rucksack mit Geld und die Tatsache, dass er zum Termin erschienen war. Mit einem guten Anwalt und einer kreativen Geschichte würde er womöglich davonkommen. Das wollte sie nicht zulassen.

»Welches Motiv?«, sagte sie. »Das wissen Sie doch selber am besten, aber ich helfe Ihnen gerne auf die Sprünge. Sie sind der Spross einer altehrwürdigen Familie und führen ein lockeres Leben. Aber Ihr Vater erwartet mehr von Ihnen, und Sie von sich wahrscheinlich auch. Sie wollen sich als Unternehmer bestätigen und machen in Immobilien. Leider mit wenig Erfolg. Von den schönen Architekturmodellen, die in Ihrem Ausstellungsraum stehen, wurde kaum eines realisiert. Und die wenigen Projekte, die Sie zum Abschluss gebracht haben, waren ein finanzielles Desaster. Ihr Vater weigert sich, Sie mit immer mehr Geld zu unterstützen. Er hat Ihnen ein Ultimatum gestellt. Und er hat gedroht, Sie zu enterben.«

Andrés Gesicht war aschfahl. Sie hatte ins Schwarze getroffen. Einiges wusste sie, manches hatte sie von Rouven erfahren, den Rest hatte sie sich zusammengereimt.

»In Ihrem Ausstellungsraum haben Sie ein schönes Architekturmodell«, fuhr sie fort, »das Sie besser versteckt hätten. Es ist mir bei meinem Besuch aufgefallen. Ich hatte Zeit, mich umzusehen, weil Sébastien telefonieren musste. Ich habe es fotografiert. Das Modell zeigt ganz deutlich das *Monastère des bonnes sœurs,* allerdings großzügig erweitert und mit einem Golfplatz außen herum. Das Projekt findet sich sogar auf Ihrer Website, nur ohne Foto und Erwähnung des *Monastère.* Sie planen im *Massif des Maures* ein exklusives Hideaway, heißt es da, mit Hubschrauberlandeplatz, mit großem Wellnessbereich und besagtem Golfplatz. Das ist sozusagen Ihre letzte Chance. Aus dem Projekt muss was werden. Sie haben auch schon mögliche Investoren angesprochen, darunter Rouven Mardrinac. Aber er hatte kein Interesse.«

André Falcon-Fontallier zitterte. Wohl nicht nur deshalb, weil Isabelle die Wahrheit kannte, sondern weil er mit seinem eigenen Versagen konfrontiert wurde. Und mit seinen Träumen, die nicht scheitern durften.

»Wollen Sie weitererzählen?«, forderte sie ihn auf.

»Nein. Wir müssen überhaupt nicht weiterreden. Sie nehmen das Geld, ich wünsche Ihnen einen schönen Tag, und wir gehen getrennte Wege.«

»Ganz so einfach möchte ich es Ihnen nun doch nicht machen«, erwiderte sie. »Sie sind für den Tod von mindestens zwei Nonnen verantwortlich.«

»Bin ich nicht«, protestierte André. »Eines möchte ich entschieden klarstellen. Ich habe Yanis nie den Auftrag gegeben, eine oder gleich mehrere Nonnen oder sonst jemanden umzubringen. Niemand sollte zu Schaden kommen, das müssen Sie mir glauben.«

Isabelle sah ihm in die Augen. Das mochte sogar stimmen. Und doch hatte er es billigend in Kauf genommen. Mit Yanis hatte er den falschen »Unternehmensberater« ausgewählt, einen, der seine eigenen Methoden hatte und der sich nicht zurückpfeifen ließ.

»Ich habe eine Kopie des Stiftungsvertrags«, sagte Isabelle. »In den Statuten ist geregelt, dass die Nutzung des *Monastère* an die Familie zurückfällt, wenn es nicht mehr von einem klösterlichen Orden betrieben wird. Also mussten Sie nur die wenigen verbliebenen Nonnen vertreiben, dann war der Weg frei. Sie haben Ihr Ziel erreicht. Ich hoffe, Ihr Vater ist mit der Umwidmung des *Monastère* zu einem Hideaway für die Schönen und Reichen einverstanden.«

»Das muss er«, sagte er leise.

»Weshalb auch der *Abbé* Gaylord Gawain nicht zum Zuge kommen durfte«, ergänzte sie. »Mit seinem Mönchsorden wäre das Projekt geplatzt.«

André schwieg eine Weile. Offenbar ließ er in Gedanken noch mal alles Revue passieren. Sie blickte auf ihre zwei Handys auf dem Tisch. Bei beiden war die Tonaufzeichnung aktiviert. Und von ihrem gab es sogar eine fortwährende Verbindung zu anderen Apparaten.

»Respekt. Sie sind wirklich eine gute Ermittlerin«, sagte er schließlich. »Sie haben alles so ziemlich richtig dargestellt.

Doch Sie können mich nicht beschuldigen, für den Tod der Nonnen verantwortlich zu sein. Das war einzig und allein Yanis' Entscheidung.«

»Der Ihnen nicht widersprechen kann, weil er tot ist.«

»Ist aber so. Na egal, ich denke, wir können unser Gespräch beenden. Ich hoffe, wir sehen uns nie wieder.« Er warf einen Blick auf den Rucksack unter dem Tisch. »Werden Sie glücklich mit dem Geld. Und kommen Sie nie auf die Idee, mich noch mal zu behelligen. Erstens kann ich Sie der Bestechlichkeit bezichtigen, und zweitens kenne ich noch andere Männer, die ähnlich ticken wie Yanis. Haben wir uns verstanden?«

Isabelle lächelte. Jetzt hatte sich André sogar noch zu einer Drohung hinreißen lassen. Erstaunlich, wie schnell jemand wieder Oberwasser bekommen konnte.

Er setzte seine rote Baseballkappe auf und wollte sich erheben.

»Zugriff!«, sagte Isabelle laut und vernehmlich.

An den Nebentischen standen zwei Männer auf. Der eine Zivilbeamte der *Police nationale* hatte vorhin einen Kaffee getrunken, der andere ein Eis gegessen. Der größere von beiden legte André eine Hand auf die Schulter. »Sie sind verhaftet. Bitte machen Sie keine Schwierigkeiten.«

André Falcon-Fontallier zögerte nur eine Sekunde, dann rammte er dem Polizeibeamten den Ellbogen in die Magengrube und raste los. Der Kollege reagierte zu langsam. Es blieb ihm nur noch, hinter André herzurennen. Auch der Größere nahm die Verfolgung auf, mit schmerzverzerrtem Gesicht und stolpernden Schrittes.

Isabelle sah ihnen gelassen hinterher. André würde nicht weit kommen. Es waren noch andere Polizeibeamte auf dem Gelände. Am Eingang der *Domaine,* der zugleich der Ausgang war, hielt Apollinaire die Stellung. Auf dem Parkplatz standen mittlerweile einige Streifenwagen. In einem saß Capitaine

Richeloin, der alles mit angehört hatte. Wahrscheinlich freute er sich schon auf die Pressekonferenz, bei der er seinen nächsten großen Ermittlungserfolg präsentieren durfte.

Sie resümierte das Gespräch und dachte, dass alles gut gelaufen war. André Falcon-Fontallier war überführt. Der Fall war abgeschlossen. Inwieweit er für die Morde direkt zur Rechenschaft gezogen werden konnte, würden die Richter entscheiden. Jedenfalls hatte er den Täter angeheuert. Das war schlimm genug. Aus seinem Hideaway-Projekt würde nichts werden. Und sein lockeres Partyleben würde er hinter Gittern auch nicht fortsetzen können. Seine Eltern würden ihn nicht nur enterben, sondern wohl auch nichts mehr mit ihm zu tun haben wollen. Er hatte gegen alles verstoßen, was ihnen heilig war, ihr Glaube an Gott und an das Gute auf dieser Welt. Er hatte es mit Füßen getreten. Das Vermächtnis seines streng katholischen Großvaters Jean-Baptiste Falcon-Fontallier? Er hatte es auf kriminelle und ganz und gar unchristliche Weise entehrt. Das *Monastère des bonnes sœurs?* Er war dafür verantwortlich, dass man es aufgab und in ihm keine Gebete mehr gesprochen wurden. Zwei Nonnen hatten den Tod gefunden. Womöglich auch drei, falls die alte Superiorin Laetitia tatsächlich an einem vergifteten Kräuterlikör gestorben war. Die Mutter Oberin Hortensia und Adèle, die einzig verbliebene Ordensschwester, würden in einem Kloster in Aquitanien Zuflucht suchen. Die Novizin Jasmin würde kein Gelübde leisten und stattdessen danach trachten, sich wieder in der normalen Welt zurechtzufinden. Vielleicht blieb sie in Fragolin? Das immerhin wäre eine gute Entscheidung.

Isabelle steckte die beiden Handys ein, hängte sich den Rucksack um, griff nach ihrem Gehstock und stand auf. Den Stock würde sie behalten, zum Gedenken an das *Monastère,* an Hortensia und an die toten Nonnen Albertine und Marguerite.

Apollinaire kam ihr entgegengelaufen, mit flatterndem Hawaiihemd und in großer Aufregung.

»Es ist was passiert«, stammelte er atemlos. »Bitte kommen Sie mit.«

»Muss ich rennen, was mir schwerfällt, oder kann ich langsam gehen?«, fragte sie.

Er stützte sich auf die Knie und schnappte nach Luft.

»Ich glaube, es hat Zeit. Ganz sicher sogar.«

Warum sagte er nicht, was passiert war? Das war typisch Apollinaire. Aber sie fragte auch nicht danach, gleich würde sie es erfahren.

Sie liefen den Weg entlang, der ihr bekannt war. Er führte zur Stelle, wo Albertine seltene Kräuter gesucht hatte und von wo sie in den Tod gestürzt war. Wie damals hatten sich dort wieder Menschen versammelt, die mit einer Mischung aus Abscheu und Neugier in die Tiefe blickten. Apollinaire schob die Gaffer zur Seite. Sie stiegen durch die Lücke neben dem Zaun und sahen hinunter.

Auf den Klippen lag eine regungslose Gestalt. Die rote Baseballkappe hatte er noch auf. Kein Zweifel, es handelte sich um André Falcon-Fontallier. Um ihn herum standen einige Polizeibeamte. Einer schaute nach oben und entdeckte Isabelle. Mit der Hand gab er ein Zeichen. Diesmal zeigte der Daumen nach unten. Nicht nach oben wie beim Emoji in Andrés SMS. Die Botschaft war eindeutig. André war tot. Er lag makabrerweise ziemlich genau dort, wo sie die Nonne Albertine gefunden hatten. Ein Déjà-vu der besonderen Art. Isabelle zweifelte keine Sekunde daran, dass sich André in selbstmörderischer Absicht hinuntergestürzt hatte, auf der Flucht vor den Polizisten und im Bewusstsein, dass sein bisheriges Leben vorbei war. Ein André Falcon-Fontallier ging nicht ins Gefängnis. Da machte er lieber Schluss.

Isabelle stützte sich auf ihren Stock. Sie sah nicht mehr hinunter auf die Klippen. Nachdenklich blickte sie über das Meer. André war tot. Hatte sie das gewollt? Nein, ganz bestimmt nicht. Doch vielleicht war es besser so. Für ihn selbst und für seine Familie. Und für die ehrwürdige Mutter Hortensia, der es erspart blieb, den Herrn im Gebet um Vergebung zu bitten. Isabelle drehte sich um. »*On y va*«, sagte sie auffordernd. »Wir gehen, es ist vorbei.«

Apollinaire nickte. »*Oui, c'est fini. Sans doute!* Kein Zweifel!«

Dreiundvierzig Stunden später befand sich Isabelle auf einer Operationsliege. Neben ihr stand Léo Lambart, der bereits einen grünen Kittel anhatte. Es war gleich so weit. Sie war nicht nervös. Die Vorstellung einer Operation unter Vollnarkose schreckte sie nicht. Im Gegenteil, sie wollte nichts davon mitbekommen, stattdessen in der Zwischenzeit ein kleines Nickerchen machen. Der Wirbelsäulenchirurg, den Léo als internationale Koryphäe gepriesen hatte und der ihr den Bombensplitter entfernen sollte, war schon in den OP vorausgegangen. Er hatte auf sie einen vertrauensvollen und souveränen Eindruck gemacht. Was sollte schon passieren? Als im gestrigen Aufklärungsgespräch die Risiken und möglichen Komplikationen genannt wurden, hatte sie vorsichtshalber gar nicht richtig zugehört. Sie war an diverse Geräte angeschlossen, die ihren Blutdruck maßen, Puls, Herzfrequenz und so weiter. Ein Clip am Finger prüfte die Sauerstoffsättigung. Der Anästhesist hatte bereits einen Venenzugang gelegt. »Ich freu mich auf den Tanz, den Sie mir versprochen haben«, sagte Léo.

Was für einen Tanz? Ach so, richtig. Isabelle wurde immer schläfriger. Hatte man ihr schon das Narkosemittel injiziert? Ihr fiel noch ein, dass Rouven gelogen hatte. Er hatte angedroht, sie eigenhändig nach Sainte-Maxime zu Docteur Lambart zu schleifen und dort auf den Operationstisch zu legen. Von wegen schleifen. In Wahrheit hatte er sie gestern in Fragolin mit dem alten Bentley abgeholt. Sie dachte an Hortensias Gehstock, den *sie hoffentlich nie mehr brauchen, aber behalten würde. Kurz spukten Yanis Canteloupe und André Falcon-Fontallier durch ihr benebeltes Hirn. Beide waren tot. Wie viele Opfer hatte der Fall eigentlich gefordert? Sie versuchte zu zählen. Da wären also die beiden Nonnen Albertine und Marguerite. Macht zwei. Die alte Superiorin Laetitia. Wie viel ist zwei plus eins?*

»Tout va bien«, hörte sie Léo in weiter Ferne sagen. »Alles wird gut.«

Das wollte sie ihm auch geraten haben. Anderenfalls würde sie … Was würde sie? Na egal. Ihr fielen die Augen zu. Tout va bien!

Ein turbulenter Kunst-Krimi
um einen angeblichen Matisse und der 4. Fall
für die Provence-Kommissarin Isabelle Bonnet

PIERRE MARTIN

Madame le Commissaire

und das geheimnisvolle Bild

EIN PROVENCE-KRIMI

Im Dörfchen Fragolin in der Provence herrscht Urlaubsstimmung, Kommissarin Isabelle Bonnet genießt das süße Nichtstun und das ein oder andere Glas Rosé zur lauen Abendstunde. Ein Besuch in einer Galerie, zu der sie den Kunstsammler Rouven Mardrinac begleitet, könnte das Sahnehäubchen auf der Aprikosen-Tarte sein. Doch Rouven brüskiert den Galeriebesitzer schon nach wenigen Minuten mit der Behauptung, der stolz zur Schau gestellte Matisse sei eine Fälschung. Ein eilig herbeigerufener Sachverständiger macht eine schockierende Entdeckung: Unter der Oberfläche des Bildes verbirgt sich ein verzweifelter Hilferuf – und schon befindet sich Madame le Commissaire in ihrem nächsten Fall …